JN015404

Kawaguchi Yoshimi

Le malheur et la coexistence

Tamashii-teki literary criticism

川口好美

不幸と共存

魂的文芸批評

法政大学出版局

不幸と共存

目次

3

対抗する批評へ

photo：Kawaguchi Maiko（pp. 6–7, 86–87）
Tanaka Satomi（title page, p. 149）

不幸と共存

1　不幸と共存

不幸と共存——シモーヌ・ヴェイユ試論

［2016. 12］

1　ヴェイユのわかりづらさ

晩年の——といっても彼女は三十四歳という若さで亡くなったのだが——シモーヌ・ヴェイユの思想には、読む者をたじろがせ、近寄りがたくさせるなにかがある。あるいは、ある種のわかりづらさがある。ヴェイユにかんしてわからないとはっきり言明するのは、真率で正しい態度だろう。だが他方で、そう言い切ることによって、よくわからないはずの対象をわかったかのように錯覚しているのではないか、そういう一抹の疑念が、どうしても心にかかる。

わかりづらさの原因が、彼女の信仰や宗教観の度を越した激烈さにあるとすれば、われわれとくらべて信仰が篤かったヴェイユ存命当時の読者たち（もちろん現在よりも数ははるかに限られていたが）の目には、彼女の思想はもっと理解しやすいものに映っていたのだろうか。そうは思えない。いくつかの証言から想像するに、その当時の人びとも、ヴェイユはわかりづらいと感じていたようだ。しかし、彼らが抱いていたわかりづらさの根にあったのは、われわれがヴェイユの思想に見出し、それをもとにしてヴェイユを忌避したり崇拝したりしがちな、極端な信仰や宗教観とは別だったのではないか。

たしかにその信仰には自己破壊的な極端さが伏在していた。もちろんわかりづらさは、そのこととまったく無縁というわけではないだろう。だが推測するに、わかりづらさは、極端や異端として一言で片づけてしまえるものとしてあったというよりは、まずは眼前の現実、たとえば政治的な現実との不一致として、政治現実が人びとのなかに醸していた心象との奇妙なズレとしてあったのではないだろうか。

*

そう思うのは、たとえば「人格と聖なるもの」のような晩年のテクストを読むときである。そこでヴェイユは「人格」主義を執拗に批判している。「人格」と言われてもピンときにくいので、さしあたり「人格」という語を「人権」という語に置き換えてみてもよいだろう。さまざまな権利要求、たとえば賃上げの要求がなされるとき、そのような個別の要求の背後にはひとつの巨大な揺るぎない権利の存在――「人権」あるいは「人格」――が想定されている。ある個人が人間として生存しているかぎり、彼あるいは彼女には最低限の食事をする権利や最低限の住居に住まう権利等々が保障されている。そして、そういった個別の権利は「人権」=「人格」という万人に普遍的に妥当する権利から奔出してくるものなのである……。ヴェイユが痛罵しているのは、こういった常識的で穏当な見方についてだ。フランス革命以後の「人格」なるものに立脚した権利要求や民主主義からは、ことごとく矛盾や誤謬しか結果していないではないか、と。

普遍的な権利によって「最低限」の生活が守られるなどときれいごとを並べてみても、現実はそんな甘いものじゃない、実際にはそれぞれの地域によってその「最低限」の意味がまったく異なっているではないか、所詮それは強者の論理に過ぎないのだ。——そう「人権」＝「人格」を相対化し批判してみせているのならわかりやすいし、説得力がある。だがヴェイユの筆はそのようには進まない。彼女は真に普遍的で絶対的なものとして「聖なるもの」を持ち出して来て、それを「人格」に対置するのである。論はそこからわかりづらくなる。

ヴェイユは「人格」など所詮「聖なるもの」の派生物にすぎないと断じている。だが、両者のなにがどのようにちがうのか、そこのところがそもそもはっきりしないのだ。「聖なるもの」についてのヴェイユの定義は以下に尽きる。「わたしにとって聖なるものは、その人の人柄でもなく、その人のうちなる人間の人格でもない。聖なるものとはその人自身である。その人のすべて。腕、眼、思考、すべてなのだ。これらをわずかでも傷つけたなら、かぎりなき良心の呵責をおぼえずにはいられまい」。「あらゆる人間の心の奥底には、人びとが自分に悪ではなく善をなすことを、どうしようもなく期待してしまうなにかがひそんでいる。これがあらゆる人間における聖なるものにほかならない」[1]。外部から悪が為されるとき、魂は〈どうしてなのか！〉と子どもっぽい叫びを上げ、自分に悪ではなく善が為されることを希求する。そのような叫びと祈りにおいて露わになるのが、「その人自身」、「その人のすべて」としての「聖なるもの」なのだ。そうヴェイユは書いている。

しかしこの説明だけで「聖なるもの」は普遍的だが「人格」はそうではないのだと言われても、首をかしげてしまう。「人格」主義が、キリスト教的社会主義の統合を目指す思潮であったことを考えれば、右のような認識ならば当の「人格」主義者たちも持ち合わせていたはずではないか。もしかすると彼ら「人格」主義者たちは論考を読んで、ヴェイユの言う「聖なるもの」と自分たちの言う「人格」とはかぎりなく似たものだと感じたのではないか。批判にたいする返答は、たんに言葉がちがうだけですよ、というそっけないものだったかもしれない。また、根本に神への信仰がないなら「人格」主義はかならずや空虚化してしまうだろうと警告しているのなら、建設的な議論も成立するだろう。ヴェイユはそういうことが言いたいのでもなさそうだ。彼女自身、「聖なるもの」について語ることのむつかしさについて弁明めいたことを述べつつ、なお、隔靴搔痒の感がある定義をもとにして「人格」と「聖なるもの」は別物で、けして混同してはならないのだと言い立てている。

注意深く読んでも「人格」と「聖なるもの」の相違にまつわるわかりづらさは解消されない。理解できるのは、わかりづらさを解消しないままにヴェイユがその相違に徹底して拘っているという一事である。ヴェイユは一九四二年一一月から翌年四月まで、つまり死没する少し前まで、ロンドンの〈自由フランス〉に出入りしていた。そこで与えられていた職務は、フランス本国などから送られてくる情報を収集・分析し、そこから第二次大戦終結後のフランスの再建のための有用な提言（たとえば新憲法についての）をまとめることであった。一九四二年末頃といえば、ソ連が多大な犠牲者を出しながらもナチスドイツにたいして攻勢に転じつつあった、占領下のフランス国民にとっては明るい兆しが見えはじめていた時期だ。人びとは、独裁者のせいで破壊された人間的な、「人格」＝「人権」に基礎を置いた文明社会を、戦後いかにして再建するかについて議論しはじめていたのである。そんな時期に、「人格」主義から導き出される個々の権利がまったく無意味なのではなくそれは場合によっては必要不可欠であると留保しながら、また「聖なるもの」が信仰の有無の問題に短絡されて排他的な意味に取られてしまうことを周到に避けながら、それでもなお「人格にかかわる生来の権利など存在しない」と断言していたのだ。「人格」主義など邪まな無神論だと素朴に切って捨てる護教論のほうがまだしも理解しやすかっただろうが、ヴェイユの立場はそれともズレている。おそらく当時の人びとは、「人格」と「聖なるもの」の差異に関わり合うより、そういった差異を超えた、包括的な真理を待望していただろう。来るべき戦後について考えるとは、一般的にはそういうことだったはずだ。

　また、それまで徹底した平和主義者・非戦論者として知られていたヴェイユが、この時期には一転して、主戦論に傾いていく。この転回にも同じようなわかりづらさが付きまとっている。

　この時期のヴェイユは、ナチスにたいする有効な戦闘手段としてゲリラ戦術に関心を寄せており、たとえば「反乱についての省察」[2]という論考はその関心の線上で書かれている。ゲリラ戦への民衆の参加を促す論考の前提にあるのは、この戦争がいまだフランスにとって「自分の戦争」になっていないという洞察であり、それにたいする批判である。そのため論の重心は、ゲリラ戦による物理的な勝利にではなく、ゲリラ戦を遂行することで個々人がこの戦争を「自分の戦争」にしなければならないという主張にある。その重心のかけ方からすれば、ゲリラ戦は「自分の戦争」という主張のための方便にすぎないようにすら思われる。こうした主張は周囲を当惑させたのではないか。

　たしかにフランスは目立った抵抗もせずに自国を明け渡したかもしれないが、占領下の人びとはすでに多くの苦渋を嘗めていたはずだ。その人びとにヴェイユは、あなたたちはまだ「自分の戦争」を戦っていないから、たとえフランスが勝利し解放されたとしてもその勝利に価値はない、だから急いで「自分の戦争」を戦え、と言っているのだ。なぜヴェイユは、フランスの人びとの神経を逆撫でする言い方をしてまで「自分の戦争」に拘ったのか。それについてこう言及している。「もしこの国が、勝利の瞬間においてもなおこのような状態にあり、外からの解放を受け入れるようであるなら、もっとも立派なもっとも実際的ですらある改革計画であっても、それらの計画に生命を吹きこむ精神が欠けているために、死文と化すおそれがある。なぜなら、吹きこまれる生命はフランス民族によってのみもたらされるものだからである」。また、別の箇所でははっきり「戦後処理のためには、反乱の潜在力を利用することが、重要な、決定的な要素なのである」と述べている。

フランス国民は他人事でなく自分の大事として一度は戦争に参加し、国家への帰属意識を高めることで、「戦後処理」を実質あるものとしなければならない。ヴェイユは戦後を睨んでそう言っているのか。しかし別の論考で、この戦争を国家間の争いとしてではなく、真の意味における「宗教戦争」[3]として受け取り直し、戦い直さなければならないと主張していることを考え合わせるとき、わかりづらさは増幅してしまう。

ヴェイユはそこで、この戦争は「善と悪の対立」という「人間にとっては堪えがたい重荷」を投げ捨てようとする者同士の争いなのだと断じている。これまでフランスはじめ連合国側は「倦怠」に落ち込むことによって、対するドイツはその「無関心」にたいする「反動」から「偶像崇拝」に熱狂することによって、やり方は異なるが「重荷」を投げ捨てようとしてきた。その点で両者はじつは同断である。現在戦われているのは「善と悪の対立」という本質的な対立を隠蔽・回避しようとする陣営同士の戦争なのだから、今のところ、けして、フランスが善でドイツが悪なのだとは言えない。むしろ問題は、この戦争には「善と悪の対立」が不在だということであり、まずはその事実を直視し認識し、自己の陣営を善の側に位置せしめなければならない。論旨はこのようなものだ。

目下の争いは「善と悪の対立」という本質的な、あるべき「宗教戦争」からネガティブな意味で派生したものだという理由によって「この戦争は宗教戦争である」。そのネガティブな意味をポジティブな意味に反転させて堂々と「この戦争は宗教戦争である」と宣言できるようにせよ、そうフランスの人びとにけしかけているのだ。この戦争を「自分の戦争」として戦えとは、「善と悪の対立」の隠蔽・回避としての戦争を、真の「宗教戦争」に反転させた上でそれぞれがその戦争を戦い直し、勝利せよということだ。そうしないならばたとえ表面的には勝利したとしても、戦後に向けて語られている麗しい理想の数々は、意に反してことごとく空転してしまうだろう。――そう主張しているのである。

もちろんヴェイユは、キリスト教を信仰する者が善で、そうでない者が悪だと言うのではない。だが「聖なるもの」がそうであったのと同様に、善や悪についての定義はこのテクストを読んだだけでは判然としない。それを度外視するとしても、ヴェイユの主戦論が当時の状況とズレた一種異様なものであったということははっきりしている。実際に占領され、生活を破壊されて打ちひしがれていた人びと、それでもなお反骨精神を維持しながら未来について思考していた渦中の人びとがこのようなことを聞かされて、どう反応しただろうか。彼らが、なんとか怒りださずにヴェイユの言を受けとめられたとしても、では、これからいったい誰にたいしてどのような心持で「反乱」すればよいのか、また「宗教戦争」はなにをもって勝利とされるのか、途方に暮れたにちがいない。

こういうズレの存在を、狂信のせいにして片付けてしまうべきではないだろう。むしろこう思う。当時、人びとに見えていたものと、ヴェイユに見えていたものが、そもそも食い違っていたのではないか。根本的な齟齬があったために、ヴェイユは状況からズレていかざるをえなかったのではないか。また現在においてもヴェイユの思想がわかりづらいとすれば、それは、そのような齟齬がいまだに存在し続けているからではないのか。

では、ヴェイユをして「聖なるもの」と「人格」の差異に固執させ、非戦論を主戦論に変容させたものとは——ヴェイユと状況とのあいだにズレを生じさせていたものとは、いったいなんだったのか。

2　あいだと力

一九三四年、すでに労働者階級の過激な代弁者として知られていたヴェイユは、教職を辞し、いくつかの工場で身分を隠して働いた。知人に宛てた手紙のなかで、工場労働の経験に含まれている「重要なこと」を表現するためには「別の言語が必要らしい、と思われます」と言い淀んでいる。およそ八ヵ月のあいだ女工として働いたヴェイユは、その経験の持つ重要な意味について考えながら、「本質的なものを表現できない」不全感に悩まされていたのだ。手紙の続きにはこうある。

私にとって、この経験は、私の考えのしかじかのものを変えたというわけではなく（反対に、多くのものが強められました）、それどころか、ものごとについて私の抱いている見とおしの一切を、人生について私の抱いている感情そのものを、変えてしまいました。私はなおこの先もよろこびを知ることでしょうが、そのなかにある一種の心の軽やかさは、相変わらずありえぬものであるだろう、と思われます。でも、こんなことはもうたくさん。表現できないものを表現しようとすれば、それを損ってしまいます。[4]

そもそも工場労働の直接の目的は、直前に書き上げていた『自由と社会的抑圧』について実地に試験することにあった。その意味での成果なら十分にあった。一方では、個別の事柄——知的労働と肉体労働の分離によって生じる問題等——について、有益な認識が得られたのである。だが他方では、それらとは異なるもっと「重要なこと」が、頭で理解されるというよりは、実存のレベルで感受されていたのだろう。きっとこの経験には自分の存在の全体を揺るがしかねないなにかがあるはずだ、と。言葉にはならなくとも、そういう直覚がヴェイユにあったにちがいない。手紙の文言はその直覚が悲愴さと哀切さを、それに深い喪失感をともなうものであったことを教えている。

ヴェイユは「重要なこと」を迂回している。ただ、ひとつ明らかなのは、ヴェイユの「尊厳なるものの感覚」が工場で粉微塵になっていたという事実である。それについては、手紙や日記でしばしば言及している。「社会によって捏造された個人の尊厳なるものの感覚、そんなものはうち砕かれた」[5]。「私の尊厳という感情や自尊心がよりどころにしていたすべての外的理由が（以前はそれらを内的と思っていたのですが）、日々のあらあらしい束縛に見舞われると、二三週間で根こそぎくずれ去ってしまった、ということです」[6]。「内的」理由から自分に帰属すると信じ込んでいた「尊厳」がじつは「社会によって捏造された」ものであったこと、すなわち、知的エリートが集まる閉じた空間でのみ通用するものだったということを思い知らされたのだろう。

　これにたいして、しかしそう反省してみせること自体がきわめて知的エリートらしい身振りではないのかと穿ってみても仕方がない。それが知的な反省をとおして得られる認識以上のものだったことは、日記を読めばはっきりする。ヴェイユははげしい頭痛や抑うつ状態といったなまなましい苦痛をとおして、それを認知していたのである。実際、日記には哲学者らしい観想的な雰囲気はほとんど見受けられない。「尊厳」にまつわる記述を除けば、あるのはその日に達成した部品の組み立て数についてのメモや、機械やタイム・カードについての描写、工場内で発生したトラブルの顛末、他の工員の様子といった、即物的で無味乾燥なものばかりである。

　だが、さいごの、他の工員たちの様子にかんする記述には、興味をそそられる。正確に言えば、他の工員たち同士の関係や、他の工員と自分との関係を観察し描写する際のヴェイユの感覚のはたらかせ方に、なんとも言えない独特さがある。それは「重要なこと」とつながっているのではないか。

　たとえばこういう記述がある。「ある日、彼は通りすがりにわたしをじっとみた。わたしがみっともない格好で、大型ボルトを手づかみで空の箱に移しかえていたときに……」[5]。このような、他の工員から自分に向けられた視線や言葉にかんする記述が、あるいは他の工員同士のあいだで交わされるなにげない視線や言葉にかんする記述が、日記には散見される。あくまでメモだから特段な考察が付されるわけではなく、ただ書きっぱなしになっている。それでも、そうした記述が他の覚書の類から浮いていることはたしかで、工場でヴェイユが、視線や言葉に、またそれが自分や他人に与える影響に、異常に鋭敏になっていたことがそこから見て取れる。「日々のあらあらしい束縛に見舞われ」て自尊心がなんの役にも立たなくなるとともに、それら視線や言葉が、ヴェイユの鼻面にふいに露出してきたということだろうか。

＊

「自己」とはなにか。精神医学者の木村敏は医療現場での感触からつぎのように考えている。――「自己」は単純で不動な生得物ではない。はんたいに、ひとは「自己」を、複雑な弁証法的運動を通じて絶えず新たに獲得しているのであり、「自己」とはそのような運動の総体なのである、と。木村はふたつの「自己」を区別している。一方に、意識化できる、「自己」の現実的な表現――わたしは日本人で、ふたりの子の父で、教師で……――のもとになる「ノエマ的自己」がある。他方に、そのような「収斂点としての」「ノエマ的自己」をそもそも可能にしている「ノエシス的自己」がある。「ノエマ的自己」が静的で一貫したものと考えられるのにたいして、「ノエシス的自己」は、「自己」が「自己」として規定されるための「反復的な復帰運動」であると定義される。「自己」を「自己」へ向かわせる「運動」としての「自己」。イメージしにくいが、「ノエマ的自己」が自己同一的であり続けるためには、「ノエシス的自己」の根源的なはたらきによって触発されている必要がある、ということなのだろう。ただ、これだけでは木村が描く「自己」の弁証法を描写したことにはならない。さらに言わなければならないのは、この「弁証法的関係」には、主体にとっての外部が、木村の用語でいえば「あいだ」が、不可欠のエレメントとして介在するということだ。そもそも「ノエシス的自己」も、まずは無限定なものとしてあり、なんらかのかたちで限定される必要がある。そうでなければ、「ノエシス的自己」としてのはたらきは創始されえない。では、いかにして限定が生じ、「ノエシス的自己」は「自己」を「ノエマ的自己」へと収斂させる運動を創始するのか。主体が、外部において他なるものと出会い、他なるものに対峙するものとしての「自己」を析出することによって、である。つまり、「他者」にたいする「自己」＝「ノエマ的自己」の同一性の確保のためには「ノエシス的自己」の「運動」が不可欠だが、しかしその「運動」が創始されるためには、主体は、つねにすでに、外部において「他者」と出会っていなくてはならない。これが木村の思考する、「自己」と「自己」の、そして「自己」と「他者」の弁証法的な関係である。そしてこのような弁証法を創始する根源的な場所が、「あいだ」にほかならない。

さて、この動的な関係の全体が成立する場所は、さきにも述べたように自己自身の内部ではない。それはむしろ自己自身の外部、自己と自己ならざるものとのあいだにおいて成立する。さきに「抵抗」として述べた他者は、自己をそのつど自己同一性への復帰運動へと向かって触発し、自己にその自己性を確保するという仕事を負わせる課題という性格をもってくる。しかしここでも、自己はこの課題を単に外から与えられた既成の問題として受け取るのではない。自己はそのつど他者との「あいだ」を、そこから自己自身への復帰がもっとも有効に遂行されるような仕方で、自己自身に対する課題として読むのである。自己実現の成否は、「あいだ」を課題として読みとる作業の成否にかかっている。[7]

人間同士がたんに、日本人と外国人として、父と子として、教師と生徒として、出会うということはありえない。「あいだ」において「他者」の面前に立つとき主体は、ほんとうは、弁証法的運動の総体としての「自己」の実現を賭してそうしているのだ。「あいだ」における出会いは、根源的であり、かつ流動的で不安定である。主体は、「課題」としての「他者」と対峙し、たがいにたがいを「読み」合う。その「読み」の過程のどこかに瑕疵があれば、主体の「自己」は実現されないかもしれない。少なくとも主体にとって「自己」は任意に希望したりしなかったりできるものではないし、「他者」なしに「自己」は存在しえない。したがって、「課題」としての「他者」、そして「あいだ」は、「自己」にとって危機的なものである。

ヴェイユが感受していた言葉にならない「重要なこと」は、そういう「あいだ」の在り様と関係があったのではないか。

すでに見たように、工場においてヴェイユの「尊厳」や「自尊心」は打ち砕かれていた。とはつまり、これまで通用していた「自己」は、なんの役にも立たなくなっていたということだ。だがそれでも人は「自己」であることを強いられる。「自己」は外部において、「他者」との「あいだ」で「読み」取られなければならない。こういう状況下で、「あいだ」にたいするヴェイユの感受性は異様に昂奮していた。日記に書きとめられていた人びとの言葉や視線や仕草は、木村の言う「課題」に対応するものではないだろうか。ヴェイユは、「あいだ」の重要性や、「あいだ」においてちょっとした言葉や視線や仕草が担う重要な意味を鋭敏に察知していた。知的雰囲気に満ちたサークルの内部では気にも留められなかったそれらが、このとき、「他者」から与えられる読むべき「課題」として、見られ、聴き取られていた。

同じく精神医学者のR・D・レインは、木村と用語こそ異なるが、「他者」の言葉や仕草が「自己」形成にたいして持つ「課題」的な意味について考察している。それによれば、お天気にかんするなにげないやり取りでさえ、主体の「自己」形成を阻害し、窮地に追いやるということが十分に起こりうる。〈今日は雨だね〉という言葉がただの事実確認として発話されるということは、日常会話ではまずありえない。たいていの場合そこには、語る主体による聴く主体への命令や、当てこすりや、レッテル貼りや、同意の要求といった、とげとげしいネガティブな要素が含まれている（もちろんポジティブな要素も含まれうる）。

こうしたネガティブな要素によって主体が傷つき、「自己」形成の阻害が生じるというのなら話は簡単だ。しかし問題は以下の点にある。聴く主体は、複数の要素が複雑に絡み合った言表から意味を引き出さなければならない。つまり発話者の意図を「空想」的に決定しなければならないのだ。だが発話者にしても、事前に一義的に意味を決定してから発話するわけではない。彼もまた、自分の意図を、事後から、相手の反応などを見ながら「空想」的に決定するのである。実際には事態はさらに込み入っており、そのため結局のところ意味が決定される一連の過程は、それぞれの主体にとって意識化不可能な、無意識としてあらざるをえない。この意味で「あいだ」は無意識である。事態の複雑さの一部を、レインはこう表現している。「ひとが空想するのは、他者自身が経験し意図するであろうところについてばかりではない。自分の経験や意図を他者がどう空想するかについても、さらには、自分の経験についてどう彼が空想するかを自分が空想するかを彼が空想するか等々についても、である」[8]。聞く主体の「自己」が「ダブル・バインド」の状態に置かれて阻害されてしまうのは、こういう無意識——不可視で錯雑としたノエシス－ノエマ的プロセスの総体としての「あいだ」——の結果なのであって、単純な悪意によってではないのだ。

主体はなんとしても「自己」の「自己性」を確保せねばならず、「あいだ」を避けて通ることはできない。だが「あいだ」は主体にとって無意識であり、そこにおける「課題」の「読み」合いから結果することを、主体はコントロールすることができない。そのため「あいだ」では、意図せず他の主体の「自己」形成を阻害してしまうということが、往々にして起こる。言い換えれば、「あいだ」における他の主体との関係は、ある種の「力」関係に転化してしまうおそれがあるのだ。各主体の意図や意志を超えてそうなのである。そしてそうした不可視のプロセスを現実に遂行しているのは、一見どうということもなさそうな言葉や視線や身振りなのである。

ならば、あの手紙にあった悲痛なトーンについても理解できる。『自由と社会的抑圧』でヴェイユは、主人と奴隷の弁証法こそが、人びとを抑圧という「常軌を逸した輪舞」[9]に引きずり込むのだと断じていた。主人は奴隷を怖れているからこそ奴隷にとって怖ろしい存在になり、奴隷もまた主人を怖れているからこそ主人にとって怖ろしい存在になる。主人と奴隷はたがいにたがいを怖れ、敵視し、憎悪する。主人と奴隷の分割を前提としている現在の社会の在り方を革めることこそ急務である、と。このような道理にかなった思考は、しかし、工場での経験——「あいだ」を感受するという経験——によって、微妙に、だが根本から揺らいでいたのではないだろうか。最下層の人びとのあいだにも抑圧的な隷従関係があるということに驚いているのではない。彼女を撃ったのは「あいだ」と、そこに出来する奇怪な「力」だ。ヴェイユに取り憑き、彼女をして「心の軽やかさ」はありえぬものとなったとまで言わしめた疑惑とは、つぎのごときものだった。——もちろん主人と奴隷のような抑圧的関係はきびしく排撃されるべきだ。そのことの正しさについて疑わしいところはまったくない。だがもし、「あいだ」において関係するという、たったそれだけのことである種の「力」関係が出来してしまうのだとしたらどうだろうか。もしそうなら、どれだけ社会を変革したところで、抑圧関係は執拗に呼び起され続けるのではないか。だとすれば、社会運動など、所詮はすべて虚しいのではないか……。

*

ヴェイユは「重要なこと」にはいかなる表現も与えていないのだから、右のことは推測にすぎない。だが「自己」と「他者」、「あいだ」にまつわる直覚がなかったなら、草稿でつぎのような思想が表明されることはなかったはずだ。

> それぞれの人にとって、自分だけがわたしであり、自分以外のすべてのものは他者である。わたしとは世界の中心であり、この配置は遠近法によって空間のうちに形作られてゆく。他者とは宇宙のかけらであり、わたしの近くに位置するかどうかで重んじられたりそうでなかったりする。（…）ひとりの人間が、個人的に知っていたり知らなかったりする自分以外の他者のうちに中心となる場所を移し替え、そこに自分の宝と心を置くことがありうる。（…）いずれの場合にも、ひとりの人間の宇宙の中心が他者のうちに見出されるならば、その移行は、その人を暴力的に他者に服従させる、機械的な力関係から生じたものである。こうしたことが起こるのは、希望であれ恐怖であれ、未来の思考すべてがその力関係によって必然的に他者からやってくる場合である。見かけ上はかなり異なるように思われるが、奴隷と主人、貧窮者と慈善家、近衛兵とナポレオン、愛する女、愛する男、父親、母親、姉、友人などがその愛の対象と結ぶ関係は、情け容赦のない機械的な従属関係という点では、本質的にみな同じである。[10]

「自分だけがわたし」でその他はすべて「他者」であるとは、自明なことだ。だが自明なことをわざわざ書いたのは、ヴェイユが、そのあまりに自明な事柄から結果する「情け容赦のない機械的な従属関係」について、またそれにもかかわらず人間は、「世界」あるいは「宇宙」を形成し、その中に在らねばならないという事実について、新鮮な驚きを持ち続けていたからなのだろう。別言すればそれは「あいだ」についての驚異の念である。「自己」が「あいだ」をとおして実現されるものであるかぎり、どれほど倫理的な努力を積み重ねようとも、そこに非対称的な「力」関係が出来してしまう可能性を排除できない、ということ。

ヴェイユは工場労働以後も、さまざまな社会的実践にかかわり続けていた。工場での経験によって、政治や労働にかんする問題意識は個別的には「強められ」ていたからだ。しかし、継続されながらもそれらの活動は以前のような明快さやはげしさを失っていた。

屈託は、戦争についての見方にも影を落としている。この時期のヴェイユは著述を公にすることから次第に関心を失っていたが、一九三九年に、社会情勢――避けられないものとなりつつあった大規模な戦争――を遠景に据えて「『イリアス』あるいは力の詩篇」という論考をかろうじて書いている。そこで繰り広げられている反戦論、あるいは非戦論は、「力」のないものである。ヴェイユは結論としてこう書いている。「力の支配を知り、しかもこれを尊重しないすべを知らないかぎりは、愛することも義しくあることも不可能である」[11]。戦争を駆動しているのは人間の「力」への意志なのだが、しかし人間が「力」を所有することはなく、逆に「力」に永遠に支配され続けるだろう、そうヴェイユは述べている。だがこれを、ありふれた厭戦思想と取り違えないように注意すべきだろう。ヴェイユはたんに、できるだけイデオロギー的な争いからは遠ざかっておこう、どのみち本質的な対立などありはしないのだから、という呑み込みやすい考えを述べているのではない。ここに聴き取るべきは、もっと絶望的な響きだろう。ヴェイユは、平和を希求しその実現について考えれば考えるほど、そんなものは絵空事じゃないかと疑わずにはいられなかったのではないか。疑念をわれわれの文脈に置き直してみよう。人間が「あいだ」において関係しているかぎり、「力」は個人の意志とは関係なく生起してしまう。「あいだ」は強制されており、それゆえ人間は「力」に支配され続けるだろう。「あいだ」の絶対性を知り、しかもそれを「尊重しないすべ」などはたしてあるのだろうか。もしかすると人間には、「愛することも義しくあることも不可能」ではないのか……。

ヴェイユの思想の展開にかんして、工場労働を境に前期と後期の分割線を引くのは妥当である。だが、前期にはきわめて活発だった社会的実践が後期には減速したという事実を一面的に捉えて、後期ヴェイユは「他者」から逃避したのだと非難する論も、それにたいして、いや、後期ヴェイユは「自己」に沈潜することで絶対的な隣人愛を摑んだのだと反論する論も、ともにヴェイユの屈託を見落としたところで成立している。

いわゆるヴェイユの隣人愛について見てみよう。ヴェイユは、「諸存在と、諸事物が自分と共存することを受け入れるならば、わたしたちはもはや支配と富を貪りはしなくなるだろう」と、また「一人称で思考する能力すべてを真の意味で放棄することによってのみ、(…)わたしたちは他人が自分と同じ人間であることを知る」と書いている。[10] これを「自己」放棄から「他者」への献身へ、と図式化することはたしかに可能だ。だが「わたしたちは他人が自分と同じ人間であることを知る」というヒューマニスティックなくだりではなく、「一人称で思考する能力すべてを真の意味で放棄することによってのみ」という前置きに重心を置いて読むべきだろう。そこでヴェイユが言わんとしているのは、わがままな自分を改めて他人に優しくあれという訓え（おしえ）とまったく無関係ではないものの、しかし次元を異にしたことだ。「自己」は「真の意味で放棄」されねばならない。

ふたたびわれわれの文脈に置き直そう。極論すれば、人びとが「力」から解放され「支配と富」への執着から解放されるための条件とは、人びとが「あいだ」において関係しないことである。そこから推せば、ヴェイユの「自己」放棄とは「あいだ」において「自己」を形成するあの弁証法的運動そのものの否定なのであり、そのために「自己」放棄は必然的に「他者」の存在の否定まで含むことになる。「あいだ」の放棄を貫徹すれば、「自己」の自己性だけでなく「他者」の他者性も霧消するからだ。このことが実現されてようやく人びとはたがいに「同じ人間であることを知る」。

気になるのは、非戦論についてと同じく、その「力」のなさだ。そこでは、個性を持った個人としての主体は、あたうかぎり退けられている。それは「あいだ」の産物にほかならないからだ。そして矛盾した言い方だが、各主体はあたかも関係していないかのように関係しなければならず、そこにおいて「自己」と「他者」が形成されてはならない。これが、関係から非対称的な「力」が生じてしまわないために可能な唯一の途なのだ。こうした見方をヴェイユは、経験と直覚から引き出したのであり、甘たるいところはまったくない。だが、それでも素朴に思わずにはいられない。そんなふうに人間同士が出会い、「共存」したとして、それがどうしたと言うのか、それでも人間は「共存」する必要があるのか、と。

このような揺れや翳りはヴェイユにもあったはずだ。「力」を徹底して否定することの正しさを確信しながらも、その思想が現実的には人びとはおろか自分ひとりの身さえ支えられないくらい「力」のないものだと観じて、絶望していたのではないか。

3　不幸と共存

そうだとすれば、1でふれたヴェイユのすがたは謎めいてくる。「共存」を積極的なものとして摑み直すポイントはどこにあったのだろうか。示唆的なのが、「われわれは正義のために戦っているのか」という論考（一九四二年）である。

飢えたみじめな人間にとってあらゆる食堂がそうであるように、正義に飢え乾く人びとにとってはあらゆる人間存在が実在的である。（…）くだんの愚かで常軌を逸した人びとは、いかなる状況におかれたいかなる人間存在にも注意をそそぎ、その存在から実在の衝撃をうけとることができる。[12]

一文無しの飢えた人が街を歩くとき（ヴェイユは実際にこのような飢えを経験していた）、通り沿いに並ぶ食堂はその「実在」のすべてをあげてなにかを訴え、その人のなかに飛び込んでくる。それとちょうど同じように、「正義に飢え乾く人びと」には、「あらゆる人間存在」がその「実在」のすべてをあげて自分になにかを訴え、自分のなかに飛び込んでくるように思える。どんな状況でもそうだ。彼らはその経験からあますところなく「実在の衝撃をうけとることができる」……。このことと、前節で確認したこととは、連続しているが、確実に食い違ってもいる。「自己」についての否定的な態度に変化はない。「自己」は放棄されなければならない。だがそれにもかかわらず、ヴェイユは、人は他の「存在から実在の衝撃をうけとることができる」と述べている。

ヴェイユの思想が極端にネガティブなかたちをとったのは、「力」にかんして、それがあらゆる関係から意想外に生起してしまうものだという鋭い直覚があったからだ。このことが引用文にも当てはまるなら、その直覚を裏切らずに、「共存」についての思想が、ポジティブなものとして摑み直されたということなのだろうか。必然的に「力」に結びついてしまうがゆえに「自己」と「他者」は関係してはならないが、にもかかわらず、人は他の「いかなる人間存在」からも「実在の衝撃をうけとることができる」し、それを欲するべきである。それが「正義」であるということだ、と。

先回りすれば、ここでヴェイユは関係に徹底して対称性を求めながら、同時にそれを非対称的にも捉えている。矛盾のようだが、たぶん晩年のヴェイユはこの非対称性から、積極的で倫理的ななにかを摑もうとしていたのだ。

*

時としてヴェイユは「不幸」というものを、常識的なイメージからはるかに逸脱した、グロテスクとしか言いようのない筆致で描き出している。おそらくそのような「不幸」の在り様は、「実在の衝撃」と深いところでつながっている。

不幸の中にあって、生存本能は、すべての執着がはがされた後も生き残る。それは、植物の蔓が何にでも巻きつくように、支えとなるものならどんなものにでも盲目的にすがりつく。（…）このような面から見た不幸は、むきだしにされた生がつねにそうであるように、醜悪をきわめている。たとえば、切り落された手足の残欠や昆虫がうようよとうごめくさまのように。形のない生。そこでは生き残ることが唯一の執着となる。すべての執着が生き残るという執着に取って替わられるときに、極限の不幸がその時点からはじまる。執着はそこではむきだしのままあらわれる。自分以外に対象がない。地獄。[13]

ぞっとさせる、ひたすら目を背けたくなるような記述だ。「極限の不幸」がこれほど「醜悪をきわめたものだということ、「切り落された手足の残欠や昆虫がうようよとうごめくさま」に喩えられる人間の生がありうるということ、このような「地獄」が現実に生じうるということ。——ヴェイユはこうした「不幸」の臭いを現実の空気のなかに嗅ぎ取っていたのだろう。彼女の晩年は、「地獄」が現実に生じつつあった時期と重なっている。たとえばナチスドイツはユダヤ人の大規模な強制収容と虐殺を遂行しつつあったし、すでにソ連では少数民族が政治的な意図から極端な飢餓状態に追い込まれたり、大量に殺害されたりしていた。もちろん、そういう歴史的な出来事を前提に右のノートが書かれたのだと言いたいのではない。当時は知識人であっても、それら進行中の出来事にかんして得られる情報はごく断片的なものでしかなかった。

見たのではなく嗅いだと書いたのはもちろん比喩だが、ヴェイユが現実の「不幸」を直接は見なかったという意味で婉曲な言い回しを用いたのではない。そうした「不幸」は不可視だ、「地獄」の渦中にある

「彼ら」はわれわれには見えないのだ、とヴェイユ自身が繰り返し述べているからだ。「いったいだれが彼らをそれと認めうるというのか、キリスト自身がその人の眼を通してみつめるのでなければ。せいぜい彼らがときおり奇妙なそぶりをするのに気づき、そのそぶりの奇妙さを咎めるのが関の山だ」[14]。そしてまた不可視であるがゆえに、「彼ら」に憐れみをかけることなどとうてい不可能である。

どういうことか。このことにかんしてヴェイユがよく持ち出す例に、善きサマリア人の譬えがある。盗賊に襲われ、裸のまま血まみれで道に倒れている男を、あとから通りかかったユダヤ教の祭司もレビ人も助けなかった。サマリア人だけが男を助けた。結果から見れば、サマリア人だけが善良で倫理的であり、祭司とレビ人はそうではなかったということになる。われわれはサマリア人のように善くあらねばならないという教訓がここから引き出される。しかしヴェイユにとっての問題は結果についてではなく、瞬間についてである。祭司は常日頃から隣人愛の大切さを人びとに説き、自ら実践していたはずだ。彼は十分に善良で倫理的だった。レビ人もそうだったかもしれない。にもかかわらず、血まみれで横たわる男の「不幸」が死角に入ってしまう瞬間が彼らにはあったのである。その瞬間には「不幸」は、せいぜい「奇妙なそぶり」にしか見えなかったのだ。そして気がついたときにはもう男のそばを通り過ぎてしまっていた。「不幸」が不可視だと言うのはこのような意味においてである。ふいに死角が生じてしまい「不幸」を見落としてしまうことをなんびとも避けられない、ヴェイユはそう考えている。それゆえ善きサマリア人が次の機会にも「不幸」な男を助けられるという保証はどこにもない。死角はほとんど一〇〇パーセントの確率で生じてしまうからだ。

なぜそうなのか。ヴェイユは詳細には説明してくれない。だがわれわれの文脈に引きつけて考えれば、ひとつ言えるのは、おそらく「あいだ」に作用する力学が死角をもたらすのだろうということだ。「不幸」が見えるかそれとも死角に入って見えないかは、個人の意志や倫理性によって左右できるものではなく、その時々の「あいだ」の在り方によって決定されてしまう。しかも、ほぼすべての場合で見えない方に決定されてしまうのだ。

思い出そう、「あいだ」とは、人びとが他なるものに出会い、そこにおいて「課題」を「読み」合うことによって「自己」や「他者」を形成する場所であった。そして「あいだ」は、広い意味での主体の外部、社会や世間や歴史といったものをも含み込んでいる。「自己」や「他者」の形成には、そういった要素が複雑な仕方で関係しているはずだ。

ヴェイユがもっとも「不幸」だった人物として挙げているイエスを例に考えてみたい。イエスの「不幸」もまた、さいごには死角に追いやられざるをえず、彼は弟子たちからことごとく否認されてしまった。だがそうなってしまったのは、祭司やレビ人の場合と同じく、弟子たちがじつは非倫理的で腹の底ではイエスが神の子だと信じていなかったからではない。弟子たちは信じていたのだ。しかし、イエスと関係する「あいだ」において、目の前にいるイエスという「不幸」な男が見えなくなってしまう瞬間があったのだ。その瞬間には、弟子たちが「自己」を形成するために目の前に立つイエス自身の「自己」が阻害され、否認された。そうすることを「あいだ」の力学が弟子たちに強いた。「不幸」が不可視であるとはこういうことだろうか。——「あいだ」において「不幸」な主体と対峙したとき、その「不幸」な他なる主体が死角に追いやられてしまわないことには、主体は「自己」を形成することができない。「あいだ」がそれを強制するのだ。「不幸」は「あいだ」に在りながら、そこから排除され、遊離するなにかなのだ。

＊

戦中、ヴェイユが「共存」を積極的な原理として摑み直すことができたのは、不可視であるはずの「不幸」を可視化する視力が彼女に備わっていたからだろうか。ヴェイユだけが「不幸」の不可視性から自由だったと言いたいのではない。もっとも強く「不幸」を見ることの不可能性を痛感していたのは、彼女自身だったはずだ。それにしてもたしかに「不幸」は嗅がれていたはずだ。そうでなければ「不幸」の不可視性を洞察することはできなかっただろうし、不可視性を超える契機について思考することもできなかっただろう。

「不幸」は見ることができない、キリストがその人の眼を通して見つめるのでないならば。ヴェイユはそう留保していた。見る者の視線にキリストの視線が重なるその瞬間にのみ、「不幸」は可視となる。彼女は、それは難病の治癒や水上の歩行や死者の蘇生といった出来事とくらべてはるかに驚嘆すべき奇蹟だと述べている。だが同時に、この奇蹟がキリスト教を信仰する者に生じやすく、そうでない者には生じにくいと考えるべきでないと注意を促している。信仰の有無に関係なくまったくありえないこと、偶然というありふれた言葉ではとうてい届かない奇蹟的なことなのだ。

この留保に賭けられているものはきわめて大きい。なぜならこれは、万が一にも、いやそれ以上にありえぬことだとしても、「自己」と「他者」にかんして「あいだ」に作用している絶対的な力学が超越されてしまう一点が現実に生じうると想定することだからだ。ヴェイユはこの一点を、キリスト教の教義とはほぼ無関係に、キリストと名指しているのだ。

さらにヴェイユの思考を追おう。キリストの眼が介入する奇蹟的な一点において、「あいだ」の力学が破れ、不可視であるはずの「不幸」が可視化される。すると、「不幸」の不可視性を踏み越えた主体の内部には、「不幸」な人にたいする憐憫が生じるのだという。両者の関係に憐れみが生起するのだ。だが、ここにヒューマニスティックな響きのみを読み取れば、ヴェイユの意図を見誤ってしまうだろう。むしろ彼女は、憐れみや隣人愛といった言葉を極端に存在論的なものとして把握しているように思われる。それによると、キリストの視力によって「不幸」を見た者は、「不幸」を受け取って自分の内部に移し込み、同時に、逆に自分の存在を相手のなかに移し入れるのだという。両者のあいだに存在の交換が成立するのだ。その結果、「不幸」な主体のなかに「たとえ一瞬にせよ、不幸とは関係のないひとつの実存が生じ[14]」、それが「不幸」な者にとっての救いとなる。とはいえヴェイユは、「不幸」が可視化されれば自動的にこのような救済が生じると考えているわけではない。ここでも奇蹟的にキリストが介在しなければならず、やはり救済はほとんど不可能なのだ。「おのれの存在を不幸な人に移しこむとは、相手の不幸をしばし引きうけ、本質的に強制により意志に反して押しつけられるものを、自由な意志により進んでうけいれることだ。そんなことは不可能である。ひとりキリストのみがこれをなしとげた。キリストだけが、そしてキリストがその魂を占有する人びとだけが、これをなしうる。自分が救おうとする不幸な人のなかに自身の存在を移しこみ、実質的には相手のなかに自身の存在――そんなものはもはやない――をおくのではなく、むしろキリスト自身をおくのである[14]」。

べつの箇所でヴェイユは、存在の交換は「人格性をそなえた人と人格性の欠けた人との」あいだで生じると述べている[15]。「不幸」であるからにはその人物はすでに「人格性」を失っており、当然、自分の「不幸」にせよ他人の「不幸」にせよ、見ることができないだろう。だから「不幸」を見るのは「人格性をそなえた人」であるはずだ。つまり、存在の交換には、前提として非対称的な「力」の不等関係が想定されているのだ。だが、存在の交換が生じることで両者の非対称的な関係が霧消し対称的な関係に変容する、という方向に話は進んで行かない。ヴェイユは、非対称的な「力」関係に固執するのである。

正義という超自然的な徳は、人が力の不等関係において上位にいる場合には、ちょうど同等関係にあるかのようにふるまうところにある。

このように取扱われる弱者にとっては、正義という超自然的な徳は、本当に力の同等関係があると信じないで、相手の寛大さだけがこの取扱いの原因であるのをみとめるところにある。[15]

含みのある言い回しだ。「不幸」な者とそうでない者はともに「同等関係」を心から求めてはならないのだ。「同等関係」について、前者はそんなものが「あると信じない」ように注意しなければならず、後者はじつはそうではないと知りつつそれが「あるかのように」振る舞わなければならない。つまりヴェイユは、「不幸」の救済＝存在の交換という奇蹟が生じるためには、関係はあくまで非対称的なものにとどまらなければならないと考えているのである。したがって救いがほとんど不可能であるとは、かりに「不幸」が可視化されたとしても、このような非対称的な関係を持ち堪えることは、キリストの助力によらないかぎり人間にはまず不可能だということを意味している。

＊

だが、この非対称性はどのようなものなのか。

糸口になるのは、ジョルジョ・アガンベンの有名なアウシュヴィッツ論[16]のなかのある箇所――「恥ずかしさ」について分析したくだり――である。そこで「恥ずかしさ」とは、本質的には主体が「引き受けることのできないもののもとに引き渡される」ことから生じる感情だと定義されている。どういうことか。

主体（あるいは人間）の内奥にあってその主体（人間）を主体化（人間化）しているのは、じつは脱主体（非人間）にほかならない。このような事実がある。「恥ずかしさ」に襲われている主体はじつは、受け入れがたいこの事実に赤裸で曝されているのだ。「すなわち、恥ずかしさにおいて、主体は自分自身の脱主体化という中味しかもっておらず、自分自身の破産、主体としての自分自身の喪失の証人となる。主体化にして脱主体化という、この二重の運動が、恥ずかしさである」。これが先の定義の意味である。恥じることにおいて主体は主体化されるのだが、そこで主体は同時に、「引き受けることのできないもの」を認知することを迫られる。「恥ずかしさ」がたんなる心理現象を超えた「存在論的感情」なのはこのためだ。

ところで、人は一人きりで恥じるのではない。自分を見る誰かがいるからこそ恥じるのだろう。誰も見ていないとしても、誰かに見られるかもしれないと思うから恥じるのだろう。「引き受けることのできないもののもとに引き渡され」ている自分を見られるということは、そういう恥ずべきものとして自分が理解されてしまうかもしれないということだ。そのため「恥ずかしさ」は、自分にたいする「嫌悪」だけでなく、それを見る、あるいはそれを見るかもしれない者にたいする「嫌悪」の感情をともなってあらわれる。「嫌悪において働いている主要な感情は、自分が不快に感じるものをもとにして自分が認知されることへの恐れである」。

重要なのは、そもそも、主体が受け入れがたい事実——主体は、その内奥で主体ならざる「不快」ななにかにつねにすでに「引き渡され」ていることによって主体であるという事実——を知るに至るのは、それを外部から、他の主体によってむりやり認知させられたときである、という点だ。逆から言えば、主体が、自分の意志で、自分一人で、自分の内部にこの事実を発見することはないのだ。主体がこの事実に接近するには、なんらかの偶然から外部の「不快」な主体のうちにこの事実を見出し、翻って、自分もまたそうであるということを認知する、あるいは認知させられるほかないのだ。その結果、その他人は二重三重に「嫌悪」すべき対象となってしまうだろう。なぜなら、そもそもその人物は皮相なレベルで（たとえば汚らしいとかいう理由から）「不快」である場合が多いし、存在論的なレベルでは、彼こそが「自分が不快に感じるものをもとにして自分が認知されることへの恐れ」が生じてしまった原因なのであり、しかも彼は現に目の前にいて自分を見、そのようなものとして自分を認知しつつあると感じられるからだ。

右のような「恥ずかしさ」や「嫌悪」にかんする存在論的な解釈は抽象的に見えるが、現実に根をもつものである。人間には、憤激しつつ恥じ入るということがたしかにある。思い出してほしいのは、他人にたいして暴力的な感情を露わにしてしまった自分を、あるいは実際に暴力を振るってしまった自分を反省し、それを恥じる、そういう事後的な感情についてではなく、もっと瞬間的な感情についてだ。誰かにたいして今まさに、無心で、ただただ暴力的な衝動に従って行為している瞬間に、なぜか耳のあたりがぽっと熱くなってしまう、そういう不思議な「恥ずかしさ」についてだ。そういう稀な一瞬に、人は、アイデンティティの核心のようなものに触れているのだとは考えられないだろうか。おそらくこのことと、アガンベンが忘れがたい「ボローニャの大学生の赤面」(この若い男は、自分がSS隊員にロシアンルーレットのように偶然に選びだされて銃殺されるのだと知り、なぜか頰を赤らめてしまった)にふれて、それがあたかも「限界が一瞬触れられたこと、倫理の新しい題材のようなものが生者のうちで触れられたことを教えているかのよう」だと書いていることとは、無関係ではないはずだ。

ヴェイユが存在論的に把握していた非対称性に話を戻したい。

グロテスクな筆致でヴェイユが描き出していたあの「不幸」の在り様は、アガンベンの言う「引き受けることのできないもの」——主体(人間)の内奥で主体(人間)を主体(人間)たらしめているものであるにもかかわらず主体(人間)に「嫌悪」を催させる「不快」な脱主体(非人間)——と、重なり合うだろう。アガンベンが、強制収容されたユダヤ人のなかでもとりわけ衰弱し、周囲からおそらくは侮蔑的な意味を込めて「回教徒」と呼ばれていた人々を念頭に置いて書いていることを考え合わせれば、なおさらそう思われる。

だとすれば、「不幸」と「不幸」を見る者との関係は、告知する者と告知される者との関係と相同的だと言うことができる。ここからヴェイユの思考を辿り直そう。「不幸」/告知する者と、「不幸」を見る者/告知される者との関係は、はじめから非対称的であらざるをえない。前者はもはや「人格性の欠けた」存在だからだ。彼らは後者によって見られる以外に、外部にたいしてなんら働きかけることができないのである。前者は後者に見られないかぎり、存在しないも同然なのだ。この「不幸」の可視化が第一の奇蹟であった。言い換えればそれは奇蹟的に告知が生じるということ、ある主体が外部の他の主体のなかに受け入れがたい事実を見出すということである。そして、第二の奇蹟は、両者が存在の交換を行うことだ。ヴェイユの見立てでは、隣人愛において困難なのは、交換の際に関係の非対称性が保たれること、それが解消されてしまわないことであった。そうでなければ存在の交換は完遂されないのだ。

非対称性を保つのは、「不幸」な者とそれを見る者の双方にとって困難だと、ヴェイユは考えている。そうして、非対称的な関係を保つことにかんして責任があり、ほんとうにそれが求められ、かつ困難なのは、「不幸」を見る者／告知される者の方である。

奇蹟的に他の主体の内部に「不幸」を見出した（見出してしまった）主体は、恥じ入り、そして受け入れがたい事実を自分に告げ知らせた主体——「不幸」な者——を、嫌悪せずにはいられない。主体にとって、自身の内奥の秘密を他の主体から——受動的かつ「不快」な主体から——認知させられることほど不条理なことはないからだ。これをつぎのように表現することもできるだろう。根源における主体の非対称的な在り様（＝主体は「引き受けることのできないもの」に「引き渡される」ことによって主体である）が、外部における非対称的関係（＝「不幸」な主体との関係）に置き換えられて主体に突きつけられる、と。主体は九分九厘、「不幸」とのこの非対称的な関係に躓き、恥じ、嫌悪し、憤激するはずだ。そうして、自分にそれを告知した他の主体を否認し、見なかったことにしてしまうか、それとも、暴力的な衝動に駆られて関係を断ち切ってしまうはずだ。したがって、非対称的な関係を保つことの困難さとは、「不幸」を見る者／告知される者が、「不幸」／告知する者を前にして赤面しながら、その「恥ずかしさ」に耐え、とどまることの困難さなのである。

隣人愛はほとんど不可能だという言葉や、あるいは「実在の衝撃」という言葉は、ここから理解されるべきなのだろう。「実在の衝撃」とは、「不幸」を見る主体が曝されることになるはげしい恥辱を指し示している。「実在の衝撃」に総身で曝されて、躓かないことなどまずありえないだろう。だが、躓けるだけでも十分、文字どおりに有難いではないか。ヴェイユはそう言いたかったはずだ。その上なんとか「不幸」との非対称的な関係を持ちこたえ、それを暴力的に断ち切らずに済んだとすれば、ほんとうの奇蹟だ。人間の意志や力能を超えたなんらかの力による支えなしでは、そのような奇蹟は起こりえない。力が具体的にどのようなもので、どこから到来するのか、わからなかっただろう。しかし、それでもヴェイユは、そのような力の存在を信じ、キリストと呼び、賭けようとしたのだ。

*

徹底した非戦論から主戦論へ、という移動をふたたび取り上げたい。ヴェイユは暴力を肯定している。だがいったい誰にたいするどのような暴力について語っているのか、そこにわかりづらさがあった。ヴェイユが肯定しようとしていたのは、存在論的なレベルの暴力なのだ。肯定されるのは、とりもなおさずそれが真の「共存」の、あるいは隣人愛の兆し——主体が「不幸」との非対称的な関係に躓いて憤激してしまい、存在の交換が未遂に終わったことの証しだからである。「不幸」が一瞬可視となり、主体に「恥ずかしさ」が生起する。そのような意味にかぎって、ヴェイユは暴力を肯定しようとしたのではないか。理解されないだろうと思いつつも、彼女は人びとに呼びかけていたのではないか。——幸運にも「不幸」を見ることができたとしても、あなたはかならずや躓き、「共存」の可能性を暴力によって断ち切ってしまうだろう。それでもいいから何度でも躓いてみろ、あなたがわずかな可能性に賭け、奇蹟的な「共存」を意志するのなら、わたしはあなたのその暴力を否定しない。

戦争をめぐる不穏な言葉——「この戦争は宗教戦争である」と宣言して今すぐそれに参加せよ、そして勝利せよ——も、ここから理解すべきだろう。ヴェイユは、奇蹟が意志されてさえいれば、その人が善の側にいることになると楽観的に考えていたわけではない。逆に、「不幸」に対峙して「恥ずかしさ」にとどまれず「嫌悪」が生じてしまった以上、その人は悪の側にいるのだと考えていた。であるならば、ほとんどすべての人間は悪であるほかない。だが、だとしても、その人間は「善と悪の対立」をたしかに戦っており、そのかぎりで「宗教戦争」を戦っているとは言える。あと必要なのは勝利し、自らを善の側に位置せしめること、つまり、「不幸」との非対称的な関係を支え切ることだけだ。しかるに、目下の戦争は、そのような対立の隠蔽・回避を暗黙に意図して戦われている。もし、不可視の「不幸」がいたるところで生じているはずのたった今「宗教戦争」が戦われないならば、以後、「共存」を可能にする回路はすべて閉じられてしまうかもしれない。そうなってしまえば、戦後に向けて理想的な「共存」や隣人愛を語ってみたところで、結局は虚しいはずだ……。そしてまた、戦時下のヴェイユが固執した「人格」と「聖なるもの」の差異も、そういう切迫した危惧から導き出されていたのだろう。あらゆる権利の基盤に想定されるべきは、たんなる事実として存在する人間ではなく、「不幸」との非対称的な関係を奇蹟的に通過することのできた、まったく未知の、新しい、倫理的な人間でなければならない。そうヴェイユは考えていたのではないか。

冒頭で、ヴェイユと状況との食い違い、あるいはヴェイユと人びとの心象との食い違いを確認し、それらの齟齬の根本にあるものはなにかと問うた。今、それは「不幸」にたいする感覚だ、「不幸」を見ることを意志する精神だ、と答えることができる。それがなかったなら、「あいだ」についての悲愴な直覚を超えてそれを肯定的に摑み直すことも、そこに「共存」が生起するほんのわずかな可能性に賭けることも、また人びとにそうすることを求めるということも、できなかったにちがいない。

とはいえ、ヴェイユの思想のわかりづらさが解消されたわけではない。あいかわらずそれは、荒唐無稽でわかりづらい。だが少なくともわかりづらさの在処についてははっきりしたはずだし、それがわれわれに突きつけている問題の大きさ、深さについても、はっきりしたはずだ。わかりづらさは、人間が「不幸」を見ることの困難さと、そして、「不幸」を直視してなお「恥ずかしさ」のうちにとどまることの困難さと、密接につながっている。その困難が人間にとってあまりに過分だということを重々承知しながらそれでもその過分な困難を超えようとして奇蹟に賭ける、そういう荒唐無稽な意志がないならば、いくら「共存」や隣人愛や平和や反戦といった理想について語ってみても虚しいだけではないのか。――戦時下、自身の死期を見定めながら、ヴェイユはそう問うていた。これは戦後を生きるわれわれへの問いでもあるだろう。おそらく、現在も「不幸」はいたるところで生じている。「恥ずかしさ」や「嫌悪」もまた、生起し続けているだろう。

引用文献一覧（強調はすべて原文によるものである。また、ヴェイユの著作にかんしては著者名を省略した。）

●1「人格と聖なるもの」『シモーヌ・ヴェイユ選集Ⅲ』冨原眞弓訳、みすず書房、二〇一三年
●2「反乱についての省察」『ロンドン論集とさいごの手紙』田辺保・杉山毅訳、勁草書房、一九六九年
●3「この戦争は宗教戦争である」『シモーヌ・ヴェイユ選集Ⅲ』冨原眞弓訳、みすず書房、二〇一三年
●4「アルベルチーヌ・テヴノン夫人宛の手紙（一）」『シモーヌ・ヴェーユ著作集Ⅰ』橋本一明訳、春秋社、一九六八年
●5「工場日記」『シモーヌ・ヴェイユ選集Ⅱ』冨原眞弓訳、みすず書房、二〇一二年
●6「アルベルチーヌ・テヴノン夫人宛の手紙（三）」『シモーヌ・ヴェーユ著作集Ⅰ』橋本一明訳、春秋社、一九六八年
●7 木村敏『分裂病と他者』ちくま学芸文庫、二〇〇七年
●8 R・D・レイン『自己と他者』志貴春彦・笠原嘉訳、みすず書房、一九七五年
●9『自由と社会的抑圧』冨原眞弓訳、岩波書店、二〇〇五年
●10『前キリスト教的直観』今村純子訳、法政大学出版局、二〇一一年
●11「『イリアス』あるいは力の詩篇」『ギリシアの泉』冨原眞弓訳、みすず書房、一九八八年
●12「われわれは正義のために戦っているのか」『シモーヌ・ヴェイユ選集Ⅲ』冨原眞弓訳、みすず書房、二〇一三年
●13『カイエ2』田辺保・川口光治訳、みすず書房、一九九三年
●14「神の愛と不幸」『シモーヌ・ヴェイユ選集Ⅲ』冨原眞弓訳、みすず書房、二〇一三年
●15「はっきり意識されない神への愛の諸形態」『シモーヌ・ヴェーユ著作集Ⅳ』渡辺秀訳、春秋社、一九六七年
●16 ジョルジョ・アガンベン『アウシュヴィッツの残りのもの——アルシーヴと証人』上村忠男・廣石正和訳、月曜社、二〇〇一年

暴力と生存——小林秀雄試論

［2020. 3］

1

どんな希望や興奮も自分には無縁だと感じられる。内的な虚無の感覚——だがそんな高尚なものではないのだ。絶望や恐怖も同じように遠い。この遠さの感覚にすっぽり包み込まれて生きていることに慣れ切って、なぜ、いつからこうなったか、この状態が正しいのかどうか、もはや問いもしない。手触りのあるたしかな感情からの疎隔は世界からの疎隔にほかならない。周囲の微細な事物にせよ、他人との関係にせよ、歴史的な、と形容される巨大な出来事にせよ、リアルな現実性を帯びて直撃して来ない。だから病も、戦争も、わたしには恐ろしくないし、それらからの解放も全的な歓びをもたらさないに違いない。しかし生きている以上、視覚ははたらきを止めない。そんなときだ、ある新聞記事が眼を射たのは。見出しの活字こそ仰々しいものの、はるか上空から真珠湾を望む報道写真はむしろ冷たく静まり返った印象だった。

「驚くべき写真に、驚くべきものが少しもないといふ困惑に似た一種の心理」を味わいながらしかし写真から眼を離すことはできなかった。

空爆が見事成功し、敵国の艦船は湾の底に沈んだ。しかしそんな内容を一切読みはしなかった。爆撃手の視点からの映像と彼の遠さの感覚が、静かだが烈しい共振を起こしたのだ。そしてこう書き記した。

空は美しく晴れ、眼の下には広々と海が輝いてゐた。漁船が行く、藍色の海の面に白い水脈を曳いて。さうだ、漁船の代りに魚雷が走れば、あれは雷跡だ、といふ事になるのだ。海水は同じ様に運動し、同じ様に美しく見えるであらう。さういふふとした思ひ付きが、まるで藍色の僕の頭に真つ白な水脈を曳く様に鮮やかに浮んだ。真珠湾に輝やいてゐたのもあの同じ太陽なのだし、あの同じ冷い青い塩辛い水が、魚雷の命中により、嘗て物理学者が仔細に観察したそのまゝの波紋を作つて拡つたのだ。そしてさういふ光景は、爆撃機上の勇士達の眼にも美しいと映らなかつた筈はあるまい。いや、雑念邪念を拭ひ去つた彼等の心には、あるが儘の光や海の姿は、沁み付く様に美しく映つたに相違ない。彼等は、恐らく生涯それを忘れる事が出来まい。そんな風に想像する事が、何故だか僕には楽しかつた。太陽は輝やき、海は青い、いつもさうだ、戦の時も平和の時も、さう念ずる様に思ひ、それが強く思索してゐる事の様に思はれた。

爆撃手の眼との共振の渦中で、これが戦争だと、今自分は戦争の実相を凝視しえているのだと、そしてこの見る行為を摑んで放さぬことだけが「強く思索」する行為であると、強く確信した。戦争の経験とは、鳥瞰（超越）と内在という矛盾する二つの事態が美の感覚において一挙に結び合う瞬間にほかならぬ、と。

ここから「思索」は尋常ではない歩幅で歩行する。あらゆる「雑念邪念」から解放された「心」に到来する美の感覚、そこにおいて超越と内在はメビウスの輪のように反転しながら結び合っている。もっとも遠くに在る者がもっとも近くに在り、もっとも近くに在る者がもっとも遠くに在る。世界から疎隔されたわたしの「心」が、にもかかわらず世界の裡に美を見出すとすれば、わたしは誰よりも世界に接近し、世界に内在していることになる……。

どんなに荒唐無稽な発想だとしても、遠さと近さを美的なものにおいてショートさせるこの想念によって内部の奥深い場所が賦活されると感じることを、どうしようもなかった。自問は飛翔する。わたしの状態は外側から見ればふやけ切った平和に過ぎない。だが、圧倒的な疎隔の感覚に圧迫され疲弊し切っているにもかかわらず、わたしの「心」はこの世界に美を求めてやまない。それならば、潜在的にせよ、わたしの生は絶えず戦争状態に置かれているとは言えないだろうか。いや、突き詰めれば、だれもが、鳥瞰と内在の二極の往還運動を反復する二重の生を生きざるをえないのではないか。生の極限のそのような在り様を見据えるならば、戦争と平和を区別することにいったいなんの意味があるだろう。トルストイとともにはっきり言うべきではないか。「戦争と平和とは同じものだ」と。原稿紙で五枚に満たないエッセイをつぎのような言葉で閉じている。「戦は好戦派といふ様な人間が居るから起るのではない。人生がもともと戦だから起るのである」。

*

一九四二年、批評家小林秀雄が対米戦争開始の報に接して書いた「戦争と平和」。学生時代、山城むつみの批評文「戦争について」(『文学のプログラム』所収)に引用されているのを目にして間を置かず原文に当たって以来——戦争が不可避なのは人生がもともと戦争だからだという断言が放射する異様な率直さ、正しさの感触にどうしようもなく惹きつけられて——わたしはそれを幾度となく読み返してきた。回数で言えば、小林の文章の中で一番多く読んでいるだろう。戦争＝平和という認識への理解は曖昧で不完全なままだが、初読から十年以上が経った今も、わたしにとって小林批評の魅惑の核心をなす根本テーゼでありつづけている。

もちろんそれが暴論であり、破滅的な誤りに通じていることはよくわかる。またわたしは戦時下の小林の仕事の重心がイデオロギー的な現状分析に明け暮れる他人たちの浅さを斬ることに置かれ、「書くこと」そのものによる抵抗という課題と正面切って向き合わなかったという山城の指摘に深く頷く。だが、小林が生きた時代とどこか共通する死や暴力の空気が濃厚さを増している今、初読時にわたしを撃った正しさの感覚はますます切実に、表現されることを求めていると思える。戦時の小林の言説を、言論統制下での限界という理由で同情的に扱う視点にも、初期批評の理論的尖鋭からの頽落を指摘する紋切り型にも、与するつもりはない。彼の言葉が纏う不穏なアウラ＝「あやしい光」(吉本隆明)を全身に浴び、受け取り直す、そういう場所から小林を読み、書かなければならない。そうわたしは考えている。

断るまでもないだろうが、本章冒頭の記述は学術的には妄想として退けられるべきシロモノである。真珠湾攻撃の報道に接した「心」の揺れ動きについて、そこに記したような事柄を小林自身はまったく述べていないのだから。だがそれでもわたしは、自分が想像的に再構成した小林の「形而上学的心理」(「感想——ドストエフスキイのこと」)に今後も固執するだろう。容易に抗えない魅惑的な認識が孕む致命的誤謬を、頭ではなくみぞおちで理解した上で突き放すためには、テクストを無残に読み破ってでも小林の「心」を知ろうとする努力が絶対に必要だと思えるからだ。そのような読解の先にのみ、平和がこの世界に新しく産み落とされる可能性が明滅するはずだと信じるからだ。

2

「心ないカメラの眼」が見た戦争と、実際にそれを遂行する兵士達、「生死を超えた人間達」が見た戦争。二つが「大変よく似てゐる」のは視点の表面的な共通性（上空から見下ろしているということ）ゆえではない。「あらゆる無用な思想を殺し去ってゐる」という本源的な共通性ゆえに、両者はともに戦争の光景を「心に沁み付く様に美しい」、「あるが儘の光や海の姿」の開示として眼差す。銃弾で首筋を撃ち抜かれた人間から噴き出す血潮は物理学者の計算どおりの美しさで飛散したはずだ、わたしの心眼がそのような美しい光景をまざまざと見るのだ……。こう断言できるほどに、〝様々なる意匠〟でしかない諸々のイデオロギーを徹底的に削ぎ落として〈鳥瞰—内在〉の運動を創始する純粋な視力によせる小林の確信は深く強いものだっただろう。文中、カメラアイが捕捉した「風景」をめぐる小林の思考は「ふとした思ひ付き」あるいは「想像」から、祈りに似た（「念ずる様に思ひ」）「強」い「思索」へと、その強度を加速度的に増している。おそらくその過程で「戦争」だけではなく、世界を見る新しい視法が摑まれ、同時にデビュー以来の固有の批評的課題の解決がもたらされていたのではないか。自らの批評のいわば起源の光景が遡及的に発見され、これまで自分がなにを書いてきたか、書こうとしてきたかが決定的に了解されたのではないか。戦争＝平和というテーゼに、小林はその了解の中身を圧縮して封じ込めたのではないか。

ところで本稿が立脚する〈鳥瞰―内在〉という視座は、文芸批評家井口時男の『柳田国男と近代文学』から示唆を受け、咀嚼したものだ。具体的には――柳田は政治的次元とは位相を異にする「文」の次元で、「内在しつつ超越すること、あるいは仰望しつつ俯瞰すること、この二重化された視線の交錯」の作用によって「〝外のない内部〟がそっくりそのまま無欠の「全体」である」ような「風景」を創出したのであり、彼が提唱した「常民」とは外見上は現実的にありふれた存在だとしてもその実、「文」を書き記す柳田という主観が時空を超越する「不死の人」としてその「風景」の中で自由に振舞い、しかも最終的に自らを覆い隠すことによって生成された想像上の巨大な集合的身体・集合的記憶であった、という指摘である。

すでに確認したように「驚くべき写真に、驚くべきものが少しもないといふ困惑」が新聞記事にふれた小林の最初の印象だった。本来なら「現に数千の人間が巻き込まれてゐる焦熱地獄」をめぐる鮮烈な印象を受け取って然るべき場面だ。だがそう自分に強く言い聞かせれば言い聞かせるほどはんたいに「心」の平静さが不思議と際立ち、「困惑」は募る一方だった。この直後、例の共振現象がテクストに書き込まれる事実を念頭に置いて、その「文」を読み直してみる。「あの写真を眺めた人達は、皆多かれ少かれ僕と同じ様な感じを、驚くべき写真に、驚くべきものが少しもないといふ困惑に似た一種の心理を経験した筈だと思ふ。／今、幾千万の人間が、僕と同じ様にこの写真に見入つてゐる、といふ考へが閃き、その考への確かな感じに比べれば、眼前の写真は殆ど不可解と言つてもいゝではないか、そんな事を漠然と考へながら、縁側の椅子に腰掛けてゐたが、やはり僕は写真から眼を離す事が出来なかつた」。書き手と、この瞬間同じように写真に見入っているに違いない「幾千万の人間」が重ね合わされ、融け合っている事実に注意しよう。そのようにして主観性を隠蔽しつつ、小林の眼は外部なき内部＝全体としての「風景」を自由に上昇、下降する。

この「文」の運動の軌道上に結実したものこそ小林流の「常民」像――「この事変に日本国民は黙って処した」（「満洲の印象」）という言挙げに凝縮的に言い表された、主観的かつ非主観的な集合的身体としての〝日本人〟だった。ただし、柳田と小林には差異がある。前記『柳田国男と近代文学』にさらに寄り添えば、柳田の「文」業にはこの「「日本」を、「同情＝共感」が交流し合う場に変容させる」という倫理的使命感に染め上げられた「〝保護者〟のまなざし」があった。しかるに小林に使命感があったとすれば、そのような「まなざし」の不可能性――だれもが不可視の巨大なローラーで均され抽象化された故郷喪失者であるほかないという冷徹な現実認識を、さらにそれに起因する「文学」の不全という事態をも、当初から自らの文学のプログラムとして意識し呑み込んでいた点に求められるだろう。「この抽象人に就いてあれこれと思案するのは確かに一種の文学には違ひなかろうが、さういふ文学には実質ある裏づけがない」（「故郷を失つた文学」）と。もはや政治的な公的領野に「文学」の棲みうる場所はなく、かといって私的な領野もかつて自明だった日常性・自然性を喪失している。『私小説論』末尾で示されている「私小説は又新しい形で現れて来るだらう」という認識はその時点では、「文学」は「私小説」を反復するほかないが、しかし「私」にリアルな実質を求めても無益だろうという苦渋の認識を、無理にもポジティブに言い換えたものに過ぎなかった。

だが七年後の「戦争と平和」に刻み込まれた、極度に私的でありながら公的でもある「私」の感触――鳥瞰しかつ内在する主観性が帯びる共同性の感触は、ネガティブ一辺倒のものではない。そこで小林は当時猖獗をきわめていた日本主義は言うに及ばず、日本浪曼派的なアイロニーからも孤絶した地平に「私」を屹立させえている。その反面、それはあくまでも「文」の運動の産物であり、彼の言う〝国民〟や〝日本人〟を現実の民衆とイコールで結ぶことはできない。ドストエフスキーが知っていたのは眼前の農民たちではなく「ナロオドといふ言葉」であり、「しかもこの言葉は彼が手に触れ眼で眺める人間の様に生きてゐた」という『ドストエフスキイの生活』中の鋭い言い止めは、ほかならぬ小林自身に当て嵌まるのだ。この矛盾は本質的に重要ななにかを指し示しているに違いない。

小林は「戦争と平和」の後、戦後『無常といふ事』として刊行される一連の古典論を発表してから沈黙の期間に入った。〈鳥瞰―内在〉という視座から自分なりの〝日本人〟を描き切ったという思いがあったのだろう。それをただ日本回帰として括って片付けてしまえば、この時期の小林のわかりづらさへの問いが零れ落ちてしまうだろう。たとえば「文学と自分」というエッセイでは、火あぶりの刑に処されて死んだはずの武士が黒こげのままのっそり動き出し、検視の脇差を抜いて検視を刺すとたちまち灰になったという逸話を紹介して、「諸君はお笑ひになりますが」と断りを入れている。この文章は「文芸銃後運動」での講演を下敷きにしているが、じっさいの講演でも聴衆はこの逸話を笑っただろう。武士にせよ、西行にせよ、実朝にせよ、あるいは「私」にせよ、小林の言葉が描き出す彼ら〝日本人〟が体現する「人間の真の自由」は、戦時下の読者にとって笑いを誘うフィクションでありながら、しかし「たしかな「原物」という印象を与え」(橋川文三『日本浪曼派批判序説』)もする、奇妙な両義性を帯びたものとして受け取られたのだ。戦争=平和という認識にも同じことが言える。それは笑うべきものであるにもかかわらず異様なほどリアルなものとしても感受されていた、と。小林の宿命観が戦場の死を肯定する想念だった事実は動かないが、この矛盾、両義性への問いを欠いたまま為される彼の戦争責任の追及は無意味だろう。

3

右記の問いを、小林批評の起源の光景――そこから放射される「あやしい光」の内部で精密化したい。本稿がライトモチーフのように反復する「あやしい光」という言葉は、小林晩年の大作『本居宣長』を批判する吉本隆明の文章「小林秀雄　付『本居宣長』を読む」の最終パラグラフに刻まれたものだ。瞠目すべきは、多くの評者が肯定的にせよ否定的にせよ、戦争という歴史的事件にクリティカルポイント（＝転回点）を仮構した上で小林のテクストに斬り込むのとは異なり、吉本の批判が小林批評の総体をたった一つの視座――「小林の劇には関係の意識が不足していた」――で串刺しにしている点だ。

意識の壁の内側で文字どおり自己言及的に自己を呼びつづけること。こうした自意識の在り様がそもそも「哀しいことかどうかを問う」ためには、外部の他者によって自意識の円環構造がズラされ、ひび割れる経験が必要である。それがなければ、抽象的な明晰さに至る高次の倫理性に向かって生が押し開かれるという事態も起りようがない。だが「小林秀雄には他者はやってこなかった」と吉本は断じる。そうは書いていないものの、もともと関係意識の不足による根腐れが生じていたために、健全な生長を望んでも詮無い株だったとさえ言いたげである。

だからこそ気になるのは、それではなぜ吉本は、そのような無惨な「解体」の最終局面としての『本居宣長』を評するにあたって、戦後の全努力全歳月が「全否定」され「〈無化〉」されてしまう危険まで強調しなければならなかったのか、どうして「あやしい光」のごとき極度に蠱惑的な言葉を用いなければならなかったのか、ということである。こうした揺れは、橋川の言葉を引き合いにしてすでに確認した両義性と有縁のものだ。あとでまた立ち戻るが、文体模写を思わせる筆致が小林秀雄の「戦後」に寄せる吉本のひりつくような関心を窺わせる最終パラグラフを先に書き写しておく。「もちろん小林自身は、おれはそんなモチーフなどもっておらぬ。ただ宣長の言説に則して忠実に再現したかっただけだ、というだろう。そうかも知れぬが、いわば小林の無意識の織りなす綾のうちに、営々たる、戦後の解放と営みを全否定しようとするモチーフが、あやしい光を曳いてゆくのをどうすることもできない。そしてある意味ではそれがこの本の強い魅力だといえるかもしれない。けれど踏みつけられた土のなかから自力で這いあがった古典識知を〈無化〉するわけにはまいるまい」。

吉本は小林における他者の欠落を象徴する場面として「女は俺の成熟する場所だつた」(「Xへの手紙」)という有名なセリフの背景にあった、中原中也、長谷川泰子との三角関係を取り上げている。三角関係の事実よりも、それがいかに体験されたかが重要だとした上で、小林の場合はそこに生起してしかるべき問題系——三角関係によって揺り起こされる「〈他者〉」あるいは「〈社会〉」の意識——から完全に外れていたと、「そういういいかたをすれば、三角関係の恋愛でも小林秀雄には一角関係にはかわりなかった」と指摘している。かつての女との関係を辿り直す「Xへの手紙」の「俺」の言葉に吉本は厳しく問い返す。恋愛を苦行のように思いなしたお前は「〈ひとりの他者〉」の絶対性を思考しえず、「自意識と自意識の出あいの劇に関心をうつし」、「〈他者〉はひとりだという理由」でかえって「〈他者〉」を「自意識」の内部に繰り込み、融かし込んでしまったのではないか、と。だからお前の言う「成熟」など所詮は「自意識の劇場」の「拡大」にすぎず、そこでは「〈他者〉」も「〈社会〉」も「影」にすぎなかった、と。

他者の内面化・同一化という非倫理。だが、もしも――倫理的であること＝他者の他者性に自覚的であろうとすることが、より一層悪い非倫理への転落となってしまうかもしれないがゆえに、内面化・同一化という非倫理にとどまらざるをえない、そういう危険な淵に小林が立たされていたのだとしたらどうだろう。「一角関係」をめぐる記述のすぐ後に「小林秀雄はそんなことはとうに承知していたかもしれない」と付け足しているところから察するに、そのような奇怪な「シチュアシオン」（サルトル）の存在に吉本は気づいていたのではないか。

思うに「一角関係」とは、ありうべき「〈社会〉」的な三角関係からの堕落ではなく、三角関係の敵対者でもない。むしろ根源で分ちがたく結び合っているために無視も廃棄も不可能な――精神分析学者フロイトが論文「不気味なもの」で説き明かした故郷のように懐かしい（heimlich）不気味な存在（unheimlich）――三角関係の〝不気味なふるさと〟なのではないか。小林独りだけが「一角関係」への尖鋭な意識を把持して、異様な脚力で、自分の、またこの国の戦後の歩みの外部に一貫して不気味なものとして立ちつづけている。そういう直覚が吉本になければ、徹底した批判が同時に魅力の吐露でもあるような本質的な小林論を書く必要もなかったのではないか。小林が三角関係の根源にある「一角関係」に「書くこと」の次元でとどまりつづけたということ。吉本の記述を抗争と誘惑の両極に引き裂く「あやしい光」の光源はそこにあったに違いない。

＊

恋愛だけでなく、ひとが示す愛着行動の多くに三角関係の図式が潜在的にはたらいていることはたしかだ。小林の場合、長谷川泰子との関係を深めていく過程に彼女が親友中原の恋人だった事実が影響しなかったとは考えにくい。他人から指摘されるまでもなく小林自身そのことに気づいていただろう。だが他者との関係を客観視し、社会的な面から自分のしていることを理解することだけが他者の認知につながるのか。もちろん自分で自分のしていることを客観視できることと、自分では客観視できないままにやってしまっていることを外部の他人から突き付けられ相対化されてしまうことは、まったくべつのことだ。後者こそ「〈他者〉」認知の経験であり、高度な位相で「〈社会〉」が思考される契機となりうる。そういう考えの正しさもよくわかる。だが、そのよくわかることへの異和をどうしても拭い去れないわたしは吉本が言わんとしている範囲を踏み外すことを覚悟の上で——自分の卑小な経験をたよりに——「ひとりだという理由で」という言葉が孕む微細な襞に立ち入って考える。

「ひとり」であるために相手を「〈他者〉」として認知しえず、「自意識」に取り込み曖昧に内面化してしまう。だが、それは、「ひとり」と「ひとり」であるべきものが、不当に「ふたり」に統合されたというのとは違うのだろう。「一角関係」=「〈他者〉」の包摂による「自意識」の「拡大」は、むしろ「ふたり」に収まり切らない過剰な「ひとり」と「ひとり」の関係の結果であったはずだ。おそらく関係の深まりにしたがって「ひとり」と「ひとり」が徐々に生じたのではなかった。それは持続的な出来事ではなく瞬間的な出来事だった。それは——具体的な暴力の瞬間に生起したはずである。

暴力の瞬間、ひとは社会的・歴史的意味から断ち切られる。人間がほんとうに「ひとり」になるのは暴力の瞬間だけである。わたしの暴力が、相手を、そしてわたし自身を「ひとり」にする。暴力の理由は後から色々と説明できるだろう。どんな場合でも暴力は関係の非対称性に起因するし、その非対称性は社会的、歴史的な原因を持つはずだから。しかし、それにもかかわらず、ほんとうの暴力の瞬間には社会的、歴史的なものの介在を頑として拒み、それらによる説明を不可能にしてしまうなにかがある。暴力の瞬間、わたしの存在の意味はその暴力以外になく、相手の存在の意味もわたしの暴力以外にない。それが「ひとり」ということの内実であり、だからこそ「ひとり」と「ひとり」の関係が現出する瞬間について、わたしはなにも思い出すことができないし、なにも語ることができない。暴力の瞬間はいかなる人間的意味も寄せつけない絶縁体、絶対的な非意味としてある。暴力が、振るう側にも受ける側にも言い難い不条理の感触を与えるのはそのためだろう。それは存在の根源的「恥ずかしさ」とでも呼ぶべきものの感触である。ジョルジョ・アガンベンは収容所について、そこでは「だれも本当に自分自身のこととして死んだり、生き残ったりすることができない」と述べた。そこに収容所で生きかつ死ぬことの「恥ずかしさ」があった、と（『アウシュヴィッツの残りのもの』）。アガンベンの考察を手がかりに言えば、暴力の瞬間は絶対に「自分自身のこと」にはなりえないのに、そこでわたしは「ひとり」としてのわたしを感じる。自分が「ひとり」だということを理解するのではない。絶対に自分自身のものであるべきもの（＝暴力）が絶対に自分自身のものになりえないという分裂的な事実の感触が強いる「恥ずかしさ」のなかでひとは「ひとり」になるのだ。相手にも同じことが言える。自分が被った暴力が自分のものになりえない「恥ずかしさ」のなかで彼（女）は「ひとり」になる。

暴力の瞬間を思い出すことの不可能性について知ることと、その不可能性の中にじっさいに置かれることとはまったく違う。アガンベンはカフカの『審判』をもどいて「恥ずかしさが、かれよりも長く生き残る」と書いた。小林にとって切実だったのは〝ふるさと〟としての暴力の瞬間がいつも自分を「ひとり」にし、生物としての時間の限界を超えて、不可能性の内部でもがきつづけることを強制するように感じられたことだったただろう。それを意識化し理解しようとするどんな努力も徒労に終わるほかない。そのたびに彼は、ただ、無であるとも無際限に大きいとも思える〈意識〉のようなものの存在に――だれのものでもありだれのものでもない、現実的な色彩が欠落したなにかに突き当たるだけである。あたかも無限の前に腕を振るように〈意識〉にふれるたびに、暴力の瞬間も、そこにおける自己の存在も相手の存在も〈意識〉に呑み込まれて縮減し、かつ広大無辺になる。彼の「自意識」が「〈他者〉」を取り込んで「拡大」したとはそういうことだったのではないか。ならば吉本の言い方は少し違うのだ。ほんとうは「自意識」も「〈他者〉」も、巨大な無である〈意識〉のなかに徐々に融けていってしまったのだ。

(巨大な無としての〈意識〉――曖昧で不熟な表現だが、こんな言い方以上に的確な言葉が見つかるとも思えない。わたしは、自分自身の具体的な暴力の瞬間に向き合う経験を持つひとにならこれでもなにがしかは伝わるはずと信じてつづける。)

同じことが中原とのあいだにもあった。小林は追悼詩「死んだ中原」に書いている。「君に取返しのつかぬ事をして了つたあの日から/僕は君を慰める一切の言葉をうつちやつた」と。恋人を奪った僕には君を慰める資格がない、と感傷に浸っているのではない。今も自分は「一角関係」に留め置かれているのだと、絶対的な「不思議」である「僕達が見て来たあの悪夢」＝反省も感傷も拒絶するあの瞬間に差し戻されては失語し、奇怪な〈意識〉の感触を反芻するばかりだと、そう言っているのだ。デビュー評論「様々なる意匠」で彼が切った啖呵「批評するとは自己を語る事である、他人の作品をダシに使つて自己を語る事である」に悪しき他者の内面化の兆候を見る論者は今も多い。たしかにそうだが、それが一人の人間が「一角関係」において他者もろとも〈意識〉に呑まれ溶解してしまう、〝根源的内面化〟とでも呼ぶべき事態をも語る言葉であることを見落としてはならないだろう。すでにデビュー評論において、究極のメタポジションから「商品」としての諸言説を見下ろし小気味よく斬ってゆく批評のスタイルが、絶対外部としての他者のテクストに「宿命の主調低音をきく」ことをこいねがう心根と近接していること、超越が内在（ゆえの超越への希求）と同時にあること。このようなテクストにおける「分裂的共存」（鎌田哲哉）の背後に、存在の次元での危機的な「分裂的共存」——無際限な拡大・超越と無際限な囚われ・縮小があったことはたしかである。

＊

爆撃手の眼に、暴力の瞬間は美の瞬間として映じる……。「形而上学的心理」の位相で小林に寄り添うならば、この暴言はぎりぎりの倫理的叫びと読める。ふたたびわたしの卑小な経験から推して、自らの暴力をまっすぐ見つめようとして不思議な必然性の印象にぶつかり、驚かない者は稀なのではないか。ひとは想起不可能な暴力を想起しようとする矛盾した営為において〈意識〉＝外部なき内部としての世界の完璧性にさわり、「宿命」の感覚を得るはずだ。美とは、その感触につけられた名である。戦争の現実の只中でだれもがそのような美に接近せざるをえなかった。だからこそ当時の読者は小林の「文」が放射するアンビヴァレントなアウラとしての（非）倫理の存在を察知し、笑うだけではなくリアルなものとしてもそれを感受したのだろう。

事実認識にもとづく自覚的な反省や謝罪の価値をわたしはけして否定したくない。しかし、居直りという悪質な非倫理と似て非なる倫理的非倫理・非倫理的倫理を負わなければならない状況に置かれることがたしかにあるはずだ、とも思う。「して了つた」ことが反省も謝罪もしえないものであることを受け入れること。それが「成熟」なのだとすればおそろしいことだが、ダイモンの声は小林に、そんなおそろしい生をしかお前は生きてはならぬと終始命じた。「戦争と平和」が示すのはそのような「成熟」のきわまったすがたである。それを、戦争を美的スペクタクルとして享楽し消費するものだと単純に裁断する心持に、わたしはなれない。

「戦争と平和」が小林の存在感覚の回復の内実を示唆する重要な「文」であることはすでに述べた。そこでは「分裂的共存」（1ではそれを自己や世界からの疎隔の感覚として心理的な面からのみ描いた）が〈鳥瞰―内在〉の視覚の運動によって突破され、世界との関係が再措定されている。小林はそこに至ってようやく「意識」の存在を内側からポジティブに捉え返すことができたのだ。ひとはどんなときでも、「戦の時も平和の時も」、「一角関係」と無関係でありえない。現実政治の局面では完全に無効かつ有害な、戦争＝平和というテーゼは、しかしそのことを正しく踏まえるならば――自己自身との関係、他者との関係の最底部まで下降して受け取られる場合には、「原物」の輝きを帯びて読む者を摑む。それは死を肯定する想念だが、その肯定の質は理知によって生と死を自在に反転させるアイロニカルなニヒリズムに到底収まり切らない異様な強度を誇っている。彼のテクストの基底には通常の意味での生と死が織りなす歴史＝物語を停止させ根本からひっくり返そうとする不穏な欲望が不気味に蠢いている。

以上のようなことに小林の戦争責任があった。わたしの興味は、非常時から平時への移行において、彼がどのようにそれと向き合ったかという点に、また戦後の地平でこのわたしが自分自身の（非）倫理とどう向き合い「成熟」していくべきかという点に集中するだろう。

4

大岡昇平は証言している――「彼は上海で火野葦平から兵隊が義務のために死ぬ、「伍長の為に死んでくれる」と聞いた。死は一つの絶対である。彼は悪夢のような経験を共にした旧友中原中也が、鎌倉の自分のそばへ死にに来たのを見たばかりであった。そのぼうぼう燃える骨に対して、どんな生も言葉も無意味だという感慨に捉われた」と（「歴史と文学」）。『文藝春秋』特派員として小林が火野に会ったのは、詩人の死からおよそ半年が経った一九三八年三月であった。たしかに中原のものでありながら、中原中也という人間が生きかつ死んだ事実についてなにも説き明かさない「骨」。それは生物学的な時間を超えて残る「恥ずかしさ」＝「ひとり」の在り様をけざやかに告げ知らせる象徴的なモノとして顕現し、あらためて小林に暴力の瞬間の不可解さを突き付けたに違いない。生きているうちからソレを詩作の対象とし（小林は中原の生前、彼の「骨」という作品を高く評価する文章を書いている）、「事変騒ぎの中で、世間からも文壇からも顧みられず、何処かで鼠でも死ぬ様に」孤独のうちに死んだ中原の「抒情の深さ」（「中原中也」）に心付いて、深い衝撃を受けなかったはずはない。

たとえば「埋め残した支那兵の骨が、棒切れがさゝつた様に立つてゐる。すべすべした茶色で、美しく陽を透かしてゐる大腿骨がある。コールタールを塗つた様に湿つた脊椎骨がある」（「杭州より南京」）のごとき率直な写生文を読むかぎりでは、「国民」でもなければ生きている人間ですらなくただ「骨」を見つめるために、「骨」の沈黙を聴くために、わざわざ志願して大陸に渡ったのではないかとさえ思える。そうであれば「子供が死んだといふ歴史上の一事件の掛替への無さを、母親に保証するものは、彼女の悲しみの他はあるまい。(…)。悲しみが深まれば深まるほど、子供の顔は明らかに見えて来る、恐らく生きてゐた時よりも明らかに。愛児のさゝやかな遺品を前にして、母親の心に、この時何事が起るかを仔細に考へれば、さういふ日常の経験の裡に、歴史に関する僕等の根本の智慧を読み取るだらう」(「歴史について」一九三九)などと書かず、もっとはっきりと「骨」について書くべきだった。後に『ドストエフスキイの生活』に序文として組み込まれるこのくだりで言われている「客観的」でも「主観的」でもない「歴史事実」とは、けして理解も内面化もしえない暴力の瞬間にほかならないはずだが、ここで小林の想像力はそうしたものだけが「確実」である世界で「なほもながらふ」(中原中也「春日狂想」)ことになり、思い出すことの不可能性に圧倒されながら生きる人間の孤独の様相にまで届いていない。死んだ子供の「遺品」を手がかりに母親が「悲しみ」の深さによって「歴史事実」を創り上げる「智慧」あるいは「技術」について記す筆致は甘く感傷的で、中原の『在りし日の歌』が到達した乾き切った世界像に匹敵していない。同じ甘さは「無常といふ事」にも垣間見える。小林が体で理解した(させられた)「無常」とはなによりも暴力の絶対的な想起不可能性だったはずだが、それ本来の「骨」的な殺伐さ無惨さと比して、この高名な随筆が喚起するイメージは肉感的であり過ぎる。すでに引用した井口時男の柳田国男論の表現を借りて本稿の文脈と綯い合わせれば、しばしば小林は暴力の瞬間の「了解不可能性」を堪え切れずに「了解可能性」に誘惑され「物語」としてのテクストを紡いだ、となるだろう。

敗戦を機に明瞭になった悲惨な諸結果から振り返れば、そうした「物語」に一片の価値もなかったことは明らかである。戦後はじめての公の場での「僕は無智だから反省なぞしない。利巧な奴はたんと反省してみるがいいじゃないか」(座談会「コメディ・リテレール」一九四六・二)といういわゆる「放言」には、「物語」の次元でこれから自分を裁くに違いない「利巧な奴」への皮肉と諦めの心情が複雑に混じり合って滲んでいる。これから繰り広げられるであろう戦中の「物語」の是非をめぐる大掛かりな議論(じっさいに小林はその後、『新日本文学』誌上で〈戦争責任者〉に指名されている)に、自分にとって切実な非-「物語」が立ち入る余地などないことを、彼は予感していただろうが、敗戦の現実を前にしてどんなことを思っていたかは具体的にはほとんど語られていない。表面的に見て取れる変化といえば、戦争中も「ずっと考えて」いてそこに「帰ると非常に孤独に」なった「ドストエフスキイの仕事」、「千枚も書いて、本を出すばかり」だったそれが「読返してみると詰らなくて出せなく」なり(同座談会)、『罪と罰』を論じるところからあらためてやり直さざるをえなくなったことくらいだが、とはいえそれはかならずしも敗戦が絶対的な切断あるいは転回を小林の思想にもたらしたというような作家論的にわかりやすい事態を意味しないだろう。

象徴的なのが仕切り直しの論考「「罪と罰」についてⅡ」の末尾に刻まれた「何もかも正しかつたと彼は考える。何も彼も正しかつた事が、どうしてこんなに悩ましく苦しい事なのだらうか」という一文だ。「彼」とは小説の主人公ラスコーリニコフだが、同時に書き手自身の心事を語った言葉と読み換えてかまわないだろう。「正しい」と思い込んでいたことがほんとうは間違いだったとわかったのなら「反省」すれば済む。しかしそうではないから、やはり「何も彼も正しかつた」のだから「反省なぞしない」、しようがない。にもかかわらず非－「物語」の次元で摑んだ「正しかつた事」は、不思議なことだが、その正しさゆえに今「悩ましく苦しい事」としてかぶさってくる。これはいったいどういうことなのだろうか……と。

つづく箇所には「ラスコオリニコフといふ人生のあれこれの立場を悉く紛失した人間が、さういふ一切の人間的な立場の不徹底、曖昧、不安を、とうの昔に見抜いて了つたあるもう一つの眼に見据ゑられてゐる光景」が書き込まれており、同時にそこでは小林の「心」＝「奥深い内部」にある「僕等を十重廿重に取巻いてゐる観念の諸形態を、原理的に否定しようとする或る危険な何ものか」もまた主人公のとは別のなにかしら超越的な「一つの眼」に「差し覗」かれている。外部のなにものかの眼が、自分では見ることのできない暴力の瞬間を見つめている。このような感触はたしかに戦前のドストエフスキー論考にはなかったものだ。ただ注意すべきは、それに見られているからといって暴力の瞬間のことはなにひとつわからないままであることであり、ましてやそのマナザシがラスコーリニコフ＝小林の、現在あるいは未来におけるける解決や赦しの可能性を示唆するものではないことだ。それはむしろ、実存が根源的に恥ずかしいものとなる一点を外部から差し覗き刺し貫くことで、解決や赦しの可能／不可能という枠組みの外部に個人を永久に宙づりにしてしまう。ラスコーリニコフが「心理を乗り超えたものの影である」とはそういう状態を指している。彼にとって生存とは「心理を乗り超えたもの」＝暴力の瞬間の「影」として生きることにほかならない。『罪と罰』を読み直すことで小林は、その影が背負う「一切の人間的なものの孤立と不安を語る異様な（…）背光」が以前にましてよく見えるようになったと信じた。それは、自分は常識が理解している「罪」と「罰」の関係性の外側で――倫理的非倫理／非倫理的倫理の位相で――悩み続け、罪とはなんであり罰とはなんであるかと孤独に問い続けなければならないということがはっきりしたということである。

すでにふれたドストエフスキー論考にかんする発言には「戦争している以上、日本が勝つようにいつも希っていたし、僕のような一種の楽天家は敗戦主義なぞを見るといやな気がいつもしていたが」という前置きがあるが、「楽天」も右のことの延長線上にあっただろう。小林にとって勝利を信じるとは、自らの不死を信じること（信じざるをえないこと）と同義だった。ここでわたしは前に瞥見した挿話——小林が講演で語った武士の話と、アガンベンが書いた、生物として死んでも残る「恥ずかしさ」のこと二つをつなげて思い出す。暴力の瞬間に摑まれた人間はけして死ぬことがなく、そのような者にとって「真の自由」とは不死性の受け入れ以外にはありえない。死ぬことが不可能である以上、負けることもまたありえないはずだ。これがあくまでも日本の勝利を信じようとする心情の内実であり、敗戦という結果から振り返ってもこのこと自体は間違いではなかったと思われたのだ。

もちろん以上のことも「悩ましく苦しい事」ではある。ただ、「戦争と平和」にきわまる戦中の思索はもともと、呑み込み難いこの悩ましさ苦しさを折伏(しゃくぶく)した上で成ったものではなかったか。そうであればこそ小林は非-「物語」の次元でけして「反省なぞしない」と言い放ったはずなのだ。だとすれば「眼」——『罪と罰』論と同時期に雑誌に発表された『ゴッホの手紙』初回の冒頭にも小林を見据える「巨きな眼」の存在が書き込まれている——は、既知であった「悩ましく苦しい事」とは異なるなにかを彼に告知していたのだろうか。

注目したいのは、かつて中原、長谷川泰子とのあいだに結んだ「奇怪な三角関係」をはじめて公的に認めた文章として知られるエッセイ「中原中也の思ひ出」（一九四九）の末尾に記された中原批判の一節である。「彼は自分の告白の中に閉ぢこめられ、どうしても出口を見附ける事が出来なかつた。彼を本当に閉ぢ込めてゐる外界といふ実在にめぐり遇ふ事が出来なかつた」。これにたいしては、詩人が早く衰弱せざるをえなかったのは「外界といふ実在」に無防備であったためで、「告白」の内部で安穏としていたのはむしろ小林のほうではないかという趣旨の反論があるが、外れていないだろう。たしかにこのくだりは詩人の仕事の全体像に照らして根拠が薄く、かなり唐突な印象を与える。死んだ友を愛（かな）しむ味わい深い文章の最後の最後に、ほとんど言いがかりのような文言が書き込まれている、そのように映る。

だが、もしもそれが生前の中原に向けられた言葉ではなく、あくまでも死者としての中原に向けられた言葉だったのだとしたらどうか。死んでしまった以上お前は「外界」とは無関係ではないかと非難しているのだとしたら、いやもっと端的に、死の事実そのものを非難していたのだとしたらどうか。だとすればそれは生者から死者へのいわれなき憤りの発露、怒りの暴発である。ならば……戦後の地平において「一つの眼」が小林に認知を迫ったものとは、きわめて単純な意味での生の事実——死んでおらずこうして生きているということが生のただ一つの条件である、ということだったのではないか。敗戦はなによりも、極端に簡単な生にかかわる経験だったのであり、それが容易に受け入れ難かったからこそ、思わず死者を不当に難じる文章を書いたのではないか。中原批判の身勝手さは怒りの純粋さとイコールであり、もとをただせば小林が直撃された生の純粋さのそれは反映だったのではないか。

しかし再度断っておきたいのだが「「罪と罰」についてII」の「眼」が見据えているものは敗戦以前になかったべつのなにかではない。「心理を乗り超えたものの影」として、外部なき閉じた全体としての

「意識」の感触のうちで、自己も他者も喪失しながら、生きつづけるほかない――。小林が自らと主人公を重ね合わせながら細心かつ豪腕に読解し確認しているのも、やはり以前とまったく同じそのことなのだ。ならば当然、「眼」＝生が、戦時下の小林に取り憑いて離れなかった死の観念を突き崩したというような安易な読解の見取り図を描くことは厳に慎まなければならないだろう。ここに至ってわたしは途方に暮れ、ドウシテコンナニ悩マシク苦シイノカ、と呪文でも唱えるように繰り返すほかなくなってしまうが、それでも思う、思うことにも慣れ切って思うのだ。生の本義が一挙にもたらされるなどということはありえないし、結局「眼」がなんであるかもわかりようがないだろう。ただ、自分がすすんで受忍してきた（非）倫理＝暴力の瞬間の反省不可能性――そこにあった嘘をそのマナザシに見抜かれ、見破られている、少なくともそのような感触ならば小林にあったのではないか、と。

嘘とはなんだろうか。

たんなる生存としての生を生きることなどできはしない。だがそれはただちに、死を絶対的に甘受してはいるが、にもかかわらず〈死んでいない〉という逆説的な様態でしか生きられないということではないはずだ。〈死んでいない〉ということと〈生きている〉ということ、その二つを混同せず、両者を隔てる微妙な距離、微妙な差異に心を用いながら、両者のあいだをジグザグに縫うように生き続けることはできるのではないか。そうすることで、〈生きている〉とはすなわち〈死んでいない〉ことであるという、巨大な壁のような息苦しい現実の状態を、無数の分岐を孕む襞状のものに変容させることが可能かもしれない。全体として見ればそれはわかりやすい希望にあふれた道行ではありえず、はんたいに希望を一つずつ捨てさりながら、晦い、底深い場所に、一人で――言葉の真の意味で孤独に下りていく過程なのだろう。

すでに確認したように、戦中の小林の「文」業は極端な孤立性にもかかわらず強烈な煽動性を帯びていたが、本来的な下降によってひとは、そうした煽動性さえ無化する、本源的な単独者性を摑まなければならないのではないか。本来、反省不可能なものの引き受けとは、そうした生存のスタイルを打ち開く営みであるべきだったが、そうはならなかった。戦争と雁行するように遂行された小林の下降はたしかにクリティカルな決断の連続だったが、その一点が足りていなかった。暗さを突き抜ける晦さが、孤立を突き抜ける孤独が、小林には欠けていたのだ。「眼」が見抜き、突き付けていたのはそのことだったのではないか。

かつての思索が戦争の進行と共にあった以上、この「眼」もまた現実の出来事——敗戦によって国家規模で生じたトラウマ的傷およびその後の集団的「反省」と完全に無関係ではありえないかもしれないが、決定的なところで一線を画すと小林は考えていたに違いない。「眼」が見詰めていたのは彼一人だった。ただそれでも、マナザシの熟成には戦後という共同的な時間の流れが、そこにおける死者との協働が必要不可欠であったとどこかで感じてもいたのではないか。彼は「眼」から、たとえば中原の死後の生の存在を受け取っていなかっただろうか。死者が新しい生の様式を生きるよう促している、と。もしそうだとしたら、それは暴力の瞬間は非‐時間的であり、そこにおいてひとは「ひとり」であるほかないという絶対的な原理にもとる感覚であり、きわめて危いことだ。それを認めてしまえば、反省や赦しの不可能性にかかわる覚悟が揺らいでしまうかもしれないから。

暴力と無縁でないこのわたしにとっても、このことをどう考えるかは重大な問題だが、「眼」はこうした動揺をすら凝と見据えてはいなかっただろうか。暴力の瞬間を貫くことでわたしを反省や解決の外側に宙づりし、しかもそこでなおわたしが陥るかもしれない嘘を厳しく見破り、そのためにわたしの内部になかば正当に生起する動揺すら見抜くマナザシ……。なにげなく書かれた言葉にたくさんの意味を読み込みすぎているかもしれない。が、よく見てほしい。つぎの文章が、そのような多義的・重層的な「眼」の磁場において——個々の実存を無限の迷いのなかで引き裂かずにはおかない複雑なねじれを孕む場所で書かれたものであることは明らかであるはずだ。言うまでもなく引用文の主語は小林本人ではなくドストエフスキーだが、記述全体に漲る異様な緊張を考慮すれば、そのような区別はほとんど無意味だと思える。

彼は、事後、自分の経験を、様々な条件の下に生じた一種の意識として理解し去る事は出来なかつたし、又、これを思ひ出といふ影の国に送り込んで了ふ事も出来なかつたのである。そんな風に、彼の経験の形式を想像してみる事は難かしくないが、その内容に立入らうとすると殆ど言葉に窮する。たゞ、倫理的自覚としても、或は認識論的な意識としても、まことに異様な一種の啓示を、彼が経験した事を、ムイシュキンの話から直覚するだけである。恐らく、其処には、彼が癲癇で経験する一種の意識の場合（これは後で触れねばならぬのだが）と類似した問題があるのであつて、彼が、死刑囚は何も彼も知つてゐると傍点を附する時、彼は意識といふものの絶対性を言つてゐるのである。それは体験によつてのみ知り得るものであり、私は、それを体験したが、どんなにそれが異常なものであらうとも、そこには不具なものも病的なものもないのだ、と言つてゐるのである。彼が、顔を用箋紙の様に白くして堪へたものは、意識の恐ろしい透徹性の感触であつた。彼は死を恐れたのではない。彼は「死」とは書かなかつた。「或る一点」と書いた。言はば、彼は意識といふ針の尖端に坐る苦痛に堪へたのである。会堂の屋根に輝やく朝日の光を見詰めてゐた時ほど、世界に対しても、自己に対しても、覚め切つた事は嘗てなかつたと知つた。と同時に、世界や自己が、この時ほど不可解な姿を現じた事はなかつたと知つた。(…)

「「白痴」について II」

この少し先には「彼に堪へ難かつたのは意識の刑期は未だ続いてゐるといふ事であつた。実在とはあの朝の光の事だ。確かに外に在り乍ら、私を貫き、私を厭嫌の情を以つて満たしたあの光の事だ。生存とは、あの「或る一点」の意識の事だ」とある。「眼」から放射される「光」が彼の心を差し貫き、今しがた述べたねじれ、矛盾の力で彼を「厭嫌の情」(これこそ中原批判の動機だっただろう)に染め上げる。光源を見詰め返す彼の深奥には、しかし、これまでもっぱら「死」との関係で、〈死んでいない〉という様式で定義されていた「生存」の在り様を動揺させる「「或る一点」の意識」が胚胎している。それは確固たる生(=〈生きている〉)とも異なる、〈死んでいない〉からの微妙なズレとしての「生存」の感触にほかならない。この「生存」は「或る一点」に畳み込まれた実存的な諸矛盾ゆえにやはり堪え難いものには違いないが、巨大な無としての「意識」の表面にそのような「針の尖端」が露出したということはきわめて切実な何事かではあったのだ。暴力の瞬間に淵源する逆説的な悩マシク苦シイ事が彼の「意識」を去ることはありえないが、それはかぎりなく重層的、多義的な屈折を内部に孕むことで、生を生きるに足るものにしたのだ。

こうしたことを〝戦後という廃墟で見出された希望〟と単純化すれば、生涯にわたって彼を呪縛した(非)倫理が致命的に見落とされてしまう。わたしがそれにこだわる理由が学術的な視座と一切無関係であることをこれ以上述べ立てようとは思わない。右の引用文に刻まれているのは、新しい認識ではなくむしろ古めかしい「書くことと生きることとの生きることにおける分裂」（鎌田哲哉「「ドストエフスキー・ノート」の諸問題（続）」［補遺1］）にほかならないが、自分自身の（非）倫理を見定めたいという願いに忠実に小林のテクストを読んできたわたしも、立ち止まり、自らの「分裂」に手を当ててみる。「書くこと」の位相に静かに灯る微妙な希望と、「生きること」の位相に重くのしかかり続ける反省不可能な暴力の瞬間の「分裂」――わたしはそれをあくまでも「生きること」の位相で支え切るしかない。死への先駆、死への忖度の乗り超えと言えば聞こえは良いが、実のところそれは、自分の手で造り出した迷宮で迷い、闇の中で立ち尽くし、そうして世界から、自己自身から徹底的に遅れつづける行為以外のなにものでもないだろう。

小林が敗戦後最初に発表した文章「ドストエフスキイのこと」の末尾に言わずと知れた新憲法公布日の日付、「一九四六年十一月三日」が刻印されているということを、わたしは山城むつみのコラム（『連続する問題』）から教えられた。たんなる偶然の一致ではないだろう。とはいえ、いわゆる〝戦後〟の開始を国家レベルで告げ知らせる宣言文に政治的に対抗する気など小林になかったことは明らかである。繰り返すが、そもそも「眼」と戦争を結びつけて考えること自体、安易にすべきではないとわたしは考えている。しかし他方で、敗戦後、小林が右記のきわめて単独的な遅れによって公的なものである憲法とのリンクを試みたこともまたたしかだろう。それについてさいごに見届けておきたい。

5

批評家秋山駿は、小林の戦後の『罪と罰』論がラスコーリニコフとソーニャの対話の場面に以前とは「全然違った」、「その真率さによって限度を超えた、いわば裸な、直かな人間交渉」のトーンを与えていると指摘している（『魂と意匠』）。そこで試みられているほとんど創作的な質を湛えた異様な読解の密度は、自己の暴力の瞬間との長く深刻な対峙の時間を抜きにしては考えられないものだが、注視すべきは、二人の関係に生じた「或る思ひも掛けぬ意味」＝「リザヴェエタの幽霊」について述べた後の、記述の転位である。

ソーニャとの「恐怖」の交換の只中で、ラスコーリニコフは「「秘密」」としての自己に直面するが、予期とは異なり、それは「空し」いだけのものではなかった。自らの手で殺害したにもかかわらず事件後は不思議と思い出されなかったリザヴェータのことを、ソーニャの身振りによって思い出したのである。正確には「己れの空しさのなかには、リザヴェエタの幽霊が立つてゐた」のである。反省不可能な「「秘密」」としての暴力の瞬間を生の条件として甘受することは「己れ」をかぎりなく「空し」くする。ただし過去の暴力が、他者とのあいだに、他者の促しによって、別のやり方で反復されることで、「「秘密」」の内部に被害者が「幽霊」のように浮かび上がる可能性はゼロではない。それを指して想起不可能なものの想起と絶対に呼ぶべきではないが、だとしても（非）倫理にわずかな亀裂が生じた瞬間であるとは言えるのかもしれない。ならば「恐怖が愛でないと誰に言ひ得ようか」……。小林はここから一気に、〈もし誰からも愛されず、誰のことも愛さなければ、こんなことにはならなかったかもしれない〉というラスコーリニコフの「深い洞察」まで跳ぶのだが、しかし、筆は即座に屈折する。「だが彼には、この考へを持ち堪へる事が出来ぬ。洞察は群がる疑ひの雲のなかに星の様に消える。ラスコオリニコフといふ陰惨な空には、実に沢山の星が明滅する。それは彼を一番愛してゐる作者が一番よく知つてゐる——」と。

「「物自体」は、彼の認識力の彼方にあつたのではなく、実はこちら側にあつたかも知れないのだ」と小林は書いている。『罪と罰』を読み破る、本源的な遅れの実感に染め上げられた小林の「文」——それの宇宙論的に遠大な手触りにわたしは圧倒されるが、しかしその遠さの感覚は「戦争と平和」に顕著だった「認識力の彼方」での上昇と下降とは違ってあくまでも「こちら側」のもの、此岸的なものであると思える。この質的差異は決定的に重要だろう。この差異を噛みしめながら、わたしはラスコーリニコフと同じ地面で空を見上げている小林のすがたを想像する。どんな「深い洞察」も、他者の「愛」にかかわるそれさえも、最終的な解答のかたちを取らずに「疑ひの雲」に吸引されてしまう。ただそれは他の星々と星座をかたちづくって今この時も宇宙のどこかで明滅しているはずだ。どれが自分の星であるかを言うことはできない。もちろん迷いや疑いが消散したということではない。そうではなく、わたしの疑いや迷いは他者たちのそれと雑り合って極限まで複雑化し、一層「悩ましく苦しい事」として生を照らし、生の上に降り積もり、わたしを「奇妙な具合に一人ぽつち」にするのだ。

ならば小林が強調してやまなかった「無私」とは、自己から徹底して遅れ、遠ざかり、自己を見失うことでかえって複数的、重層的な星座たちを見出し、そこから翻って自己を摑み直そうとする営為ではないのか。真に孤独であることが真に共同的でもある、そのような生存が可能なのかもしれない——そんな想念に一瞬打たれたものの、わたしはしかし「この考へを持ち堪へる事が出来」ない。やはり暴力の瞬間は回帰するに違いないという予感に包まれ、慄然とせざるをえないのだ。それはこれからも、わたしと共同的なもののあいだの紐帯を寸断せずにはいないだろう。だがそれでよいのだとも思う。無数のズレを孕みながら相互に重なり合い浸透し合う星座を見つめ、それの此岸的な全体性・綜合性を少しでも信頼し、この身に引き寄せることができれば、暴力の瞬間にくぎ付けにされて自己の(非)倫理を引き受けながら、迂路を辿りつつ、ほんの僅かずつでも自分の中の戦争と平和を切り離してゆくことは可能ではないのか、それで十分ではないか、と。

小林は一九五一年の正月の新聞に掲載された「感想」という随筆で、早くも人々のあいだに「日本の再武装の是非」をめぐる議論が行なわれている事実にふれて書いている。「戦争放棄の宣言は、その中に日本人が置かれた事実の強制力で出来たもので、日本人の思想の創作ではなかつた。私は、敗戦の悲しみの中でそれを感じて苦しかつた。大多数の知識人は、これを日本人の反省の表現と認めて共鳴し、戦犯問題にうつゝを抜かしてゐた」。

「日本人」や「知識人」への嫌味や皮肉を言っているのではない。「私の心は依然として乱れてゐる」、「悩ましく苦しい事」は今でもそのまま心に蟠っている、そのことを確認しているだけだ。小文の全体を読めば明らかなように、もっと「日本人」らしい「思想」で「憲法」を再「創作」せよ、と言っているのでもない。小林が強調するのは、自分の「傷」を痛む(悼む)ことができるのは自分自身だけで、「政治思想といふ集団的思想」はけしてそれにかかわれないという、あまりに当然のことである。小林はこんなふうに言いたいのではないか。各人が孤独の裡に各自の悩マシク苦シイ事と向き合い、その上で自己と暴力の瞬間との危い均衡関係を言葉にしてみること。自己からの、世界からの遅れの感触をその言葉に刻印すること。それが他者たちの言葉とエコーを引き起こしながらある種の全体性・綜合性を帯びた星座を形成することを心の片隅で祈りながら、長い時間をかけてゆっくりと、襞のような、迷路のようなそれを蓄積してゆくこと。憲法は、躓きによる不意の中断や突然の飛躍にみちた、そうした果てしのない過程、複雑な運動の総体であるべきだ、と。

かつても、現在も、こんな〝憲法観〟は「政治思想といふ集団的思想」の視座から一笑に付されるほかないシロモノだろうし、また文学上の課題としての憲法というような考えは、文芸思想という集団的思想の方面から鼻で嗤われるだろう。とくに「「白痴」について Ⅱ」の例の引用箇所以後、小林は、批評的読解に必須の主人公や構成といった概念すら極力遠ざけ、巨大な未完結性の宇宙としてのテクストの内部でひたすら踏み迷うことを自らに課すようになる。そこまで徹底してようやくかすかに触れることができる自己の遅れ／遅れとしての自己の在り様を丁寧に書き収めること。それが戦後小林の「思想の創作」のただひとつの根源的方法であり、倫理だった。今、そのことを尺度に個別の作品を読み返すこと（ベルグソン論で執拗に試みられた〈祖述〉という思考形式について、『本居宣長』の歌物語論＝〈物の哀を知ること〉について……）は叶わないが、それらレイト・ワークを〈自然〉や〈風景〉のごとき概念語で括って判断するのは間違いだと、はっきり言っておきたいと思う。たとえば『近代絵画』の後半の大部分を、あえてあまり好きではなかったピカソとの対決に割いたのも、「政治思想といふ集団的思想」の思惑とは無関係に無際限に断片化していく現実にたいして、個人はいかなるアヤ＝遅れの痕跡を刻み込むことができるかを見定めたかったからに違いない。

「感想」で言われる「傷」が「日本国民」のそれに限られている事実をわたしは率直に残念に思うが、だからといって小林秀雄を「戦後の解放と営みを全否定」するものとして全否定すべきではない。おそらく、他者への想像力を開放的、多義的に拡充することで他者（他国の人々）が負った「傷」を受け止める営為には、反省不可能な「傷」を独りで負いつづける（非）倫理的意志による裏打ちが必要なのだ。後者による支えが場合によっては差し支えになることがあるとしても、である。彼のテクストは、そのような「思想の創作」をめぐる終わりのない苦闘の痕跡としてわたし（たち）の眼前にある。

［2017. 9］

マニウケル

「真に受ける」の意味を手元の辞書で引いてみると、［本当の事と受け取る］とだけあり、ちょっと拍子抜けした。言葉を、もう少し豊富なニュアンスで――「真」に「間」を重ねて、［ものごとが外部から、ちょうどいいタイミングで、すでにあったもののあいだにぴったり収まるように入って来る］というように――勝手に考えていたからだ。

辞書は『新明解』（三省堂）の小型版で、学生時代から使っている。ほかにも使っているが、これをいちばんよく引く。作家の辻原登氏が講義で推奨していたのを真に受けて購入した。ちなみに彼が『新明解』を奨める理由は、「陰茎」の解説文が洒落ているから、であった（［男子の生殖器の一部で、さおのように伸びたりする部分］）。

彼は学生に、心得として、よく言っていた。書くために書いてはならない、と。書かなければならないということがはっきりわかったとき、そのときはじめて書いていいのだ、と。はっきりわかる瞬間が来ないうちは、書いてはならない、と。べつに書かなくたって生きていけるのだから、と。この助言はマニウケられなかったらしい。ぼくは評論文をこさえて応募し、物書きになった。たしかに色々な事情が重なった結果としてそれを書いたのだが、彼が強調していたその瞬間が自分にあったとはどうしても思えない。

新人賞の授賞式で、久しぶりに辻原氏に会った。ぼくは学生気分に戻って、生活にかんする愚痴（?）を一方的に話した。ぼくの話が終わると彼は言った。とにかく生きなさい、と。君は書いたのだし、これからも書くだろう、書くなと言われても絶対に書くだろう、だから書くことは考えなくていい、ただ生きることを考えるのだ、と。ぼくはほとんど泣き出しそうだった。

〈書くこと〉には誤りがありうる。なにか誤りを書く。その誤りは、〈書くこと〉のうちで処理することが出来る。誤りを誤りとして批判したり消去したりすることが出来る。そうしてまったくべつのことを新しく書くことも出来る。そういう意味で、〈書くこと〉には誤りがありうる。〈生きること〉には誤りがありえない。なにか誤りを行なう。誤りについて反省しても、〈書くこと〉においてそう出来るようには、それを綺麗に処理し切ることが出来ない。それを誤りとして片付けてしまえないまま生きていくことに、どうしてもなる。そういう意味で、〈生きること〉には誤りがありえない。おまえが引き摺って歩くその誤り、それが地面に擦れて残る不様な痕跡、それをおまえの文学にせよ。――辻原氏からの助言を、今ではこう受け取っている。

今度はマニウケたい、マニウケなければならない、と思っている。

僕の文学のふるさと

［2018. 5］

小林秀雄はごく初期の文章で『ユリシーズ』について記している――「私が無類だと思うのは、その全く独特の苦さである」と。小林がいつそれを読んだのか詳しいことはわからないが、文中、ジョイスとセットで論じられているプルーストに触れたのが例の関西放浪中であったことは確かだ。ジョイス体験もその頃だったのかもしれない。ジョイスにせよプルーストにせよ、自分の苦渋に満ちた表情を映すに足りる特異な強度の文章を書き得たという事実、またその文章を支える詩想を彼らが彼らの内部に孤独に確実に育ててきたという事実、それだけが小林には驚くべき稀有なことだったので、その他のことはほんの付けたりの問題にしか見えなかったに違いない。しかしそんなふうにジョイスやプルーストを心読する人はそう多くはないのだろう。当時も現在も。

さて、書きたいのは前号のコラム「マニウケル」と同様、学生時代のことだ。講義を終えた室井光広先生の研究室にお邪魔し、パンをつまみながら先生と二人でなんやかやと話をするのが、土曜の昼下がりの習慣になっていた。四年生の頃だ。

自分の手で訳したジョイスの短篇――『ダブリナーズ』中とりわけ短い「イーヴリン」――を先生に読んで頂いたことがあった。何故かジョイスを無性に読んでみたくなり長篇に当たってみたが歯が立たなかったので、平易な言葉で書かれた短篇を〝とりあえず〟という心持でちょこちょこ訳してみていたのだ。先生は嬉しそうに受け取り、その場で読み始めた。結末に差し掛かるあたりで読むリズムが変わった。長い沈黙の後、この〈生きていたいのだ〉というところがね……という呟きが漏れたので、原文で〈But she wanted to live.〉という箇所で先生が立ち止まっていたことがわかった。それ以上は何も言われなかった。僕は訳しながら、しかしそこでは一瞬も立ち止まらなかった。簡単な文章で誤訳のおそれがなかったから。僕は恥ずかしかった。先生は作家の「全く独特の苦さ」に突き当たっていた。単純な言葉で表現された、裸の生存のぎりぎりの難解さの前で、沈黙を余儀なくされていたのだ。

自分の愚かさが今ではよくわかるようになったつもりだ。文章に「苦さ」を嗅ぎ取る鼻もだんだん出来てきたように思う。ただ、上手く説明出来ないのだが、それがなんだという心の傾斜が一方で強くある。ちょっと利口になっただけじゃないのかという疑惑が、いい気なもんだという自嘲が、どうしてもある。自負は、育とうにも、あのときの恥ずかしさによってすぐに根っこから焼かれてしまうのかもしれない。

これが、今もオブセッション風に回帰することをやめない原風景――僕の文学のふるさとである。

切実な「対決点」

［2019. 2］

昨年末、東京新聞の「大波小波」が本誌（『てんでんこ』）に掲載された拙論を取り上げてくれた。知る人ぞ知るあの匿名コラムがこんな無名の人間が書いたものを……という驚きもあったが、それよりも中身に心底驚かされた。拙論の「真の対決点」は山城むつみの中野論にこそある、という指摘だった。タイトルはずばり「「師」との対決」である。

だが、そんな意図はわたしにはまったくなかった。山城を「師」と思ったこと自体、一度もないのだ。だからこそびっくりした。虚を突かれた。わたしは、本が出れば再読三読する、どこにでもいる愛読者に過ぎない。対決とか批判とかを考えるのは読むことの邪魔にはなっても足しにはならない。そんなふうに山城むつみと付き合って来た。だがコラムの著者「金魚」氏の感想を触発したのがほかならぬわたしの文章である以上、「そんなつもりはなかった」では済まない。驚きは鈍い疑惑に形を変えた。

批評には、論じる対象としてのテクストがあり、テクストの背後にはそれを書いた人間がいる。原テクストと、それを読んで何事かを考えた結果としてのわたしのテクストは別物であり、原テクストを書いた人間とわたしは別の人間である。こうした隔たりを必然＝宿命として受容しつつ、隔たりを操作すること。批評の営為とはこのことであるに違いない。ただ、頭ではそう理解していても、どうもこの隔たりが気になる。いや……混乱した言い方だが、あって当り前の隔たり以前の、根本的なところでの原テクストとのあいだの隔たりが、原作者とわたしの隔たりが、気になる。〝あそび〟がそこにあるようで、嫌になるのだ。

コラムに接して以降、この嫌な感じについてずっと考えている。挙句、そもそも、このわたしという人間とこのわたしが書いた文とのあいだの隔たりについてこれまで問うて来なかった事実にぶつかった。本来、それを問い詰めずには、他者のテクストと向き合い、それとの隔たりを受け止めることなど到底出来ないのではないか、と。〝あそび〟の感覚はこのそもそもの不徹底に由来するものなのでは、と。

現在、批評家・秋山駿の著作——「このわたしが〈私〉と書くとはどういうことか」という単純な問いに貫かれた彼の文章を、浴びるように読んでいる。彼が発した問いの棘が自分の肉に突き刺さってほしい、という一念で。その果てに、「自らの言葉や生の根本的な変革が必要」とされるほど切実な山城との「対決点」が明瞭になるだろうか。そうなればそれは恐ろしいことだが、一度明瞭になったものを避けてはならないことは確かである。

［2019. 7］

批評の牙

学生時代、自分にかかる金はすべて自力で稼がねばならず、結構働いた。その分学業は疎かになった。常勤の教員に批評家が二人いて（山城むつみと室井光広である）、彼らの文章を読んではいたものの、自分に面白いところを好き勝手に享受するだけだった。ジャンルとしての批評、そんな感覚はまったく育たないまま、大学を出た。

これまでのような労働を続ける気はない、といって就職活動もしない、進学という選択肢はむろんない。僕は京都にいた弟の安アパートに上がり込んだ。ある日どこかを歩いていて、ポスターかなにかで（ある日、とか、どこか、とか、ポスターかなにか、とか、そんな言い方になるのが、文字どおりフラフラしていた証拠である）、今度、大谷大学で柄谷行人の講演会があることを知った。近所だから聴きに行くことにした。ちょうど『世界史の構造』が出た頃で、柄谷は「交換様式D」について盛んに話した。面白かった。月並みだが、哲学の力で世界がそんなにも鮮明に見えるものか、と衝撃を受けた。それから柄谷の本を読み漁り、そこに出て来る固有名（カント、マルクス、フッサール……）にも手を伸ばした。それらを使ってオリジナルで明晰な世界認識の図を自分も描いてやろう――そんな変な野心に憑かれた。それが無理なら残るのは死のみと思い詰めていたほどで、たしかに変だった。

しかし、読んでも、なにもわからなかった。読んだところをノートに書き写しても、意味ある図など一向に浮び上がって来なかった。次第に、行為から意図が剝がれ落ち、進歩も感動もない、ただ読みただ書き写す怠惰な反復に陥った（やっぱりお前にはフラフラがお似合いだ）。

その後色んな事情が組み合わさり、北海道の僻地で、現在妻である女性と自分の母親と、三人で暮らすことになった。引っ越した翌日にテレビであの津波を見た。原発が爆発した。国会前のデモがあった。無為な読み書きを続けつつ、僕は虚ろな眼でそれらを眺めた。不運な人。不幸な人。そんな人々に同情して行動する人々。権力に対して立ち上がる人々。彼らには世界は明晰であろう、と思った。他人が羨ましかったのか。自分に絶望して他人を呪ったのか。よくわからない。とにかく僕は暗い穴の中にいた。世界も、現実も、あまりに遠かった。僕はその穴をさらに深く掘る――。

僕の母は、躁鬱的な移動が激しく、怒り出すと止まらなくなるタチで、小さかった僕をよく叩き、長い時間家の外に出した。生活能力が乏しいのに離婚し、一人で子育てをしなければならなかった。そのうち精神科への入退院を繰り返すようになった。母がだんだん弱くなり、反対に僕が強くなるにしたがって、暴力の主体が交替した。高校生にもなると、母と話すことはおろか会うことさえほとんどしなくなった。そんな人ともう一度暮らしてみようなんて狂った話だったが、そうすべき理由があり、だからそれは可能であるとその時は思ったのだ。だが、やはり僕はそのまま暴力の主体だった。悲惨な時期が何度かあって、結局母は大阪にある彼女の実家に引き取られた。母はそこで何年か生き、死んだ。どうして死んだのか、僕は知ろうとしなかった。葬式にも行かなかった。墓があるのかないのか、そんなことも知らない。母への暴力を死後もやめなかったのだ。説明出来ないが、そうすべき理由があるように感じたから。

批評が世界を理解するための道具であるなら、その道は僕には鎖されている。僕の口はもう、おおよそ理解というものからは疎遠な、暗い穴の言語をしか発しないからだ。そんな言葉で言われる内容が、はたして批評と呼ぶに値するだろうか。ただ、モデルがまったくないわけではない。たとえば、同様の言葉によって「心に牙を持て」と言い続けた秋山駿。だから今は、これからは、この場所で、たった一つの考えを自分の批評の牙として大事に研ぐことにしよう。〈愛とは、贈与とは(「交換様式D」だ)、暴力である〉という転倒した考えを——。

その牙がまず僕自身を切り裂くことになるとしても、知ったことではない。

［2019. 7］

ボーヨー、ボーヨー

北海道の僻地に暮して十年近くになるのだが、引き払うための準備を進めている。

中原中也は、詩集『在りし日の歌』の原稿をまとめ終えるとそれを友人の小林秀雄に託した。死の一ヵ月前のことだ。詩集は死後に刊行された。この有名なエピソードに、「中原中也の思ひ出」という小林のエッセイからの印象を加味すれば、詩人が自らの死期を悟って覚悟を決めていたことは確実だと思える。だが他方、詩集の「後記」には、これから郷里に戻っていよいよ詩に集中するつもりだという宣言がある。中原がもう死ぬと思っていたか、まだ生きられると思っていたか――そんな単純な話ではないのだろう。死は死としてそこに在る。暗さも暗さとしてちゃんとそこに在る。しかしそれが絶対的で不可避であればあるほど、その内側である種の生が、明るさが、感触されるということがあるのではないか。うまく言えないが、生の反復＝受け取り直しは、そのように経験されるのではないか。そのときからひとは、おのれの故里を異土として受け取り直し、あらためてそこで生き直すことを願い始めるのではないか。

自分の引っ越しと、中原中也から派生した右のような曖昧な考えを結ぶつもりはない。ただこの十年、色々なことがあって、小林が描いた、詩人の憔悴した黄ばんだ顔も、道化たような笑いも、「ボーヨー、ボーヨー」という呪文めいた呟きも、少しは身近に感じられるようになった。ジョイスの「死者たち」の最終パラグラフを置いて、僕はここを去ることにしよう。大学四年のとき、就職活動もしないで翻訳し、学科の機関誌（室井光広先生が諸々の業務を担われていた）に載せてもらったものだ。

ガラスを軽くたたく音が、二、三度聞こえた。彼は窓のほうを向いた。また雪が降り出している。眠そうな目で、灯火を背にして斜めに降る暗い銀色の雪片を眺めた。自分も、西への旅に出るのだ。うん、新聞にあった通り、アイルランドじゅうが雪だ。暗い中部平原の各地にも、木の生えない丘陵にも降っている。アレンの沼地にそっと降り、もっと西の方、波騒ぐシャノン河にも雪は優しく降る。それにマイケル・フュアリーが眠る、丘の上の淋しい教会墓地の隅々にも。歪んだ十字架や墓石の上に、小さな門の槍先に、荒れた茨に、深く降り積もる。彼の魂はゆっくりと意識を失っていった。雪がひそやかに、宇宙の彼方から舞い降りる。すべての生者たちと死者たちにさいごの時を告げる雪の音が、かすかに聞こえる。

2 〈てんでんこ〉な協働へ

——室井光広讃

いる。なので北海道からの通信は今回で最後になる。

［2020. 5］

室井光広、まぼろしのショチョー

さっそく私的な報告で恐縮だが、本誌（『Odd Zine vol. 4』）が出る頃には、静岡の川根本町に引っ越して

＊

昨年九月末、室井光広さんが六十四歳で亡くなった。癌だった。ご存じない方のために略歴を記しておけば――一九五五年、福島県生まれ。一九八八年、アルゼンチンの前衛作家J・L・ボルヘスについての評論「零の力」で群像新人賞当選。同年、図書館勤務のかたわら継続していた詩、短歌、俳句の実作の集成『漆の歴史―― history of japan』（私家版、限定二部。一九九六年再刊）を刊行。一九九四年、小説「おどるでく」で芥川賞。一九九六年、日本文化論『縄文の記憶』。一九九七年、長篇小説『あとは野となれ』。二〇〇〇年、アイルランドの詩人シェイマス・ヒーニーの評論集『プリオキュペイションズ』を英文学者佐藤亨氏と共訳刊行。同年、長篇評論『キルケゴールとアンデルセン』。二〇〇六年、東海大学文学部准

教授就任を機に神奈川県大磯町へ移住。専任教員だった期間中、世界文学入門シリーズとして『カフカ入門』『ドン・キホーテ讃歌』『プルースト逍遥』を相次いで刊行。二〇一二年、大学を退職し文芸雑誌『てんでんこ』を創刊。同誌上で『三田文学』に連載、中断していた創作「エセ物語」を再開。二〇一四年、長篇評論『柳田国男の話』。二〇一六年評論集『わらしべ集』。『てんでんこ』は十二号（二〇一九年一〇月刊行）まで出たが、彼自身が最終号の完成を見ることは叶わなかった。

ざっと並べただけでもその仕事の多様さに驚くが、彼が若年より英語だけではなくアジアや北欧の諸言語のレッスンを続けていた事実もそこに付け足しておきたい。では、室井光広は博覧強記のジャンル横断的知識人だったのか。器用な、天才肌のアーティストだったのか。どちらも完全な間違いとは言えないにしても究極のところでは当て嵌まらない。〝定義〟というもの自体、彼のテクストの前では拒否されるから。自分をひとかどの何者かとして表現する（してしまう）スタイルを彼は避け続けた。けしてそれは強い自負心に裏打ちされた謙遜のポーズなどではなく、この世界に自分が存在していることへの本源的な羞恥と憂鬱ゆえのもので、だからこそ自己を下へ下へと下降させる類のユーモアを片時も手放さなかった。わたしなどと違い、〈わたし〉という言葉さえ用いたがらず、自分を指す必要がある場合には〈当方〉や〈凡愚〉としたり、〈わたし〉を〈ワラシ〉（＝童）と言い換えたりしたほどだ。デビュー時から徹底してそうだったのだから、ほんとうに稀な生き方をしたのだ。

室井光広という固有名を偶然に負わされた、曖昧＝豊かな主体。それを知るのに恰好な文章が彼のヴァルター・ベンヤミンを主題とするエッセイ「一方通行路とパサージュ」（『ドン・キホーテ讃歌』所収）に含まれている。そのパラグラフ全部を引いてもよいが、ここではあえて原文の主語ベンヤミンを室井光広に置き換えた換骨奪胎バージョン（？）を掲げることにする。言葉も勝手に変更しているが、様々な引用のスタイルを編み出すことで学術的厳格さからユーモラスに身をかわしつづけた室井にオマージュを捧げるノリである。

――たしかに室井は、シュタツィオーン（＝十字架の留、駅、節目、段階……）としての研究所、たとえば大学の機関等にいつかは正式に所属し、ある程度の人間らしい生活をしたいという希望を抱いていたかもしれないが、彼の根源的〈文人〉homme de lettres 気質はどこかでそれを虚偽の願いと位置づけていた。室井は文学と哲学・歴史を架橋するあらゆるシュタツィオーンを経巡ったが、どの留にもとどまることがなかった。言語に深い洞察を示したが言語学者ではなく、占星術をはじめとする神秘的な世界に強く惹かれていたものの神秘主義者ではなく、魅力的な文章の書き手だったにもかかわらず、終始望んでいたのは引用文からなる作品を作り上げることだった。すぐれた翻訳を残したが翻訳家ではなく、多くの作家論をものしたが文芸評論家ではなく、縄文についての本を書いたが歴史家ではなく、詩的にまた哲学的に思考していたものの詩人でも哲学者でもなかった。一つだけたしかなのは、この根源的に晦い文人が憂鬱気質の人、メランコリカーであったということだ。

＊

わたしに文筆業者の末席を汚すきっかけを与えた新人賞の受賞パーティーの夜を思い出す。そこでわたしは、当時小説部門の選考委員を務めていた辻原登さんと久しぶりに再会した。彼はかつて東海大学文学部文芸創作学科で教えており、室井さんの同僚だった。二人ともわたしの先生である。二人はデビュー間もない頃からの友人で、先に勤務していた辻原さんが室井さんに来てほしいと勧誘した経緯があったらしい。室井先生も君の受賞を喜んでいるだろうね、と辻原さんは言った。〈大〉学、〈大〉新聞、〈大〉出版社との絶縁を実行した室井さん（この三つの〈大〉を、彼は手紙の中で冗談めかして「物書きの三大・寄らば大樹の陰」と呼んだことがあった）はもちろんパーティーに来なかった。辻原さんの眼は、わたしではなく、不在の室井光広を見つめている。見つめようとしている。そんな気がしていた。

北海道に戻る機内で、『群像』「創刊七十周年記念号」の巻頭座談会を読んだ。出席者の一人である辻原さんが「僕は文学史的に物を考えたり、作品の系列とか、時代とかにあてはめて、何かを考えたりしたことがほとんどないんです」と座談会の趣旨にほとんど反することを前置きとして言った上で「文学という流れは、文芸誌に常に掲載されたり、文学賞をとったり、売れたり、売れなかったりという形で、作家という職業につくこととは全く関係ない。文学志願者、それから文学愛好家たちがうねりのように生れて消えていく。そこには進歩も発展も何もなくて、ただひたすら累々と日の目を見なかった作品だけが残っていく」と述べていた。室井先生のことが念頭にあってどうしてもこんなことを言っておきたかったのだなと、そのときのわたしは昨夜の印象を無理に重ねて理解した。

それはまったくの的外れではなかったかもしれない。大学辞職によって生じたごたごたを境に辻原さんと長い絶交状態に入ったのだが、先ごろ文通が復活しほんとうに嬉しい――ある日、そんなことを報告する手紙が室井さんから届いた。それから半年もしないうちに亡くなってしまった。

文通復活時の室井さんから辻原さんへの私信が『三田文学』誌上の追悼座談会（二〇二〇年冬季号、出席者は辻原登、井口時男、田中和生の三氏）で公開されている。やはりその座談会でも辻原さんは「人について語るほうがおもしろいと思う」、「僕は文学の話があまり好きじゃないので人の話でいくと」、と断りを入れている。文学談義はやめて肩肘張らない思い出話に終始したい、そんなことではない。「文学史的」な位置づけや、「作品の系列」とか「時代」背景を論じることではわかりようのない〈文の人〉man of letters としての室井光広のモラルを正しく受け止めたかったのだ。累々たるテクスト、ノートを置き残し、晦い底に向かって独りで下降し続けた、確信に満ちたその憂い顔を、心に刻みたかったのだ。

「人」を云々するだけでは到達出来ない「文学」の実質がたしかにあるだろう。だから「文学」を論じることは大事だ。だがそれは「人」などなくても「文学」はあると考えることとは違う。警鐘を鳴らしたいのではない。ただわたしはそういう考えは嫌いだ、と言いたいまでである。「文学」は「人」を忘れていないか。「進歩も発展も」ない「文学」のうねり、信じられないくらい長い時間続けられてきた無為な営みの渦中に一瞬浮び上がりしずかに発光する、「人」のことを。

*

室井さんの訃報に接して茫然とし、不眠に陥って困りはてた挙句なんの連絡も入れずに大磯のご自宅を訪問したのだが、パートナーである陽子さんから闘病や最期の様子についてお話を伺い、わたしは自分が恥ずかしくなった。どんな時間も、無数の細部の折り重なりとしてしか存在しないという、当たり前のことを忘れていたのだ。彼が、巨大な壁に圧倒され押し潰されて死んだと思い込んでいたのだ。たしかに、人間にとって死はすべてをチャラにする「究極の失敗」である。しかし死という壁の前で、ベンヤミンがカフカを引き合いに出して「究極の失敗が確かに思えてから、途上のすべてが夢のなかでのようにうまくいった」と語ったような、希望に満ちた細部としての時間を創り出すことは可能なのだ。それはたしかに為されたとわたしは信じる。室井光広は、ベンヤミンと同じように、死という絶対的な境界線＝壁を、コレクションし、棲み込むことすら可能な「一種の領域」と見做すことで、多様な分岐を孕む襞へと作り変え得たのだと信じる。

「一方通行路とパサージュ」の最終節にはこうある。――「サタンはかれを万策尽きて逃げ道のない壁の前に立たせた。しかしかれはサタンがヤヌスのようにもう一つの貌を隠しもっていることに望みをつなぎ、壁がいくつもの出口をもつ襞になり変る救済をデーモンの征服者たる新しい天使に託した。かれがのぼっていった死の十三階段――その一方通行路の果てにはパサージュが広がっていた」

＊

さて私事に戻るが、新居に、といっても築百二十年のおんぼろ屋敷なのだが、室井さんの蔵書を引き取り、その場所をささやかな図書館として開放したいと思っている。実現すれば、室井さんにはマボロシの支所長職に就いて（憑いて？）いただくつもりだ。言うまでもなく、ボルヘスが館長を務めるあのバベルの図書館が本館である。シショチョーはもちろん司書長に、場合によっては始祖鳥にさえ変異を遂げるに違いない。

室井光広の喉仏

［2020. 4］

「喉ぼとけ箸でつままれ黙す秋　／参列者が二人一組で一つずつ骨を拾った後、黒服の係員が白い大きな骨を箸でつまんで、これが喉仏の骨です、とわざわざ紹介して骨壺に入れた。彼はただその火葬場でのルーティンに従っただけだったのだろう。しかしそれは、興に乗れば文学を語って倦むことない饒舌を繰り広げもしたあの室井光広の喉仏の骨なのだった」（井口時男「追悼句による室井光広論のためのエスキース」『群系』四十三号）。——著者ご本人が送ってくれた雑誌のコピーのこの箇所を読んでようやく、あの人は死んでしまってもういないのだという実感めいたものに包まれ少しほっとした。訃報の衝撃が大きければ大きいほど、素朴な実感は遠ざかってしまうのかもしれない。そんな月並みな考えと一緒に、いつか彼が喉仏を酷使して再現してくれた、デンマーク語発音の難関として小説「おどるでく」に紹介されている〝声門閉鎖＝首吊り発音〟を思い出したりした。自分も「饒舌」に触れたくて、土曜の朝一番の講義に通っていたのだった。

講義では「興」に乗らないこともあって、悪い場合にはマスクを着けたままうつむき加減でぼそぼそ喋り、時々苦しそうにこめかみのあたりを押さえたりもした。極度の偏頭痛持ちだったのだ。だが、ある日、そんなテンションで講義時間の半分以上が過ぎたあたりで、いきなりシェイクスピアの戯曲を演じはじめたことがあった。学生のほとんどは眠っていた。台詞の合間、こちらを見、指差し、わかるか？と唐突に問いかけるのだが、答えを待たずに劇は再開される。東北訛りの独特の英語による、不意の中断と飛躍を孕むその熱演をわたしは奇蹟的な出来事として受け取った。いいようのない陶酔の時間だった。〈肉声に触れる〉などと簡単にいうが、ほんものの〈肉声〉は差し出す側にも受け取る側にも本源的な負担を求めるものだということを知らされた。

とはいえ、彼の〈肉声〉に触れ得た期間は短い。大学を卒業した後一年ほどは文通が続いた。あるときわたしは、自分がはまり込んだ状況を人生行路上の決定的な迷宮入りと思いなし、若気の至りでデスパレートな調子の手紙を出した。当方もいよいよ宮仕え——大学教員のことだ——を辞し、文芸ジャーナリズムと縁を切り、長年の宿願を実現するつもりでいる。力にはなれないが遠くから幸運を祈っている。そんな内容の返事があり文通は途絶えた。わたしは何周も遅れて、彼の宿願が文芸リトルマガジン『てんでんこ』として結実したことをネット上で知った（創刊にあたって君にも連絡しようとしたが住所がわからず伝えられなかった、と後から教えられた）。それから何年か経ち、わたしがある商業雑誌の賞をもらったのを機に手紙のやり取りが再開し、『てんでんこ』にも何度か寄稿した。しかし会うことはなかった。昨年の七月、癌の治療のため入院すると聞いてこれが最後の機会になるかもしれないという予感に襲われたものの、会いには行かなかった。結局十年間〈肉声〉に触れることはなく、それきりになってしまった。

それでもよかった、それしかなかった。もう今は諦めている。

＊

彼から借りて返却しそびれた本に、井口時男氏の著書『柳田国男と近代文学』があった（「畏兄・井口さんの本、ゆめゆめ雑な扱いをなされませぬよう」と注意するメモが添えられていた）。ページに直接書き込む読書スタイルは採らなかったようだったが、何箇所か鉛筆で薄く傍線が付されているのが確認できる。たとえば第三章「都鄙の論／月並の論」――民衆的な「ハナシやカタリと区別されたシャベリ」という言語生活の位相、そのアモルフかつアモラルな「歓楽」にフォーカスした上で、しかし「常民」の日常性に深く寄り添う柳田の記述からそうした「シャベリ」の位相が「排除」されていることが指摘されている。この事実に向けられた井口の「興味」を共有したらしく、そこに傍線が付されている。

あらゆる暮らしの細部から「常民」の像を繊細に掬い上げること。そのような志がいわゆる柳田学の根底にあったことは疑えない。だが反面、「常民」は「最終的には、柳田国男の文章とともに生成する」というほかないものでもあった。常なるものとしてのそれは厳密には柳田の「文」の外にはどこにも存在しない。無尽蔵に快楽を追い求める民衆が駆使する「シャベリ」は、時空を超越する全的な感覚を志向した柳田の「文」の世界に亀裂を生じさせかねない、危険な他者であった。だがそうした他者の排除は、切迫した倫理的なモチーフに貫かれてもいたのだ。眼前に横たわる光景のあまりの無惨さ、それを見つめる自分の徹底的な無力さ、そういう呑み込み難い現実的条件を呑み込んだ上で為される――室井が愛惜した語法では、〈にもかかわらず〉の様相において為される――想像＝創造行為。そこには「この「日本」を、「同情＝共感」が交流し合う場に変容させる」という希望が賭けられていた。室井が「興味」の眼差しを注いだのが、柳田におけるこのような両義性の地平であったことは間違いない。

さらに井口の記述を追えば、「シャベリ」の排除という点で、柳田国男と小林秀雄の「文」は通底している。小林は、一方では無限的な運動体である自意識からの、もう一方では同棲していた恋人をはじめとするリアルで不気味な他者からの圧迫に、読むこと・書くことにおいて対処しようとした。絶体絶命の挟み撃ち状態で一本のワラとして辛うじて摑まれたのが「テキストとしての他者」だったと、井口は述べている。そのようなきわめて個人的、実存的な危機意識に発した小林の「文」と、時代の危機（＝戦争）が交錯したところに、一連の古典論に代表される批評スタイルが結晶した。小林は現実にたいする驚異の念を欠いた知識人たちの観念的な言語遊戯を執拗に批判し、それらとは対照的な生活人の言語感覚の正しさ、「国民」の「常識」の確かさを称賛してやまなかったが、所詮は見かけにとどまる。彼の「文」の究極の願いは、死を先回り的に受容する視座から恩寵としての様式＝定型を見出し、それによって単独者の共同体を創り上げ、鍛え上げることにあった。その幻の共同体は柳田と同質の〈にもかかわらず〉の精神に貫かれたものだったが、やはりそこにシャベる他者の場所はなかった。

柳田はよいとして、室井光広をめぐるエッセイに小林秀雄の名を持ち出したことは意外かもしれない。だが「おどるでく」の芥川賞受賞によって小説家として広く認知される以前、彼は「批評家失格という事――初期小林秀雄の可能性」という評論を書いている。例によって室井は種々の世界文学的イマージュを流し込むことで小林の「文」をかぎりなく曖昧化、迷宮化、豊富化しているから、要約は困難である。さしあたっては、言語生活における「シャベリ」の位相を直視した「初期」小林を、「初期」室井が凝視したという一事を確認すればそれで十分であると開き直り、室井が引用する小林の一文を端折って書き写す。

――「例えば、ドン・キホオテを読んだ人は、檻に入れられたドン・キホオテと、従って行くサンチョ・パンザとの会話を読んで荒唐無稽と笑うであろう。（…）しかし、諸君が、諸君のあやまたぬ能力で、諸君が健康だと信ずる人間の最も精密な、感情的な会話を正直に写実してみたまえ。諸君は恐らく、ドン・キホオテとその従僕との会話と同程度に荒唐無稽の手記を得て驚くであろう。ところで、現実ではこの会話は正当に通用した」（「アシルと亀の子Ⅳ」）。

その後の小林の批評はこうした日常的な言語生活の「荒唐無稽」なリアリティーからは一見縁遠い場所に根ざした。しかし、それを〝民衆＝他者の回避〟だと批判しさってよいと室井は考えなかっただろう。じっさい、彼は後のドン・キホーテ論で、民衆文化の礼讃に偏向する類の読解を丁寧に退けている（『ドン・キホーテ』私註」、二〇〇四年）。むしろ強調しているのは、近代小説の元祖と評されるこのテキストが「〈読み書き〉と〈聞く話す〉の絶妙な融合の上に成立している類まれな書物であること」、「書き言葉的なものと話し言葉的なものの「くんずほぐれつの」対話の書」であることだ。やむにやまれぬ必要に迫られて「〈聞く話す〉」＝「シャベリ」の位相から一度決定的に離反すること。そうすることではじめて「〈読み書き〉」のフィールドが切り拓かれるのだが、にもかかわらず、その野においてこそ受け取り直される「〈聞く話す〉」＝「シャベリ」がたしかに存在する。テキストにたんなる快楽とは異なる効能が――「テキスト湿布」としての癒しの成分が宿るのは、そのような複雑な弁証法的過程においてなのだ。室井の述べたところをわたしなりに嚙み砕けばそうなる。

小林と同様室井も、〝喋ることと書くこと〟の中間領域に自らの「文」を棲息させる試みとして、講演体によるエッセイをいくつか遺している。そのうち、一冊の本の後半部分がすべて「シャベリ」を模したスタイルで記述されている点で、日本文化論『縄文の記憶』は特別な位置をしめている。たとえば「文化」とは文字通り、「あや」＝文彩がさまざまな姿形に化けたものなのである。文献中心の歴史時代の文化を考えるのになれているわれわれは、どうしてもそのことを忘れがちになる」のような一節が戦後の小林の「文」業と無縁であるとはとうてい考えられない。

ある原型的な古層（「ウル日本語」）というべきものがかつて存在し、その「あや」＝文彩のおびただしく屈折した生成変化の線上に、現在わたしたちが耳にし、口にし、目にしている日本語がある。自分は「人間イコール言葉」であるという「信仰に近いような立場」から「日本語の故地であるその古層になつかしい思いを馳せてみたい」。こうした姿勢に『本居宣長』という小林のライフワークからのエコーを聴き取ることはおかしなことではない。室井は、小林が瞠目してやまなかった事件——上代における漢字文化の受容をとらえて、それは「縄文の中の弥生」という究極的な在り様に遡行可能な出来事だったのではないかと述べている。外部からの圧倒的な直撃に耐え、融合し、作り変えていくという「文化創成をめぐる民族の特性ともいうべき性格」は、縄文と弥生の出会い、衝突の過程ですでに定まっていたのだ、と。

さらに室井は言う、わたしたちは現在も種々の衝撃につねに曝されているが、しかし「縄文の中の弥生」という「雛形」のおかげで、「「全きこと」＝全体性の中の一部であるという感触」に由来する「癒し」から見放されることはない、と。たしかに、このような「癒し」の言挙げは現在的見地からすれば「日本的ムラ＝共同体の論理と一笑され」るほかないものだろう。だがそういう嘲笑や批判があることは承知の上で、室井もまた「この「日本」を、「同情＝共感」が交流し合う場に変容させ」たいと念じつつ、起死回生の呪文としてそれを発したのだということを忘れるべきではない。言挙げはこうつづいている——「僕が強調するのは「全きこと」の回復がとげられさえすれば、その中に生れる傷としてのコードはどこまでも精密なものに発展しても健全さを失わないという一点です」。ここに室井の心臓がある。全的な癒しの感触を手離してはならないのは、そこに安らうためにではない。あらゆる「傷」の存在を明るみに出し、凝視することでそれを「精密なものに発展し」尽くそうと試みる、そういう勇気ある者がある種の不健全に陥ってしまわないために、「傷」の存在への感受性を自己の内部で正しく育みつづけるために、どうしてもそのような感触が必要であると、彼には思えたのだ。

巨大な外部との接触、たとえば漢字文化の襲来のような大がかりなトラウマ的経験だけが問題なのではない。あらゆる出会いが、縄文人の骨に刻まれた「飢餓線」のようにみじめな「傷」をわたしに刻み込む。だがその無数の線は、極限まで「精密」化された上で全的に受容されるならば、「傷」としての本質――みじめさや、むごたらしさはまったくそのままに、にもかかわらず質的な変異を遂げ、想像もしなかったかたちで治癒に至るかもしれない。心の片隅ででもそう信じられなければ、ほんとうにこの現実に「傷」だらけの身体を晒して生きることはできないはずだ。四方を取り囲む種々の観念にカラダ一つで拮抗し、検証・実験してみることなど不可能であるはずだ。だからこそ、卑小な「シャベリ」＝「傷」の排除も、それが高次での受け取り直しを願う祈りの姿勢で遂行されているかぎりで肯定されてもよい。排除がそのまま「精密なもの」への「発展」でもありうるような、〈書く〉という行為。矛盾のようだが、室井は切羽詰まった断崖に立ってこの矛盾した希望を呼びつづけたのだ。その声が見果てぬ夢としての共生の「野」（『あとは野となれ』）に響き渡ることを祈念しつつ。これこそ彼の文学を一貫するモチーフであり、倫理だった。「これ以上云いつらねても仕方ないけれど、夢は後につづくべきものではなく、あくまでも追いつめられた崖の上に、そこに在るのだ」(「そして考」)。

＊

わたしたちは戦争によって大いなる「傷」を負った。まっとうなこの認識は、しかし、〝大いなる〟という事実の面のみを照明しがちで、場合によっては個々に刻まれた「傷」の内実——みじめさへの注意力を邪魔するのではないか。だからこそ、ときにはそれを卑小な「個人的な「敗戦デー」」という場所に引きずり下ろした上で「傷」を「精密」化する試みも必要なのではないか。「八・一五は昭和三十年生れの者にも存在する」(「ヴゼット石」)という一見不敬な物言いは、そうした鋭い批判精神に裏打ちされていたはずだ。

そしてわたしはこの一節を無理にも、小林秀雄への根底的批判として受け取ってみる。戦争は小林の「文」業に巨大な断絶線=「傷」を走らせた。戦後の作品に「傷」と無関係に書かれたものはひとつも存在しない。絶対的な「傷」の意識ゆえに、彼はそれが中途半端に表面化してしまう文章を書くことを徹底的に避け、結果として読みを停滞させ躓かせることの極端に少ない、ざらざらした質感に欠けたテクストを織り上げた。繰り返すが、小林が「傷」への感受性を手離したことは一度もなかった。両義的〈にもかかわらず〉に拘る室井の眼差しがそれに気付かなかったはずはない。だが彼はそんな小林に共感しつつもぎりぎりのところで突き放しただろう。わたしは小林に囁きかける室井の姿を思い描いてみる。——〈それについてはけして語らない……そういうふうにしてしか明かしえない「傷」。あなたの行き方は、物書きとして人間として軽薄でなく、すぐれて倫理的だ。でも他方で、それは絶対的な「傷」への依存でもあるとはいえないでしょうか？　「昭和三十年生れ」のわたしにはそんな「傷」はありえない。ただ「傷」ついた地肌をさらし、いっそうみじめに「傷」まみれになるほかはない。ですがわたしは、そんなやり方もとことんまで突き詰めれば、あなたが想像する古層や深層よりもっと遠くへ行けるはずだと、全的な癒しの感覚を引き寄せることはたしかに可能であると、ひそかに信じているのですよ〉。

じっさい、室井光広のように「傷」だらけの作品だけを書きつづけた作家はほかにいない。彼は民衆的な噂話を軽視せず、カラダの深いところで摂取した。「噂の言語は親が成長期の子供に与える食物のように健全だ」（「大字哀野」）と。だが、そうして消化され吐き出されたのは、民衆的なハナシやカタリの様式――物語的定型とは懸け離れた、他なるものとの出会いの接触面に生じる無数の「傷」としての言葉たちであった。たとえば、すでにふれた長篇小説『あとは野となれ』は、様々な言語を出会わせそれらをなまなましい「傷」の感触のうちにエコーさせることで単一的に硬直しがちなアイデンティティーを烈しく揺さぶり、共同性の原野＝幻野を現出させることに成功している。

ただし、わたしが感動に包まれたのが、その長篇の末尾近く、「野ヌシの狐サマ」をめぐる騒動について語る――いうなれば〝民俗学的おハナシ〟にぶつかってであった事実を素直に強調しておきたい。中野重治が柳田国男の「狐のわな」を愛惜の念を込めて逐条的に語り直したようにこの挿話を紹介してみたい気もするが、紙幅の都合上無理だし、やはり作者の長い長い言葉いじりに付き合った末に出くわすからこその感動である、ぜひ原典にあたっていただきたい、とお茶を濁すことにする。それは「シャベリ」の位相の高次での反復＝受け取り直しの稀有な実践例であり、〈歴史〉の本質にこんなに繊細にフィジカルに、そしてユーモラスに触れ得た「文」をわたしは他に知らない、と言い添えておく。

＊

彼の〈肉声〉を思い、あの陶酔の時間を再び生きたいと願う。だが〈肉声〉は二度と戻らない。箸で摘まみ上げられた喉仏の骨、そこには無数の「傷」が刻み込まれていたはずだ。それを凝視し、「精密」に「発展」させてしかも〈肉声〉の「健全さを失わない」でいること、〈肉声〉に宿る「癒し」の効能を魔法のように回復することは不可能ではないと、信じるしかない。やはり『あとは野となれ』の末尾近くの一文を書き写して、ささやかな追悼文を閉じることにする。

ねこまたの尾のような矛盾律のニュアンスはたぶんこうだ。どんなにいっしょうけんめいやったってさいごはあのおそろしい存在（＝死神）に一切合切もってゆかれてしまう。「音に聞くねこまた」に襲われたとき「連歌しける法師」が取った「賭物」をぜんぶ川の中へ落としてしまったように……。だから――、くよくよ考えたってしょうがない、どうせ無に帰してしまうのだからアトはどうにでもなれと投げやりになるのと、だからこそ――この「今」に全霊をかけ、せいいっぱい努力して生きるのだ……という二一「又」の心理。

[2020.5]

「世界劇場」で正しく「不安」を学ぶ
――遺著『詩記列伝序説』『多和田葉子ノート』に寄せて

室井光広氏を紹介するのにどんな言葉がふさわしいかと思い悩み、〈類稀な〝思想詩エッセイ〟の書き手〉などとノートに書きつけてみたものの、想像の中で氏から「その〈書き手〉というのがぞっとしないね……」とたしなめられる。氏は愛惜するボルヘスの詩の一節を、読んで聴かせる。「認めたページの自慢は余人に任せよう。／読んできた書物こそわたしは誇りたい。」氏はたしかに、読者として生き、読者として死んだ。それが若年時からの望みであり、望みは見事に果たされたのだ。わたしは〈書き手〉として称揚することは諦めて、氏自身による紹介の言葉――『詩記列伝序説』序章の題に用いられている――を書き写して満足する。曰く、「〈読者教〉信者」。

氏は癌治療による入院中も病室で本書の原稿を磨きつづけていたが、昨年九月末、完成を待たずに亡くなってしまった。二冊は遺著となった。奥付の発行日（二〇二〇年三月二十三日＝多和田葉子さんの還暦の誕生日）とじっさいの発行日にズレがあるが、著者の生前の意志を尊重しそのままになっている。編集・装丁の実務を担った高林昭太さんは、著者の郷里である南会津の小さな集落や晩年すみかとした大磯の浜辺を丹念に歩きまわって、本のデザインを決められたそうだ。版元は書肆「双子のライオン堂」。氏の教え子でもある社主竹田信弥さんは先が見通せない困難な状況の中刊行までこぎつけ、氏（師）との約束を果たされた。本書は、読むことに憑かれた「信者」の最後の信仰告白の書にふさわしく、文字どおり〝有難い〟出来事の積み重なりの結果成ったものである。

　山を下り〈野〉に出でよ。そこに浮び上がる「読みの世界劇場」で正しく「不安」を学べ――。『詩記列伝序説』をモットーふうに要約してみればこうなる。

　下山とは、直接的には、あの３・11を機に氏が大学の教員を辞し、あらゆる商業ジャーナリズムと縁を切った事実を指す。だが『多和田葉子ノート』に収められた対談中の「山を下りて終わりたい、チャラにしたいという見果てぬ夢があって」という語り口が如実に示すように、それはたんに隠棲すればすむような話ではありえなかった。氏にとって〝下りる〟ことは「闇自体を自分で手作りし」、おのれの全実存を「闇」と一致させることを意味していたからだ。このとびきり困難な、しかし希望に満ちた手仕事としての闇落ち（？）への理解を助けてくれそうな一節を『序説』の悼尾を飾るエッセイから前後の文脈にはふれずに書き写しておきたい。「何のために？　正しい不安という「最高のもの」を学ぶために、である。〈根底に向って没落する〉実存の〝落ちきり〟プロジェクトともいうべきこの「冒険の旅」をやめると、自分が「だめになってしまう」ことを絶望的な「困難（ノート）」に対処する「必要（ノート）」に迫られた〈ノート作家〉は本能的に知りぬいていた」。

　デビュー以来ボルヘスをはじめとする海外作家の反復読みを実践してきた氏はある日、柳田国男とスイッチバック式列車に乗って下山することを決意する。何度も峠を越え、ついに〈野〉に出た……。氏の『柳田国男の話』から教えられたことだが、開けた平坦な土地という現在のイメージとは異なり、もともと〈野〉は山の裾野、緩傾斜の地帯を意味する日本語だったそうだ。人間を拒絶する厳しい山の自然と、安寧な暮らしを許す平野。両者の中間領域としての〈野〉は『遠野物語』に顕著なように、国家的神話とは一線を画す民衆的メルヘンの母胎だった。これを詩的に拡大解釈し、〝あいだ〟としての〈野〉は「闇」が息づくことの可能な稀有な場所でありつづけてきた、と言い換えてもよいだろう。

〈野〉にからだを横たえると、夜空にはベンヤミン、カフカ、キルケゴールという〈ノート作家〉＝「非商業系著作家」たちが形作る「〈冬の大三角〉座」がしるく浮き立っている。非在の「読みの世界劇場」の観客になり遂せた氏は、濃密さをます闇の中、分析も解釈もせず、繰り返し読んだテクストをあらためて受け取り直す。何のために？「正しい不安という「最高のもの」を学ぶために」。なぜ「不安」を捨てたり解消したりするのではなく、学ばなければならないのか。学ぶとは、正しい愛し方を知ることだ。配達不能郵便（デッド・レター）のように生に積み重なり、わたしを疲弊させる無数の小さな「不安」たち。それらの愛し方さえわかれば、それらが神話的に巨大な「不安」の物語として暴力的に統合されてしまう前に、あいかわらず小さく無意味だがしかし希望を孕んだ無数の手紙としててんでに煌めき出し、いつのまにかまったくあたらしい物語＝歴史に反転しだれかに届く可能性もゼロではない。氏にとって読むことは、そのわずかな可能性に賭けることだった。氏が『序説』の最後に引用しているベンヤミンの言葉はこうだ――「希望なき人々のためにのみ、われわれには希望が与えられている」。

本書に収められたエッセイの大部分を雑誌掲載時に読んでいたが、今次刊行された本で通読すると、一つ一つの言葉がいいがたい純度を帯びて、一層心身に沁み渡るように感じられた。今、わたし（たち）が晦い「不安」のなかに在ることと関係しているのかもしれない。本稿で多く言及したエッセイ「〈冬の大三角〉座で正しく不安を学ぶ」は震災への遅ればせながらの応答として書かれたものだ。氏のテクストは「不安」とともに生きざるをえないわたし（たち）にとって、これからも希望の書、抵抗の書でありつづけるだろう。キルケゴールについてのカフカの言葉をもどいた氏の言葉をさらにもどいて、わたしはつぶやく。本稿の読者がカフカらと同じ星座に属する非商業的著作家の手になるこの二冊の本を読んでくれるなら無上にうれしい……と。

多和田葉子のための〝愛苦しさ〟あふれるノート

［2020. 6］

本書（『多和田葉子ノート』）は姉妹篇『詩記列伝序説』とともに刊行された室井光広氏の遺著である。氏の文業については、本誌（『三田文学』）の追悼特集（二〇二〇年冬季号）に詳しいので繰り返さない。ここでは、3・11の震災を直接の契機として氏が〝比叡山を下りる〟みたいに文芸ジャーナリズム、アカデミズムから距離を取った後、本格的に論じた唯一の現代作家が多和田葉子であったこと、そしてこの本が個人的な手仕事として書かれた「ノート」を中心に編まれており、同時に多和田に宛てた手紙でもあるということを確認しておきたい。奥付の発行日は「二〇二〇年三月二十三日」＝多和田の還暦の誕生日で、裏表紙には〝toward Tawada〟（多和田葉子の方へ／の近くで／のために）という言葉が刻まれている。また本書には「対話篇」として二人が公的な場で交わした二つの対話（一度目は一九九七年にハンブルグで、二度目は二〇一七年に東京国立市で）が収められているのだが、本書の記述によると二度目の対話がきっかけとなり、『雪の練習生』（二〇一一年）の書評を執筆して以来停滞気味だった愛読熱がよみがえり、氏は多和田の作品を「ノート」を取りながら順番に読み返したそうだ。その意味でこの本は対話相手への返礼文であり、二十年以上の長きにわたって結ばれた友情を文字どおり〝在り難い〟ものとしてことほぎ感謝する、けして声高ではないが感動的なトーンにあふれている。

ところで氏はわたしにとって師にあたるのだが、わたしが多和田作品にふれたのは、刊行されたばかりの『雪の練習生』を「チャーミングな本だからよかったら読んでみて」というようなメッセージと一緒に氏から贈られたのがたしか最初だったと思う。「チャーミング」という言い方で伝えたかったのが多和田文学の随所にこもる〝愛苦しさ〟であったことを、本書所収の書評「〝愛苦しさ〟あふれる物語――『雪の練習生』」を読んで遅ればせながら理解した。著書のどこかで読んだのか、講義で聴いたのか、これまた記憶が曖昧なのだが、〈愛しい〉と書いてカナシイとも読めること、つまりイトシイとカナシイは根源において分かちがたく結び合っているということをはじめて教えてくれたのも氏だったはずだ。なにかがイトシクてたまらないという心が、そのなにかのことがカナシクてたまらないという心と不可分に重なり合っているという本源的に両義的な関係性――それを一言で言い止めたのが〝愛苦しい〟という言葉だ。

二度目の対話が「ノート」作りのきっかけになったと書いたが、具体的には、対話のなかで相手のニホンに寄せる「心境の変化」が仄見えたことが、氏にとって大切だったたようだ。多和田はこんなふうに語っている。「最近はダメな日本がオドラデクに見えてしまって、いとしくて心配で、日本という幻想を信じてはいないのに（…）」。箒にまたがる魔女のように世界中を移動しつづけるディヒター（＝詩人）多和田葉子にこのニホンが愛苦しく見えてきたとは！　氏はこの一事に素直におどろいた。ディヒターの近作『地球に散りばめられて』への言及が中心の第一「ノート」――タイトルはずばり「ディヒターの心配」――には、「〝かかとを失くした〟状態で列島を出たディヒターが、ＨｉｒｕｋｏやＳｕｓａｎｏｏのような――カタカナ表記ではなくアルファベットで記される――独自のニホン人キャラクターを造型するために、かほどの歳月を必要とした事実にわれわれは胸うたれる」とある。最後の長篇評論『柳田国男の話』からも明らかだろうが、これは、氏自身がゆっくり丁寧に同質の視線を育んできたからこその共振現象であったに違いない。国家としての日本のダメさの底が完全に抜けてしまったと思える現在、文学はどのようなかたちで小さきニホンへの〃愛苦しい〃心情を回復、持続すればよいのか。この問い一つだけにしぼっても、本書は再読三読に値するだろう。

その上でさらに、多和田文学に注がれる視線の奥に潜む、〈性〉をめぐる氏の奥ゆかしいマナザシに寄り添うことができれば、本書の多義的な魅力はぐっと増すはずだ。ある箇所では氏は自らを「女流」にたいする「男末流」と定義した上で――多和田（と、その話者）を自分が愛読してきたベンヤミンらと同じ性質の「メランコリカー」とみなそうとしても、多和田の「作品群に寄り添う経験自体がそれを拒むだろう」と厳しく言い切り、また、文芸従事者の一種の理想のようにみなされてきた「隠棲志向」とは、主流としての「男流」が踏みつけつづけてきた「女性性のポエジーへの一種の罪ホロボシ」なのではないかとまで述べている。

氏が真の意味での「隠棲」を宿願とした事実を考えれば、この自己批判はきわめて重いのだが、ただし大事なのは、それが男性性の否定および女性性の称揚という図式に収まるものではないことだ。そこで氏は、異〈性〉への距離の感覚をあくまでも保持しながら、しかし同時に「女性性のポエジー」と雑じり合うことで「雑種」として自分を産み直し、自己の〈性〉を受け取り直し、愛し直そうともしている。こうした試みは〃愛苦しい〃アウラを帯びた貴重なものとしてわたしたちの眼に映るはずだ。思えば氏はこれまで、カフカ、プルースト、キルケゴール、アンデルセンといった世界文学史に名を刻む作家たちのなかに〈性〉の根源的トランス志向とでも呼ぶべきものを見出し追尋してきたが、多和田葉子という異〈性〉の現代作家を主題としたからこそ、本書では自分の身にかぎりなく引き寄せた上でそれについて語ろうと思えたのではないか。

遺著になったことは残念だが、それ以上に爽やかな感動に包まれた。小さく異なる〝愛苦しい〟なにかを見失わないかぎり希望は残りつづけるということを、本書は教えてくれる。

ジェイムズ・ジョイスと『エセ物語』

［2020. 10］

1　いくつかの思い出

以前どこかに書いた記憶があるが、ジョイスの小説集『ダブリン市民』に収められた短篇の拙訳を読んでもらったのがきっかけになって、土曜の昼ごとに室井光広さんの研究室にお邪魔し、室井さんが自転車での通勤途中に買ってきてくれた美味しいパンをかじりながら小一時間雑談を交わすことが習慣化した。（──余談だが、わたしは昔ながらのこじんまりした町のパン屋に自転車を停める氏を想像していた。いつもパンが古風なあんぱんとクリームパンの二種類だったからなのだが、それはとんだ思い違いであった。亡くなった後、長年のパートナーである室井陽子さんに場所を教わってパン屋に行ってみると現代的なインテリアでまとめられた洒落た店内は広々しており、小難しいカタカナ名が付されたパンがずらりと陳列されていた。そんな中で室井さんがあんぱんとクリームパンだけを律儀に盆に載せている様子を思い描いて、泣きたいような笑いたいような気持にわたしはなった。書物の中だけでなくパン屋においてもきらびやかな横文字の氾濫の渦中から〝古い問題〟を丁寧に掬い上げ護ろうとしていたのだ、と。藤田直哉氏の言い止めを借りれば「モダニズムの田舎」という室井さんの姿勢はこんな場合にも一貫していたのである。自分の勘違いを馬鹿馬鹿しくも象徴的な文学的出来事としてカラダに刻んで保存したいと願いながら、わたしは店外のイスに座り、棚からやっとの思いで見つけ出したあんぱんとクリームパンを嚙み砕き呑み込んだ。)

＊

わたしが短篇の翻訳に手を染めたのは『ユリシーズ』や『フィネガンズ・ウェイク』といったジョイスの大長篇を読んでみたもののまったく歯が立たず、短く平易なものを自分の手で訳せばなにかわかるかもしれないと思ったからだった。いちばんはじめに室井さんにお目にかけたのはたしか「イーヴリン」という題の小品だったはずである。もともとお気に入りの一篇だったようで、その場でじっくり読み、感想を伝えてくれた。全著作に当たってみたところ『ダブリン市民』に直接言及しているのは『縄文の記憶』の中で「先ごろ、アイルランドが生んだ二十世紀最大の前衛作家J・ジョイスの小説『ダブリン市民』の一篇、「土くれ」をしみじみと読み直した」、「男に縁のないヒロインのかなしみが静かに伝わってくる秀作だ」と述べた一箇所だけであった。幸福な生を望みながら種々の不運に堪えつづける下層の女性が主人公であるという点で「イーヴリン」と「土くれ」は共通している。『ダブリン市民』が『猫又拾遺』の重要な発想源の一つだったことはたぶん確実だが、今般、小説家としてのデビュー作品であるその連作短篇を読み直してみて、そこに収められた物語の主役の半数以上が女性である事実に遅ればせながら心づき、わたしははっとした。

＊

ジョイスをかすがいとして氏とわたしのあいだに生起したささやかな触れ合いをつぎつぎと芋づる式に思い出してみる。

あるとき「パートナーが読んでいたものだけど、こういうのはどうだい、良かったら読んでみない」と前置きして室井さんがこちらに一冊の文庫本を差し出した。『ノーラ　ジェイムズ・ジョイスの妻となった女』という本で、映画化もされていたらしく、若い俳優と女優（ユアン・マクレガーとスーザン・リンチだそうだ）がロマンチックな表情で接吻を交わす大胆なシーンの写真が表紙に使われていた。たんにその表紙にドギマギしたせいだったのか、正面からジョイス文学に取り組もうとしている自分にそんな甘たるいラブロマンス風の色彩は不要だという思い上がりのためか、パートナーが云々という氏の留保を忖度した結果だったのか……今となってはわからないが、とにかくわたしはその本を持ち帰ることを拒んだ。先日陽子さんに問い合わせたところ、たしかに昔読んだ気もするような……というお答えだった。あらためてネット書店で古本を入手しわたしも読んでみたのだが、どうもパートナーを持ち出して勧めたのは照れ隠しで、室井さんのほうこそ主体的に真剣に面白くそれ——妻の視点、女性の視点から作家の聖と俗を見据えるドキュメント（両者の夜の生活をめぐる事象に多くのページが割かれている）——を読んでいたに違いないと思い至り、あのときはちょっと悪いことをしたなと反省した。

＊

またある日――高名なジョイス研究者リチャード・エルマンによる伝記を通読したおかげで、実際は全然理解できなかったのに『ユリシーズ』も『ウェイク』も面白く読めたかのように錯覚することができた、というような話をわたしがすると、――そうだよ、あれを読めばジョイスがわかったような感じがするのだけれど、ほんとうにそれで十分なんだよ！　とさも満足したみたいに強く同意してくれた。当時のわたしは、「リチャード・エルマン『ジェイムズ・ジョイス伝』が翻訳刊行された」と語り始められる『あとは野となれ』というユニークな作物があることを知らずにそんなことを言ったのだが、今思えば、その反応は当時取り組んでいた長篇評論『プルースト逍遥』に記されたつぎの一節に照応するものだったのだろう。『『ドン・キホーテ』のように、何度読んでも治療薬としての効能がだんとつに高いと判った作品もあれば、若年の頃面白く読んだはずのジョイス『ユリシーズ』や、セルバンテスと並ぶルネッサンスの巨匠ラブレーの書にみなぎる「奔放な血気」が産出する遊戯的な笑いが、必ずしも治療薬たりえないという意外な事実にも直面したのだった』。つまりこういうことだったのではないか。読書に本源的な癒しの効能を期待する心情の強かった氏にとって、ジョイス作品の本文には希薄だと思えたそれが、エルマンの伝記にかえって濃縮的に存在していると感じられた。「治療薬」としての可・不可は作家の内奥の倫理の質とそれの表出のされ方に左右されるが、根っこにどれほど強烈なモラリッシュな衝動があったとしてもそれを「遊戯的な笑い」の過剰にのみ託すことは最終的には誤りだと氏は考えていた……。

だが、ジョイスの原文に不足していて伝記作者のテクストに備わっていた薬効とはどんなものか。わたしはそれを、索引も含めれば上下二段組でゆうに千ページを越える大部の伝記にではなくエルマンの別の著作の中に求めてみる。たとえば『ユリシーズ』の以下のような読み方に。「作品の最後の段階において、ジョイスは大胆であるにもかかわらずある種の当惑と寡黙ぶりをみせている。彼は愛という言葉を使うことなく、愛について語る。芸術を自然の本質的な一部と称えるが、彼はその証拠を無造作になんの説明も加えずに提出する。当代にたいする彼の道徳的批判は鋭いが、それはすっかりイメージに託して表現されている。彼はなんの予告もなしに、物語を文学的段階から神秘的段階に引き上げている」(『リフィー河畔のユリシーズ』)。愛について、愛という言葉を用いず、神秘的段階に引き上げた上でソレについて語り尽くしたいと念じる。大胆に、ただしある種の当惑と沈黙は絶対に手離さずに。——これはそのまま室井光広その人に当て嵌まる姿勢ではないか……。そんなふうに深く感じ入り、わたしは思う。たしかにラブレーと共通する「言葉の「下痢」状態」を「半分しか評価でき」なかった(『プルースト逍遥』)としても、しかし少なくとも「愛」をめぐるジョイスの「当惑と沈黙」=「スペシャルな及び腰」(同前)に寄せる氏の信頼は最後まで揺るがなかったはずだ、と。ちなみにエルマンの言う「作品の最後の段階」とは『ユリシーズ』の最終挿話——夜更けにベッドの中でまどろむモリーという女性の脳裡に浮かぶ様々な想念(そのうちの大部分が、夫や夫以外の男たちとの性的な交わりにかかわる回想や妄想や予期で占められている)を描写した、いわゆる〝モリーの独白〟を指している。独白の中身のほとんどが、妻ノーラの実体験に取材して書かれたそうだ。

＊

これでお仕舞にするが、ちょうどプルースト論が刊行された頃、わたしは――カフカ、プルーストと来てつぎはジョイスですね、と軽口をたたいた。すると室井さんは――いや、それは痛いところを突かれたね、ほんとは書かなきゃいけないんだが、そこがどうにもぼくの泣き所なんだよ、と応じた。彼の顔に苦り切ったような痛ましく険しい表情と人懐っこい笑顔がほとんど同時に浮上する不思議な瞬間がわたしは好きだったが、このときもそうだった気がする。今にして思えば『プルースト逍遥』の「後記」に「本書を書き終る頃から、転生への新たな願いにつつまれるようになった。〈世界文学イニシエーション〉批篇をそのまま創作篇にメタモルフォーゼさせたいというドン・キホーテ的見果てぬ夢がそれである」とあるその「創作篇」＝『エセ物語』こそ、二十世紀文学の巨星ジョイスと氏との真摯な対話の場所だったはずなのだが、わたしはそのことに気がついていなかった。

まだ読んでいなかった、そのときは気づかなかったが今にして思えば……式の物言いを繰り返してきたので、開き直って恥の重ね塗りに及ぶが、わたしは氏の文字どおりのレイト・ワークとなった『エセ物語』を『三田文学』連載時（第一部）には読んでいたのだが『てんでんこ』連載時（第二部〜第三部途中までで中絶）は読んでいなかった。氏が亡くなってから全体を通読し、その底深い魅力に打たれた次第である。その魅力について語りたいがためにあらかじめジョイスに絡めて〈女性〉という視座、〈（性）愛〉という視座を浮き立たせておいたのだと言うと聞こえはいいが、前置きばかりの尻切れトンボに終わる可能性が高いだろう。だがそれも悪くはない。『エセ物語』を遅れ遅れて読んだのをきっかけに思い出をいくつか引き寄せ、味わい直すことができた。それだけでも十分に意味のあることなのだから。

2　根源の場所に響く「然り」の声を聴く

世界文学神殿から無尽蔵に放出される癒し成分に長いあいだ当たりつづけた結果として発願された「創作篇」の主題が、ある種の〝メンタルケア〟にかかわるものであったことは当然だろう。『エセ物語』はそれぞれの巻をひとりの人物が担当するという形式で語り進められる。第一部の担当者室井光広（第二部で松井光晴という人物の筆名だったことが判明する）は、ユダヤ系アメリカ人と台湾のチャイニーズのミックスで「いわゆるバイセクシャルの人」でもあった義弟の重さんから物心両面でケアを受けているし、第二部では在日三世で時折失語の症状に襲われる三井幸という女性が、松井光晴も含まれる物語の編纂人たちとやり取りしつつ、かつて同棲していた松井光晴とのベッドにおける「むつみ合い」＝〝言葉〟による相互ケア（二人とも種々の病を〝複合的コンプレックス〟として患っていた）にまつわる様々な記憶を語り直す。作者の死によって中絶した第三部の担当者は松井と三井が共同で運営していた塾《一寸法師》の元塾生である八木タキ。彼女はわかりやすい具体的な性行動として同性愛を実践しているわけではないが「男より女のほうをより深く理解し愛したい気持が強い人間」で、以前は三井幸に思いを寄せていた。木地師を先祖に持ち、現在三井幸の夫となっている彼女の弟八木速雄は山人を思わせる異貌の大男である。作中彼女は主に「僕」と自称するが、ときどき「私」という主語も混じる。「僕」と「私」のあいだで揺れ、分裂に悩むタキは書いている――「伊勢や日向の物語としての『エセ物語』三の巻を、二の巻のように展開したいと、僕と私は願っている。サッチーとマッツィ［幸と松井のこと――川口］の性愛的遊戯に漂う幸福にあやかりたいのだが、女性としての私との語り合い、むつみ合いだけで「二度あること」(二の巻)を三度あることにするのは、僕と私の仲を日向の山師のように引き裂こうと働く力を考えても、至難のワザだろう」と。

本源的メンタルケアの可能性を、プルーストの話者が追い求めた〝失われた時〟のごとく見做して追尋する「物語」――それが『エセ物語』だが、ただしそれは、著者特有の「スペシャルな及び腰」による中断・晦渋・逸脱・飛躍・袋小路が随所で待ち設けるユーモラスな似非物語でもある。だからただ話の筋だけを追っても、筆者がソレニツイテ知リタイ、書キタイと心の底から祈念したケア＝「愛」の全容は明らかにならず、癒しの効果も得られないだろう。第三の話者タキ自身こんなふうに述べているくらいだ。「物語の名にだまされて読む人は、K語にいうタンマッ(甘い味)のチョコレートを期待したはずなのに、スンマッ(苦い味)のカカオ99%のそれを食わされた時のような心持におちるだろう。1%の物語成分がどんなものか答えられない編纂人(たち)は、「不断に物語を破壊する力にさらされながら、しかし不断に物語に誘惑されて生きる生き物」としての人間を、〈可憐〉な存在と形容する」……。「不断に物語を破壊する」云々は、井口時男の柳田国男論からの断りなしの引用である。渾身の「物語」を、あえて破壊99%、誘惑1%という異様な比率で書きあらわした点でジョイスと室井は一致しているが、前衛作家としてのジョイスにはそんな営為の根底にこそ人間存在の「〈可憐〉」さを見据えようとするマナザシが若干不足していると、室井には思われたのだろう。『ユリシーズ』や『ウェイク』への不満、不安はその一点にあったに違いない。

ただ、すでに触れたように『ユリシーズ』の最終挿話のベッドは「〈可憐〉」なものへのマナザシで満たされていた。『エセ物語』は『ユリシーズ』のベッドの高次の反復＝受け取り直しなのであって、作者のモノ深い「当惑と沈黙」の姿勢ゆえに醜く＝見にくく歪められた「愛」の「物語」にほかならないのである。

＊

これも陽子さんから伺ったことだが、事前の構想ではひとりの語り手によって物語が語りすすめられるかたちは第三部まで（三十六回分）で、残りの二十四回分は註釈に当てられる予定だったらしい。つまり八木タキは『エセ物語』最後の語り手なのだ。それは氏が——中絶した以上、結局は勝手な想像を出ないのだが——各登場人物が抱える数多くの〝トラブル〟（性的不能、同性愛的傾向、頭痛、嗅覚障害、発達障害、失語症、〝在日〟として生きること……）のうちで、タキが経験する「僕」と「私」の分裂こそ、もっとも根源的、原型的な〝病〟だと考えていたことの証左ではないだろうか。丁寧に言い直せば、彼女の分裂を根源的、原型的な場所に差し戻した上で、それがいかなる「愛」によってケアされうるのかを見きわめること、これこそが最後まで語られることの叶わなかった第三部の、そして物語全体の究極のねらいだったのではないか。

見たように、タキは自分の中の「僕と私」が互いに語り合い癒し合うことが、松井光晴と重さんの場合、松井光晴と三井幸の場合と比べてより困難であると自覚している。もちろん、性的トランスの状態が主体にとって呑み込み難い厄介なものだという単純な話ではない。なにかしら根源的な（室井がベンヤミンから深く摂取した〈本源〉や〈根源〉という言葉を安易に着服する癖がわたしにはある）分裂あるいは分割にかかわるがゆえにそれは困難きわまるものなのだ。しかしだからこそ、特別な癒しの種子を内部奥深くに孕んでいるのだとも考えられる。タキのものなのか編纂人たちのものなのか判然としない、ある種形而上学的な声に耳を澄ませよう。――「君は二重の責任を負う、と彼らがいうその言葉の調子がさっそく僕に伝染する。伊勢や日向のティーパーティーにおける二重の責任は、終りなく分裂し、僕は僕に責任を負うと同時に、僕の前で応答しなければならない、われわれに責任を負い、われわれの前で応答することによって。／君も僕もわれわれも案山子のオドルデクになる。案山子の性別を問う者はいないだろう」。

タキの語りを中心に進行するこの巻には、正体不明の編纂人たち（室井＝松井だけでなく三井幸もすでに加わっているようだ）の声が多量に流れ込んでいる。他の巻とくらべてその分量は圧倒的に増えている印象だ。第四部と第五部がこれまでの巻にたいして註の役割を担うと語った氏の脳裡には、特定の語り手を失い、無数の声に浸透されて「物語」が一度は霧散するにもかかわらず、根源的な「応答」と「責任」（＝ responsibility）をめぐる「物語」が虹のように複雑で多彩なグラデーションを帯びてふたたびよみがえり立ち上がり、ついに神話のドラゴンのように世界を翔ける――そんな事態がイメージされていたのではないだろうか。

カカシの性別を問うものなどいないとのたまうその声は、あるときタキに愛を告白していた。「われわれは、あなたのなかにある、あなたではなくわれわれである何か、が好きであることを隠そうと思わない」と。わたしの実存を寸断する内部の分割線をまっすぐ見つめ、分裂を引き受けようとすること。わたしの中の「われわれ」（「僕と私」）の声に「責任」をもって「応答」しようとすること。その過程で徐々にわたしは性別不明のカカシ＝オドルデク＝欠損を抱えた欠け端としての「〈少〉神」（『多和田葉子ノート』）に変容してゆく。そんなわたしに他なる「われわれ」――それは無数に存在しており、各々がタキと同質の「二重」性を刻印されている――がおいでおいでをし、ほんとうにほんとうの癒しにかかわる「共同事業」へとわたしを誘う。「――そう、究極の心理は個人の言葉で言い表せないほど奥深い。だからわれわれの呆れかえった共同事業が許される」と。

ここで言われる「究極の心理」とは分裂を徹底的に押し進め、カカシと化した人間＝「徹底的な自己破壊」者だけが触れうる、ある深淵の感触を指すのだろう。深淵の感触が伝染し、共有されていく星座的布置を描き切ることこそ「呆れかえった共同事業」＝『エセ物語』が実現したかった当のものであったはずだ。その星座から滴り落ちる癒しの効能は本質的かつ魔術的で、過去・現在・未来の時制の区別を一瞬消し去り、〝今ここ〟におけるあらゆる他者との共存の可能性を幻視させるほどにブリリアントなものだが、あくまでも過剰さや大袈裟さとは無縁である。第二部、三井幸の語りの中にある、詩的に素敵なサンプルをいくつか、前後の文脈には触れず書き写してみる。

（…）そのささやき・つぶやきは――「ときおり苛酷になることはあっても、やはり苛酷ではない言葉――どこか悲鳴のごときもの、歌になるものの彼方で発せられた声は、決して暴力的でなく、他の者に襲いかかることがない」。そのささやき・つぶやきが、いかなる攻撃・破壊に対しても、か弱いこのわたしを保護してくれるように確信できるのは、すでに彼らの「自己攻撃・自己破壊が済んでしまっている」からだ。

闇の中で長いこと抱き合ったまま臥していた自分たちの姿を、まばたきカメラでとることもイーロプタ〔不要──川口〕だった。マッツィがどう思っていたにせよ、決して現像されえないネガフィルムのような結びつきを今の私ははっきりと愛惜している。ここにいう今の私とは、編纂人（たち）とのコラボレーションに従事するようになってからの私を指す。

私の身体のいたるところに一度はたしかに孕まれたものも、結局その地形のように霧の中に隠れてしまったのだが、私はその運命をうらみに思ったことはない。ほんの数時間しかつづかぬという固雪の朝、後向きのまま「透明な天使の通路」をどこまでも歩いてみたいという願いも叶わぬままだったけれど、固雪の話を聞くたび奇妙な現象が私にしのびよった。その現象をもたらす風は二つの「ほう」を混じり合って吹き流れるものだ。一方で、未体験だったはずの、マッツィが現に今話している事がいつかもあったと思われ、はっきりいつと思い出せないものの、たしかに自分が体験したことがあるような気がするにもかかわらず、一方では逆に、今眼前にいるマッツィその人が見も知らぬ他人のように見えてしまったりするのだった。

＊

『エセ物語』第一部、『三田文学』連載パートを形式的にまとめれば、義弟重さんが段ボール（「重箱」）に遺したテクスト群をよすがに、室井光広（松井光晴）が重さんとの交友を、そして作家失格者である自身の文業を辿り直す、となる。それは一面ではパロディ化された自伝であり、もう一面では男性同士の濃密な友愛の物語で、この時点でははっきりと『エセ物語』は二人の共編著だとされていた。他の巻とちがって、そこに編纂人（たち）のアモルフな声が入り込む余地はなく、閉鎖的、排他的ムードがそこはかとなく漂っている。一巻を拾い読みしたタキはそのことを「「耳で妊娠して口からお産をする」いとなみを雌の力をかりずにやり了せたい……少なくとも『エセ物語』一の巻にはその種の願いが強く沁み渡っているようだ」と鋭く言い当てている。二巻と三巻は、男性中心の一巻の書かれ方、語られ方への反措定としてあるのだ。

だからこそ、やはり本作にとって重要なポイントはあの《3・11》を機に一旦連載を打ち切った後、手ずから作り上げた文芸誌『てんでんこ』で再開された時点にあったと考えるべきなのだろう。『てんでんこ』創刊の辞「願文」では、無数の「ニーマント」（＝カフカの短篇「山への遠足」に登場するキャラクター。〝誰でもない者〟の意で、性別不明の幽霊のような生キモノである）たちとの協働のイメージが強調されているが、それは二の巻、三の巻の語りに深いところで通じている。ただ、わたしとしては同じくらい、室井が『プルースト逍遥』の「後記」で洩らした、〈世界文学イニシエーション〉「批評篇」シリーズが「創作篇」に化けたという実感も大切にしたいと思う。つまり――世界文学のスペシャルな「男・女」たちがそれぞれのベッドで実践した特異な「愛」のカタチ、そこにおける彼らの凄まじいまでの「自己攻撃・自己破壊」に瞠目すること。室井が、それ自体をある種のイニシエーションとして経験し、そこから自らの内部にも走る分裂線の存在を感動的に受け取り直していなければ、「創作篇」への脱皮あるいは羽化という「ドン・キホーテ的見果てぬ夢」が膨らむこともなかったはずなのだ。

ところで室井さんが『ダブリン市民』に言及したのは『縄文の記憶』で「土くれ」にふれた一箇所だという先ほどの断定は誤りで、評論文「声とエコーの果て」(『零の力』所収)に「対応」(“counterpart”)という短篇作品への丁寧な言及がある事実を今ごろになって思い出した。

氏はこう述べている。——わたしたちは「声」の存在をうすうす感じながらも、聴術を失ってしまったために、ソレがいったいどのようなものだったかわからなくなってしまった。言い換えれば、自分がなにか本来的なものの「片ワレ、割符」であることの自覚はあっても、そのもう一つの存在がどんなものか不明になった時代にわたしたちは生きている。ジョイスの「対応」は「かかるアモルフで無定型な時代精神を先取りしたうえで書かれている」……。短篇の中身には触れないまま、モダニズム文学の本質をあざやかに言い止めた言葉をさらに追おう。そのような「時代精神」を全身で受け止めた作家は、ふつう一般の意味とは異なる次元の「眼高手低」を強いられることになる。「「眼」の高さは、喪われた割符のある彼方に位置し、作品をものする「手」は低い低いモラルの荒野に這いつくばって仕事をする。その乖離は大きい。いつまでたっても天堂篇はおろか浄罪篇への橋すら視えてこないという現代文学の世界に背を向ける人は多いだろうけれど、何のへんてつもない声の背後に木霊を聴き、さらにそれを自家製の天堂で言霊に翻訳する手続きは今や読者の想像＝創造の領域に位置するものとなったというい方も許されよう」。ロマン的な彼方に響く「声」と、この現実における「声」とのあいだに横たわる、眩暈を起こさせるほど巨大な「乖離」。しかし「乖離」があるからこそ、われわれにはわれわれ自身の卑小な「声」をエコーさせた上でそれを「自家製の天堂で言霊に翻訳する手続き」が許されてもいる。いや、そこにしか文学の可能性は残されていない。「現代文学」が深い祈りの姿勢を取らざるをえない所以である……。

ガレキみたいに無意味に積み重なる「声」の「現代的な音調」（秋山駿）に耳を澄まし、その「低」さに賭けて「高」いものを想像＝創造的に回復しようとすること。そうすることで断片化・細分化された「わたし（たち）」を救抜し、高次の複数性を帯びた謎の存在（ニーマント）として甦らせようとすること。――これこそが、モダニスト室井光広の文学実践上の一貫したモラルであり原理だった。ジョイスの文学革命を「新生コミュニズム運動」と言い換えたのも（『あとは野となれ』）、どんな些細な事象の表層にも棲息する「おどるでく」は「天使の通路」であると述べたのも（「おどるでく」）、そうした意味においてだった。『エセ物語』もまた同質のイデーに貫かれていることは、すでに引用したいくつかのキレハシを読めば十分に明らかだろう。

ただ、それでもわたしは〈世界文学イニシエーション〉「批評篇」――とくに『カフカ入門』と『プルースト逍遥』の二冊――で彼が、作家たちの秘められた〈性〉の問題（作家によって自己の性意識を外部にたいしてどの程度秘密にしていたかは異なるが）に特別な興味を抱き追究した事実にあくまでこだわりたい。それは彼が、あらゆるものの断片化・細分化というすぐれて現代的な問題に、「時代精神」の面からのみ肉薄するやり方を退け、少々危険を冒してでも主体の根源の場所に下降してそこに走る分裂線に注目することで答えようとしたことを意味している。ここに、凡百の（ポスト・）モダニストと田舎的モダニスト室井光広を隔てる重要な差異があると、わたしには思える。

カフカ論で室井は、無意識のまま眠っている〝異性〟の可能性を自分の人格の全体像に繰り込むことが男の後半生の重要な課題であるとするユングの「アニマ論」を祖述している。彼自身がそのような「統合」を後半生におけるのっぴきならない課題として受け止めていたことは確実である。もちろん、誰かが同性愛的心性の持ち主だとわかったとしてその文学への理解が深まるわけではないことは自明だし、カフカやプルーストを苦しめた性意識は自分にとって他者であるとはっきり断ってもいる。彼にとってあくまでも大事だったのは、他者のテクストから「AとB、半A半B。非A非B……こうしたドッペルヴェーゼン（二重の生キモノ）の中核に潜むツナギとしての蝶番（hinge）と縁（fringe）」の痕跡を救い出し、受肉することで、ソウイウモノニナリタイと本気で念じつづけていた「決して空にすることも、満たすこともできない器のようなもの」に、「死と再生からなる化物」に彼自身が変身することだった。尋常ならざる祈りの強度は、最終的には、同性愛を特別視する狭隘な視野を破砕するに足るものだった。なぜ室井が、〈男と女〉こそ種々の分割――〈大人と子ども〉、〈聖と俗〉、〈明と暗〉……――のうち人間存在にとってもっとも重要な原型的分割であると考え、それに世界文学神殿における特別な位置を与えたのかについては、もっと深いところで考えなければならないだろう。しかしわたしにはその準備も能力もない。今はそれを謎のままにし、「ツナギとしての蝶番」＝「謎のてふてふ」が「最終的にどんな故地に帰ってゆくか、おぼろげにもわかっている」、それは「〈字を書くこと〉」であるという、室井光広的あまりに室井光広的な断言を胸にたたんでおくことにする。

　カフカとならぶスペシャルな「男・女（もしくは女・男）」と氏が見なしたプルーストについての本には、こうあった。

> dialect［方言――川口］は、普遍性につながるとおぼしき言語との不断の dialogue（対話）と切り離せない。真の dialogue をやめない限りにおいて、dialect は、dialectic（弁証法的）な存在でありつづけるだろう。

〈男と女〉の分割線＝「と」に特別なマナザシを注ぐだけでなく、境界としてのその「と」に棲みなしたいとさえ願う者にとって、神的・絶対的な「普遍性」との「真の dialogue」は不可避であろう。そしてそうであるかぎり、ちっぽけな dialect 的存在である彼は同時に「dialectic（弁証法的）な存在でありつづける」。弁証法的存在であるとは、end（終り、目的）としての希望を放棄し、不安な、寄る辺ない宙づり状態の生を引き受けることであって、そのような事態をあえてすすんで欲しつづけることこそが本来的意味での「自己攻撃・自己破壊」である。そう彼は考えていたのではないか。震災以降とくに強調した〝山を下りる〟こと、〝遅れる〟こと、「「低い」調子」（『柳田国男の話』）を身につけること、〝なにを〟書くかよりも〝いかに〟書くかを大切にすること……これらはみな、弁証法的存在になり了せるためのレッスンを色々に言い換えた言葉だったのだ。じっさい、氏の「自己攻撃・自己破壊」はほとんど済んでしまっていたので、その言葉は――「ときおり苛酷になることはあっても、やはり苛酷ではな」く、「どこか悲鳴のごときもの、歌になるものの彼方で発せられた」その声は、「決して暴力的でなく、他の者に襲いかかることがな」かった……。

大袈裟ではなく、彼の言葉、彼の声にこもるぬくとい「保護」の感触を、わたしはいつまでも忘れることができないだろう。

＊

学生時代のわたしは、『ユリシーズ』に全然歯が立たなかったのと同様、思想家ジャック・デリダによる註解書——『ユリシーズ グラモフォン』がまったく理解できなかった。十年以上ぶりにそれを読み返してみて、自分の読解能力にまったく進展がない現実に衝撃を受けたのだが、それでも、収録されている二つの論考のうち「ユリシーズ グラモフォン——ジョイスが「然り」と言うのを聞くこと」のほうは、あくまでも部分的にだが、楽しんで読むことができた。『エセ物語』の効能だろう。

デリダは、ベッドに横たわるモリーに寄り添い、彼女が幾度となく口にする言葉——「然り」（イエス、ウィ）にひたすら耳を澄ませる。イエスではじまりイエスで終わる最終挿話は〝モリーの独白〟と呼びならわされてきたが、「モリーの「独白」ほど独白らしからぬものはない」とデリダは注意する。それはイエスが意味に先立つ「力のごときもの」であり、「他人への差し向けが存在することの刻印」にほかならないからだ。この指摘の高度な現代思想的意義について説明する能力がやはり不足しているので、『エセ物語』との関係で当方の琴線にふれた箇所を継ぎはぎして満足したい。一言で言えば、デリダの難解な言説を、深淵における決定的出来事——分割であるとともに綜合でもあるような根源的「と」の発生をめぐる思考として受け取ったのである。

「この差し向けは対話や交渉では必ずしもない。それは声も対称性も想定しておらず、応答の先行性、それもすでにして要求であるような応答の先行性を前提としている。なぜなら、他人がいるとして、ウィがあるとして、その場合、他人は同一者もしくは私によってはもはや産出されえないからだ。一切の署名と一切の行為遂行的発話の条件たるウィは、私が構成したものならざる他人へと差し向けられる」。イエスとはわたしから他者への要求である。この要求からしかわたしはなにもはじめることができない。だが、にもかかわらず、わたしが他者へ要求する（イエスと言う）のは、それに先立って他者のほうからわたしにイエスと言ってくれと頼んだからで、その要求への応答として、わたしは他者に要求するのである。この奇妙にねじれた関係から本源的「時間」が発出する。たぶんそれは〝失われた時〟でもある。デリダは言う、イエスによる「自己措定」は「円環を開始させ［傷つけ］(entamer) ながらも、円環を開かれたままにする」と。また、それは起源・創始であり、あらゆる応答責任の根源に位置するものだが「かなり滑稽なもの」である、と。

「わたし(たち)」の根源の場所に響く「然り」の声──それこそ「真の dialogue」を起動させる魔法の呪文である。『エセ物語』第三部に記された言葉をわたしはふたたび引き寄せる。「(…) 二重の責任は、終りなく分裂し、僕は僕に責任を負うと同時に、僕の前で応答しなければならない、われわれに責任を負い、われわれの前で応答することによって」。「われわれは、あなたのなかにある、あなたではなくわれわれである何か、が好きであることを隠そうと思わない」。謎の編纂人(たち)＝ニーマント(たち)が愛するのは、「然り」を言う「わたし」である。「然り」を言うことで「わたし」を措定すると同時に「わたし」を「われわれ」へと無際限に分裂させてしまう、弁証法的「わたし」＝「われわれ」である。「然り」を言うことで「わたし」＝「われわれ」への無限の応答責任を負う、「わたし」＝「われわれ」である。どうしても氏はそんなふうにニーマント(たち)から愛されたかったし、また、ニーマント(たち)がやるような根源的な愛し方で、誰かを愛したかったのだ。

わたしは思い出す。失語の症状を少しでも和らげるために、松井光晴(室井光広)が三井幸の隣で「死体に添寝する死体のように」横になる場面を。どうして二人とも「死体」なのか。それは幸が、ほとんどこの世ならぬ言葉──「然り」を回復しなければならない患者であったためだ。そのために出来ることといえば、死んだように息を殺して、静かに、共に在ることだけだった。どうか彼らの耳が、深遠な本文に付されたささやかな序文のようなか細い声でもいいから、根源に響く「然り」の声を聴き収めることができますように……。エセ物語編纂人はそう祈っていただろう。本文（本編）の不可能性に堪えながら、それでも希望を捨てずに序文的な場所に立ちつづけること。文学の本質はそうした営為の内側でつかまれる。長篇評論の本文末尾に「（以下本編！）」と記したこともある編纂人は、そう考えていたはずだ。

「ヤレヤレ、いいかげんにしてくれよ」という呆れ声が聞こえる気もするが、真逆の〝もっとエエ加減にやりなはれ〟の意にねじ曲げ、あとひとつだけ、『エセ物語』の最後の回から引用したい。これから先わたしは、文字どおり在り難く貴重な「テキスト湿布」として、このひとくだりをなにか事あるごとに繰り返しカラダに貼り付けるつもりである。

わたしたちの苦しみとは何だろう。本文的な深淵が、たえず序文的な浅瀬にうち寄せられる……その反復の波と戯れるわれわれの練習と、わたしたちの苦しみと（以下、数行欠）

二〇二三年八月記

※本稿を執筆した時点では、わたしはまだ『エセ物語』第三部の未発表稿の存在を知らなかった。

『エセ物語』解説

［2023. 1］

1　室井光広氏について

氏は福島県南会津郡の山あいにある志源行という、全部で十軒にもみたない小さな村の百姓の家に生れました。氏の小説作品の舞台のほとんどが生地やその近辺をモデルにしています。

氏の著作は近代的な文芸作品に慣れ親しんだ読者にとってとっつきやすいものではないかもしれません。かつては多和田葉子氏や笙野頼子氏と並べて難解派などと称されたこともあったそうです。ただ、室井文学のムズカシさは一般にイメージされる難解さとはすこし性質が異なります。文章の背景に古今東西の文学にかんする博識があり、哲学・思想にたいする深い理解があることが明らかであるにもかかわらず、衒学的であったことはたえてなく、いわゆる現代思想的な語彙や表現と厳しく一線を画しつづけました。ある意味平易な文章だとさえ言えるのですが、その易しさにこもる独特の難しさがあるのです。

室井文学の核心を的確に言い表すことはわたしの手に余ります。ここでは深くうなずきながら、氏の手仕事の根本にあった「読むこと」(の失敗の必然性と必要性)について述べた他人のテクストを書き写して、『エセ物語』の説明に移りたいと思います。「(…)批評の失語、詩の断片、物語の死産、それらの失敗のオオモト(アルケー)には、人類の普遍的な行為としての「読むこと」があり、あるいはむしろ読むことのたえまない失敗があり、その躓きと読み損ねにおいて「本質的に社会に、隣人に、世界に開かれ」ていくものがある。その無限の死産のプロセスの中に生成＝消滅していくもの、それが「世界文学」としての目の前のテクストであり、「世界文学を読むこと」の経験なのではないか。その「生成」において、「読者」は無限に「世界」に対して開かれ続けていくのではないか」(杉田俊介「室井光広論その門前の序文——世界文学とは何か」)。

2 『エセ物語』について

『プルースト逍遥——世界文学シュンポシオン』(二〇〇九年)の「後記」で氏は述懐しています。「本書を書き終る頃から、転生への新たな願いにつつまれるようになった。〈世界文学イニシエーション〉批評篇をそのまま創作篇にメタモルフォーゼさせたいというドン・キホーテ的見果てぬ夢がそれである」と。「批評篇」が化けて出た「創作篇」＝『エセ物語』。この奇妙な物語がヨーロッパの辺境アイルランド出身の文学者ジェイムズ・ジョイスを意識して書かれたことは明らかです(作中には間接的な言及が無数にあります)。「批評篇」三部作ではカフカ、プルースト、セルバンテスをはじめとする氏が長年偏愛してきた綺羅星のごとき「世界文学」者たちを取り上げて独自の星座を描いていますが、そこにジョイスの名はありませんでした。ジョイスについて書く（読む）ためにはさらなる逸脱や脱線を許す底なしに自由な器が必要だった。通常の読み・書きの挫折の先にある根源的な読み・書きの可能性――読みの迷宮に踏み迷ううちにいつのまにやら異他なるものから物語ならぬ物語を語らされ、書かされてしまっている。そんな他律と自律が混在する経験において歴史を受け取り直すこと。固有名性の責任を無限に背負いながら、にもかかわらず絶対的な無名性に向けて自らを開くこと、開かれること。ジョイスへの応答とは、そんな「世界文学」を自分も試みること以外ではないと氏は感じていたはずです。

＊

形式的な事柄を整理しておきます。

『エセ物語』は季刊の文芸誌『三田文学』に二〇〇八年秋号から三年間、合計十二回連載されました。震災の発生により二〇一一年夏号で連載は一旦中断されますが、翌年から『てんでんこ』誌上で再開され、最終号（十二号）まで続けられました。各回には干支――十干と十二支を組み合わせたアジア漢字文化圏共通の数詞――が割り振られていました。第一回は《甲子》、第二回は《乙丑》、第三回は《丙寅》……という具合です。氏のなかには還暦、つまり六十回を連載の区切りとする構想が当初からあったようです。『てんでんこ』に掲載されたのは第十三回《丙子》から第三十一回《甲午》まででした（雑誌の号数と『エセ物語』の回数にズレがあるのは、『てんでんこ』での連載は一号に二回分が掲載されることもあれば、二分の一回分しか掲載されないこともあったためです）。

第三十六回《己亥》までが書き終えられていました。

『エセ物語』は十二回ごとに語り手が交替します。つまり五部構成で、第一部の語り手が室井光広＝松井光晴、第二部は三井幸、第三部は八木タキ（タキは松井光晴をミーハー先生と、三井幸をサッチーと呼びます）。また、書かれなかった第四部と第五部（第三十七回〜六十回）は一〜三部の注釈になる予定でしたが、具体的にどんな内容・形式だったのかはわかりません（割注、脚注、傍注、後注……？）。とりあえず本文が書き終えられたことはたしかなようです。

＊

『三田文学』誌上での連載最終回の末尾に氏は記しています――「そのとき、大地震が、恐るべき変革が起こって、たちまち私は、新しい狂いのない法則に照してあらゆる現象を解釈しなければならなくされた」（原文は太字丸ゴチック表記）。このキルケゴールの日記からの暗黙の引用は、震災という出来事が、じゅうぶんな助走期間（「批評篇」執筆）を経て着手された『エセ物語』に重大な転回をもたらしたことを示しています。「大地震」は内容面のみならず、書くことの根本的な条件の問い直しの作業を氏に求めました。

『てんでんこ』創刊号の冒頭に置かれた「願文――『てんでんこ』創刊覚書に代えて」で氏は『てんでんこ』を「単独者の組合」と定義した上でこんなふうに言っています。「（…）すなわち単独者の精神を極限にまで尊重し、各自の主体的創作行動を信頼し尽すという見果てぬ夢の組合、不可能性のギルドです。そこでは、めいめいが〈ひとり親方〉であるにもかかわらずニーマント氏の弟子でもあります」。信頼する少数の書き手にコエをかけることから雑誌ははじまったのですが、あくまでもそれは同人誌、同人組織ではなく、「単独者」たちの「組合、不可能性のギルド」を夢見るものでした。「ニーマント氏の弟子」——ニーマント氏はカフカの掌編に登場するキャラクターで、英語に置き換えればnobody氏という感じになるでしょうか——という言い方から伝わるように、そこには死者の霊を含む今ここに存在しないマボロシの他者たちのニュアンスもこめられています。氏は『エセ物語』を他者たちがかたちづくる未聞の、不思議な関係の星座のなかでふたたび、新たに書きはじめようとしたのです。「二〇一一年の《3・11》による衝撃を「レトリックで飾ることの痛苦を背負ったまま」読み書きをつづける細い道がそこにあるはずだと考えたにちがいありません。

＊

もちろん震災前に書かれた第一部には固有の魅力があり、また第二部・第三部との連続性があります。語り手の「私」＝室井光広（第二部で松井光晴の筆名であったことが明かされます）が、双子の妹の元夫「重さん」（『あとは野となれ』などにも登場する人物）が遺した段ボール三十箱分の本、資料、原稿、ノート、メモ類（そこには名だたる古典作品の切れ端もあれば、作家時代の室井光広がかつて書いた作品も含まれている）を読んでいく。その大半が引用文が出典不明状態のまま切り貼りされたものであり、穴あきや順序の転倒も多く、語句が故意に変改されていることもしばしばで、読解作業は遅延、循環、脱線、飛躍だらけにならざるをえません。重さんによってすでに「袋小路＆迷路」化されているテクスト群をさらに室井が重ねて読む＝引用していく。そんな、死んだ重さんとの共同作業が『エセ物語』第一部です。「私がこれより提出するエセーと物語のどっちつかずの産物はわが人生の旅の道づれだった人物「重さんのこと――川口」との共編著ともいうべきものとなろう。（…）巨大な袋小路のような遺稿集から聴こえる霊の声に耳を澄まし、自分なりの誤読を積み重ねたいと願うばかりである」。
連載第一回「《甲子》むちゃくちゃティーパーティー」にはモンテーニュ『エセー』からの引用（重さんが引いたのを「私」が再引用しているわけですが）――「わたしは存在を描かない。passageを描く。」があって、ここでいう「passage」は「通過」のニュアンスだろうという説明がされた後には、つぎのような象徴的なパッセージが記されています。

　だが私の推測では、このpassageには、他者の文や言葉の「一節、ひとくだり」の意も重ねられている気がする。モンテーニュやベンヤミンの手になる優れた［美しい］書物は、他者の文からの引用があっても、独自の創造的誤読の可能性がひらかれる。その可能性は、事物のpassage――「通過、推移、抜道」を豊かに描く。ところが似非モノガタリのひびきを孕む『エセ物語』にあるのは、盗品の如き他者の文のひとくだりにすぎない。

引用や翻訳を、「読むこと」そのものを躓かせてやまない異物のような断片＝欠端たち。言葉がそんな欠端へと転落・変容するまさにその瞬間にこそ真に豊富な世界の「通過」態（?）を幻視すること。「琴線にふれる石動（イスルギ）の感覚」（「ヴゼット石」）の渦の中で、今ここと根源の場所をつなぐ架橋としての言葉を見つめること。
　そんな欠端＝架橋があるときには〈おどるでく〉と呼ばれたのでした。「あらゆる翻訳は最終的に原作の行間にただようおどるでくを読者の心底にうつすことを目的とするといっていいだろう。そのうつし方は、病気をうつすようにしてなされる」（「おどるでく」）。このひとくだりは氏らしい照れと苦みをまじえつつ、室井文学のイデーのありようを明かしています。それはたとえばジャック・デリダの仕事と深いところで共振するものです。

ところで――このあたりから徐々に第二部、第三部との連続の話に移っていきたいのですが――「おどるでく」には日本における文字（漢字）の受容＝〝国語〟の生成をめぐる印象的な一文があります。「存在しない言葉、より正確にいえば、実在する言語の意味を捨てて読みと文字だけを採用した段階でわがイロハは産声をあげたのであるから、氏の指摘通り、日本語は幽霊＝おどるでくそのものといっていい」。

『エセ物語』でもこの定式が反復・変奏されていますが、そこで重視されるのが――これは初期の創作にはあまり見られなかった要素かもしれません――異なる言語との関係、とりわけ日本語と同様に「長い歳月にわたり、その母語に無断借用の漢語をむりやりあてはめた結果でき上った壮大なアテ字の体系」であるコリア語との具体的な類縁関係です。氏は言葉を舌の上で千転させ、ほとんど無意味に見える細部（＝おどるでく）に躓きながらコリア語と日本語を出会わせては別れさせる欠端＝架橋的言葉遊びを繰り返します。そこには地名の研究にかんして文字よりも音に注意するよう述べた柳田国男が、にもかかわらずコリア語との音の共通についてかたく口を閉ざした事実（当然、日本の朝鮮半島にたいする植民地統治の問題と無関係ではなかったでしょう）への厳しい批判がこめられています。

『エセ物語』全体をつうじて、重さんが編著者として執念をもやしたものの未完成に終わった『東亜共通常用三〇〇〇語』がたびたび言及されます。それはかつて東アジア共通語であった漢語から基礎語を三千ほど選び出して解説する辞典で、将来それをベースに、主として中国語・コリア語・日本語の三者三様の発音を参考にそのいずれでもない「ヨミとイミ」を統一し「東亜統一話し言葉の創成をめざす」（書き言葉ではなく！）というとてつもない文化事業が企図されていた、というのです。

そのようなだいそれた望みの根底にあるのは、細分化された小さく弱い諸言語を大きく強い単一言語に統一するイメージではありません。重さんは「正統漢語の書き間違え・誤植によって（…）出来上った言語」である日本列島語へのコンプレックスに〝複合的〟という意味のコンプレックスを重ね合わせることで、劣等感情をポジティブに捉え返そうとしているのです。「重氏はたとえば、日本語を、漢語・コリア語・アイヌ語等のコンプレックス（複合体）を下部構造としてもつ言語と規定する」、「私にとって救いなのは、氏が時にコンプレックスを「つぎはぎ」とよんだことである。あらゆるコンプレックスを、劣等感なる袋小路から開放し、創造的な「つぎはぎ」に変身させる、というように」。無数の隙間や襞がある「つぎはぎ」に〈おどるでく〉がゆき交う迷宮的な通交路が形成される……。夢見られているのはそんな「話し言葉の創成」であり、異語たちの出会いのなかで、「漢語」的なものをめぐって東アジア（だけにかぎりませんが）で繰り返されてきた血みどろの暴力の歴史に「開放」的に対峙し、非暴力に向って覚醒していくという希望が賭けられています。

＊

三井幸のもとに、〈一巻の終わり〉を迎えた松井光晴（室井光広）から〈二の舞〉を要請する手紙（「おらおらでてんでんこに編むも」）と七つの段ボール箱（重さんが遺した各種資料に『エセ物語』第一部も加わっている）が届くところから第二部が語り出されます。松井＝室井がはじめた似非モノガタリが幸福の手紙（不幸の手紙？）形式でつぎの人物に引き継がれます。ちなみに第二部から作者名は室井光広ではなく、たんに「エセ物語編纂人」と表記されます。

まず三井幸がテープに吹き込んだものを編纂人たち（松井光晴も含まれているようです）が文字に起こし、さらに幸が「自分の声とは思えぬ」その録音を聴き返しながら編纂人から戻ってきた文を重ねて書き写す。第二部のテクストはそのような協働の成果なのですが「録音機には、時々、明らかに私の声ではない声もたくさんまじっていた」。また、三井幸が編纂人たちを指して「彼等」と言ったのをわざと「彼方」とするような書き換えも編纂人たちは自由に行います。そして第三部ではそうしたニーマント氏的、幽霊的ヴォイスの分量はさらに増大し、神出鬼没にテクストに介入するようになります。

コリアン・ジャパニーズである三井幸はかつて、すでに作家の看板を下ろしていた松井光晴と学習塾「一寸法師」を共同で経営し、同棲もしていました。彼女は〝半母語〟としてのコリア語に深い愛着を抱いています。

第一部だけを読むかぎりあらゆる場面で重さん（だけ）の世話になっていたかに見える松井（室井）がじつは三井幸という他人をケアし——かつて彼女は重い失語の症状に悩まされていました——、彼女からケアされもする存在であったことが第二部でわかります。また第三部の語り手八木タキは第一部の室井と重さんの協同作業のホモソーシャル性（？）への疑問をそれとなく洩らしています。

大事なのは、第二部と第三部が根源への遡行を促す第一部のイデーを受け止めつつ、微妙に突き放してもいることです。

たとえば――松井光晴が三井幸のハラボジ（祖父）に、「朝鮮半島に限らぬ人々の東西南北各方面からの数えきれない渡来によって成立した移民の国」である日本では「在日を冠した場合、たとえば三世になるか三十世になるか三百世になるかの違いがあるにすぎない」と持論を語ったさい、ハラボジは「その違いは一寸法師とダイダラ坊ほど大きいと思うが」と言って「低く笑」います。

テクストの表層に踊る過誤や剰余（＝おどるでく）は、じっさいにこの現実のなかで過誤や剰余として生きなければならない――時には無意味に殺されなければならない――他者の存在にまったく匹敵しえないのではないのか。そのような他者の前では東アジア共通の「祖母語」の探求など遊びにすぎないのではないか。第一部の企図（すでに述べたようにそれは室井文学総体を貫くイデーです）を根本から疑わしいものにするそうした致命的な問い＝亀裂が、第二部と第三部の各所に走っているのです。

にもかかわらず、やはり、『エセ物語』はテクストから沁み出す薬効成分への信頼を手放していないように見えます。三井幸の語りは一方で、松井光晴の言葉への特異なこだわりを役立たずで荒唐無稽なひとり相撲として相対化しますが、他方で、「今」の彼女はそんな彼の言行への、彼とのかつての関係への愛惜と感謝の念をくり返し言明してもいます。「マッツィ［松井光晴］がどう思っていたにせよ、決して現像されえないネガフィルムのような結びつきを今の私ははっきりと愛惜している。ここにいう今の私とは、編纂人（たち）とのコラボレーションに従事するようになってからの私を指す」というように。

でも、どういうことなのでしょう。かつては無益で場違いに滑稽な細部でしかなかった〈おどるでく〉が、遅れて後から、「今」ごろになってようやく、ある種の現実的な希望に変容しているとは……。それを可能にする「編纂人（たち）とのコラボレーション」とは……。

どんな会話の流れだったかはもう忘れましたが、わたしは氏が〝哲学から文学に戻るのが難しい〟と語るのを直接聞いた覚えがあります。思うに、氏は『エセ物語』の第二部以降を書くことで、その困難のさらに先にある困難を言祝ぎたいと考えていたのではないでしょうか。他者と共にこの現実を生き、共にこの歴史を背負っていかなければならないという事実を自らの読み・書きの不可避の条件として引き受けた上で再度文学に戻ることの難しさ。そんな単純な困難を越えようとする当たり前な試行錯誤のなかで、〈おどるでく〉を革命的な連帯の種子としててんでんこに受け取り直すこと、それこそがほんとうにほんとうの大事であり、希望なのだ、と。

おそらくそれは、隣人とのありふれた出会いや別れを、ありふれた出会い損ねや別れ損ねを、この世界を真に創造的で豊かな迷宮に化してくれる〝在り難い〟出来事として数え直し、見つめ直すことでもあるのでしょう。

第三部にふれるための紙幅が尽きてしまいました。八木タキの語りにおいて重要な要素である〈男性性／女性性〉の揺らぎ――それに対応して主語も「私」と「僕」のあいだで揺れています――、それが『キルケゴールとアンデルセン』からカフカ論、プルースト論を経て『多和田葉子ノート』にまで連なる、氏にとってきわめて大切な実存上のモチーフであったという事実だけ言い置いて、この長過ぎた解説文を閉じたいと思います。

『おどるでく　猫又伝奇集』解説

［2023. 6］

本書は、二〇一九年に亡くなった作家・室井光広の小説作品を精選した《室井光広入門・小説篇》というべきアンソロジーである。小説集であることをわざわざ強調しておきたいのは、氏が詩・批評・物語のサンミイッタイを奉ずる作家ならぬ雑家をしばしば自称したとおり、いわゆる「小説家」に収まろうにも収まり切れなかったところに室井文学の根源的な豊かさを見出したい気持ちがわたしのなかでは強いからだ。室井文学に入るための門は小説以外にもいくつも存在している。いや、その複数性、多重性それ自体をスペシャルな門と見なすべきではないか……。ここなる小僧は長いあいだ、そんな思いを抱きながら不可視の門前にたたずみつづけてきたのだった。

じっさい氏の仕事（氏好みの言い方では〝手仕事〟）には、商業誌デビュー作のボルヘス論を含む文芸評論集『零の力』からはじまって、童話作家と哲学者の交錯点をまなざした長篇評論『キルケゴールとアンデルセン』、世界文学をめぐる一連の批評的エッセイ（『カフカ入門』『ドン・キホーテ讃歌』『プルースト逍遥』）、長年にわたる民俗学的探究の成果である『縄文の記憶』『柳田国男の話』、そして没後に同時刊行された『詩記列伝序説』『多和田葉子ノート』にいたる批評文の系譜があり、また『漆の歴史』(私家版)という大部の詩歌句集に象徴される詩的言語をめぐる実践の系譜があった。だがこんな注釈は蛇足かもしれない。本書を一読した読者にはつぎのような雑家のつぶやきが確実に伝染しているはずだから。「もとよりこれは小説ではありません、むしろ詩や批評に似ているのです、けれど、これでもやはり小説なのです」……。〝小説〟や〝文学〟をめぐる調子の高い懐疑や断定の声はいつの時代にも途切れなく鳴り響いていたにちがいない。おそらく多くの場合それは、ある種の権威から公認された概念語や理論的枠組みを用いて立場を明確化しようとするたたかいのなかで発せられたものだっただろう。悪いことばかりではなかっただろうが、しかし、とわたしも低くつぶやいてみる――大事なのは、〈これは……ではない、だがそれでも……なのだ〉ふうの曖昧さを帯びたジャンル不明の「文」をこそ、漢字文明の圧倒的な影響力への不安とけしてオリジナルたりえない宿命におののきながらもかろうじて言葉をつむいできた日本列島語の根源を照らす光として受け取り直すことなのではないか、と。そして、このぬかるみのような現在の中で、てんでに散らばったそれらの光を結び合わせて暗闇に星座を描きながら、わたしたちは正しく不安を学び直し、様々なありえたかもしれない可能性を未来へ向けて想い起こさなければならないのだろう、と。
　この「文」集はそうした受け取り直し、学び直しのためのかっこうの入門書になるはずである。

　室井氏の文学について話す数少ない知り合いである編集者名嘉真春紀氏から本書の構想を告げられたのは、ふだん田舎に居住するわたしには縁遠い、冷たいビル風が吹き抜ける巨大なオフィス街の一隅でだったと記憶している。第一小説集『猫又拾遺』から掌編連作「猫又拾遺」と、短篇「あんにゃ」および「かなしがりや」を、第二小説集『おどるでく』から芥川賞受賞作「おどるでく」と「大字哀野」を、発表時期が少し後の短篇群から「和らげ」を採り、附録としてインタビューや関係が深かった作家の追悼エッセイを併せて収める、という内容だった。同席した杉田俊介氏は「そして考」という作品に思い入れがあり、わたしはわたしで「ヴゼット石」という風変りな短篇（いずれも第三作品集『そして考』に収録）が好きだったので、小さな異議の声（?）をそれぞれ洩らしたものの、名嘉真氏のアンソロジストとしての経験と直覚を信じましょう、というところに落ち着いた。本文庫に引き続いて『そして考』や長篇『あとは野となれ』、またそれにつらなる単行本未収録の諸短篇（「流体の平衡」「デンス手帳」「いたちごっこ」「どしょまくれ」等）が手に取りやすいかたちで刊行されることを願ってやまない。付記すれば、室井氏が世間に向けて小説を発表する契機として、氏が義兄と慕っていた作家辻原登氏の推輓があった。評論だけでなく小説らしき文章をも書きためている事実を打ち明けられた辻原氏が「猫又拾遺」を読んだところその完成度に一驚し、文芸雑誌の編集者に掲載をすすめたという経緯があったそうだ。三十年以上も昔の話である。

本書に収録された作品は全篇が「猫又もの」である。室井氏の小説の多くが、氏の出生地である南会津地方の山深い寒村地帯——江戸時代には南山御蔵入領と呼ばれ藩と幕府のあいだで板挟みになってきた歴史があり、オクライリ作家というこれまたユーモラスな氏の自称はその事実に由来する——をモデルに創造された猫又という土地を舞台にしている。地名は「猫又」から「哀野」へ徐々にシフトしながら、さいごは猫又 - 哀野サーガの極点というべき長大なプロジェクト『エセ物語』——氏の突然の死で中断された——に至る。そこでは、たとえば下郷町が下肥町と呼びかえられている場合もあれば、氏の生家がある七軒の小さな集落は志源行という実名で登場するし、塔のへつりや中山風穴、大内宿といった名所旧跡も書き込まれている。したがって本書は、世界文学史に残る奇書といってもけして大袈裟でない『エセ物語』の道先案内書としても役立つはずだ。

『あとは野となれ』という著作タイトルが示すように、〈野〉に寄せた氏の愛惜の念は特筆にあたいする。ここでいう〈野〉は、現代人が思い浮かべるだだっぴろい原っぱというよりも、言葉のモトの意味に近い、山と村落のあわいの傾斜地としての〈野〉のほうがしっくりくる。郷里での実体験と柳田民俗学の考証と世界文学が重合するポイントに浮上する氏独特の〈野〉イメージをさらに根源にむかって敷衍すれば、深い霧の切れ間にドラゴンのごとき虹が立ち昇る、不思議なよみがえりの力にみちた神話的時空間、となるだろうか。氏と共に言語の〈野〉に踏み迷う者は、よみがえりのための読み替え事業の協同従事者となる。そこでワレワレはきわめつきの「読者教信者」として、真の貧者たるべく自らをlessenするlessonにいそしむのだが——氏が文字どおり終生を費やしたその協同事業に不可欠なのが「聴覚的想像力」（T・S・エリオット）のはたらきである。

「思考や感情の意識層のはるか下まで浸透し、あらゆる言葉に生気を与え、最も原始的で忘れ去られたものにさえしみ込んで、根源へと遡っては何ものかを取り戻」すマジカルなイマジネーション＝「聴覚的想像力」。

哀野という名の〈野〉に実在のモデルがあるとしても、やはりそれは特異な祈りの姿勢において聴き取られ、忘却の淵から取り戻された幻のトポスだった。氏はそれを「根源へと遡」る「原始」人（原詩人？）の心で想起した。だが、同時にその「原始」人は、ある種の決定的な欠落をも聴き収め、引き受ける存在たらざるをえないということも、急いで付け足しておくべきだろう。「聴覚的想像力」の見事なサンプルとして氏が愛誦した一節を『おどるでく』の「あとがき」から孫引きすれば——「オドラデクは、忘却された物たちがとる形態なのだ。物たちは歪められている」（ヴァルター・ベンヤミン「フランツ・カフカ」）。スペシャルな耳の持ち主が書き記す「文」がとくべつな難解さを帯びるのは「忘却された物たち」の「歪」みゆえである。〈野〉にあって「物」想う（想い出す）心は、だからいつも〈哀〉しい。だからこそ、その実存的学び落とし（lesson & lessen）がほんとうにほんとうの感動と表裏であってくれたらと願う〝かなしがりや〟の渇仰はいっそう深いものとなる。

わたしは今般の読み直し作業の中で、つぎのような文章が小説として書かれた事実にあらためて驚嘆した。

糸瓜の花は子規の body に咲いた。仏に近い植物状態を子規は詠嘆と化した痰の筏に乗って恋恋したのではないか、というように。心を測量すべきだと私は書いたけれど、たとえば「痰一斗糸瓜の水も間にあはず」という子規の痛切な絶筆には、特異な唯物（あるいは唯仏？）論者の面目が躍如としている。痰を除去する糸瓜の水を希求する思いにも増してすさまじいのはまるで炭俵や米俵のように痰が測量された姿（農事暦に頻出するのもこうした計量語である）で情河を馳せ下る筏にのせられているという一点だ。この一句に詠嘆のかなは付いていないが、水面下にありありとそれを視ることができる。

「大字哀野」

この一節は、文字どおり物狂いになって「物」を「測量」する態度を正岡子規の精神の核に見出す点で、中野重治が打ち出した子規像に通じている。ここでわたしが思い出しているのは中野が『斎藤茂吉ノート』「ノート九 短歌写生の説」で述べた、次のような指摘である。すなわち――西洋がもたらした「近代の科学」に対面した明治の日本人は、「事を物において、物をその長さ、幅、奥行き、面積、体積、重量において測ることを学び、それによつて、すべて事と物とをそのものに即して見かつ測る精神」を体得する必要に迫られた、それを言語芸術の領野で「写生」という方法意識によって尖鋭的に実践した者こそ正岡子規であった、と。

中野重治は小林秀雄と並んで、室井氏が敬意を抱き続けた数少ない日本の文芸批評家だったが、その関係には終始批判的な距離感が付きまとっていた。今かりにその微妙な距離の内実を、子規における「視覚的なもの」を見据える中野の想像力（視覚的想像力？）と、子規の「物」狂いの底に響く「詠嘆のかな」に耳を傾ける氏の「聴覚的想像力」の差異、と言いとめてみたい。よく読めば明らかなように、本書は〝革命〟に取り憑かれた言葉で記されている。そうして右の引用文は、子規と「物」の関係に〝革命〟的モメントを見出そうとした中野への批判的応答として読むことができる。「物」を「測量」する子規の「心」――その水面下に沈んだ不可視の部分をも推し測り、「物」に寄せた彼の深い哀しみ（愛しみ）をも聴き収めえたとき、そのときはじめてわれわれの「文」は〝革命〟への通交路たりうるのではないか、と。

なじみの英単語 body は、肉体だけでなく、物体・死体・恋人・天体という意味まで畳み込まれた重層的な言葉だそうだ。そこに無理やり〈野〉も含めた上で、さいごにわたしは「糸瓜の花は子規の body に咲いた」という衝撃的な一文を〝革命〟=よみがえりの呪文として受け取り直す。――忘れられ歪められた「物」たちの詠嘆の声がエコーする〈野〉。糸瓜の花は今もそこで風に吹かれている。

3　対抗する批評へ

差別への問い（I）　在日の「私」／秋山駿の〈私〉

［2021. 2］

一九六八年、ひとりの男が静岡県の歓楽街で暴力団員二名をライフル銃で殺害した後、寸又峡温泉に逃走し、旅館に人質を取って立てこもった。彼はマスコミをつうじて〝在日〟という境遇ゆえに自分が受けてきたいわれなき差別を痛烈に告発した。いわゆる金嬉老事件である。国内外に大きな衝撃を与えたその告発をもっとも切実に受け止めた、受け止めざるをえなかったのが彼と同じ〝在日〟の人々であったことは想像に難くない。たとえば作家の金達寿は報道を受けてすぐに他の日本人知識人とともに寸又峡に向かい、会見した上で「特別弁護人」として裁判で意見を述べたし、また詩人の金時鐘も同様に法廷に立ち、事件について様々なことを書いた。

彼ら以外にも、金嬉老の起こした事件に共感し、彼との連帯を願った在日朝鮮人がたくさんいただろう。ただ、そこには不安や戸惑い、怒りや恐怖が複雑に畳み込まれていて、心の表面はひそかに粟立ち震えてもいたはずだ。おののかずにはいられなかったはずだ。彼らにとってそれは自分自身の奇怪な心の動きを直視しなければならない、なにか厭な経験でもあっただろう。ある者はあらためて日本を、日本人を憎んだのではないか。またある者は、契機となった人間を、金嬉老をかえって憎んだのではないか——。そんなふうに想像してみる。頭で想像してみるだけだ。現在に至るまで一度も差別される者としての自分を経験しないわたしには、生理で彼らの心を摑んで理解することはできない。

差別をめぐる問いかけ、殺人や立てこもりといった極端な出来事をとおして発せられた金嬉老の問いかけ。どうすれば日本人であるわたしはそれを自分のナショナリティ＝アイデンティティの問題として正しく引き受け、正しく向き合い、正しく答えることができるのだろうか。そもそもいかなる正しさが日本人であるわたしに、かつて掛け値なしの差別者、抑圧者であった、おそらく現在も無自覚にそうであるわたしに可能なのだろうか。日本人というナショナリティ＝アイデンティティにとって正しさとはいったいなんなのか。そうしてそこから切り返して他者のナショナリティ＝アイデンティティにやはり正しく応接することがわたしにできるのだろうか。

過分な、困難な問いだ。ねちねちと一歩ずつ進むほかない。

*

金嬉老の差別をめぐる問いを引き受け損なった——あえて引き受け損なうことで特異なかたちで引き受けようとした批評家秋山駿の言葉を追うことからはじめたい。秋山は事件からほどなくして発表されたエッセイのなかで、十年前に発生した小松川女高生殺人事件の犯人である「少年」（李珍宇）を引き合いに出して金嬉老を厳しく裁断している。「金嬉老は、自分を訴える根拠を装うために、在日朝鮮人という言葉を使った」と。金の告発の構えそのものを根本から拒絶するこの不穏な断言によって、秋山は問題をより深い場所へとずらし、他者と対峙する根源的な地平を押し開こうとしている。段落ごと書き写そう。

自分を訴えるこれらの行為は、私にほんのすこし、小松川女高生殺しの少年を思い出させた。金嬉老は、自分を訴える根拠を装うために、在日朝鮮人という言葉を使った。少年は、ずっと知的に高度な者でありながら、自分の行為を装うために、理由のない犯行という言葉くらいしか見出さなかった。理由のない犯行という言葉は、一般の心理や法廷の心証を害したが、在日朝鮮人という言葉は、高名な文化人を呼んで、あなたの声は民族の心にとどいたと言わせ、彼の状態を擁護しようとの運動さえ招くのである。私は、進歩とはこんなところにあるのだと思う。私は、この少年を、可哀そうにと思う。少年は、自分の立場を正当に人間的にし、他人の耳に理解されるための言葉をもってはいなかった。彼は自分だけの声しかもっていなかった。むりもない。彼はただ裸の自分だけを抱いて立っていたのだから。

（「金嬉老の犯罪」）

しばらく先の箇所で批評家自身書いているように、事件当時十八歳の「少年」だった小松川事件の犯人の存在は、「内部の人間」という秋山批評のもっとも重要なキータームの根拠のひとつとなった。ひとは「少年」と呼ばれる時期、「自己が自己と向き合う」奇怪な経験を通過しなければならない。自己の存立が賭けられた抽象的で一見不毛な、それでいて危険な内面のドラマ、そこにおいて「少年」は生存の究極の意味を――根源的な〈私〉なるものを見出し、摑むのだ。だからもしも、それを何者かが奪うと見えるとき彼は「最後の一滴まで力を尽して闘うだろう」。他の人間を殺しもするだろう。小松川事件の「少年」（秋山はけして李珍宇という名前で彼を呼ばなかった）が自らの行為について「理由のない犯行という言葉くらいしか見出さなかった」ことは、犯行が「自己が自己と向き合うその深処から出発している」事実を証明している。そう思えばこそ秋山は、在日朝鮮人・李珍宇の凶行にかんして、自分は〝在日〟という条件がそのまま「現実の壁」であるとは「考えない」とまで言い切るのである。人間は「内部の人間」であるときに、〈私〉なるものの内的な探求のただ中にあるときに、本来的な意味で生きているといえる。だがその〈私〉は社会にたいしてまったくの無意味である。〈私〉の生は社会的、集団的なものにたいしては、無用のものであるほかない。だから〈私〉にとって〈私〉そのものが「壁」であるほかないのだ。〈私〉は「壁」の中で呼吸している。その外に出ることはできない。「少年」の行為、犯行の全体が、そのような〈私〉の実存にくっきりと貫かれている。秋山は言っている。たしかに「少年」は〝在日〟であったがそれは「行為の本質ではない」と。

ところで井口時男は「少年」たち（もちろん少女も含む）が起こした殺人事件に文芸批評の方法で肉薄した本で以下のように注意している。マイノリティのあらゆる表現行為は必然的に「政治的」かつ「集団的＝民族的」な意味をあらわさざるをえない。「少年」李珍宇の場合もそうだったので、事件の推移はマイノリティがマジョリティにたいするとき、その身体すら「政治的」かつ「集団的」なものであらざるをえないということを赤裸々に示している（ちなみに小松川事件では李珍宇が殺害にさいして被害女性をレイプしたか否かが争点となったが、このことが多くの日本人にとって、また李本人にとって重要だったのは、それが支配民族の被支配民族にたいする凌辱行為——たとえば戦時下の日本軍と「従軍慰安婦」——の記憶にかかわるからだと、井口は指摘している）。見たように秋山駿は、奇怪な〈私〉を貫徹しえなかったがゆえに、社会的反響の大きかった金嬉老の犯罪は小松川事件の持つ意義に到底及ぶものではないと断じていた。井口は右の注意を踏まえつつも、秋山の態度についてこう述べている。「しかし、秋山駿は李珍宇が在日朝鮮人だったという事実を無視したのではない。それは論理の抽象度の問題なのだ。「私」というものを問い詰めるときの抽象度には、在日朝鮮人であったり肺病病みであったりすることすら偶有的な条件として見えてくる水準がある」（『少年殺人者考』）。

この国では長い間、マジョリティの加害性を指弾する声に、またマイノリティに同情しその辛さを理解しようとする善意の声に、悪意ある暴力的な声が――反歴史的で反動的な声が――被害者や被害者に寄り添おうとする者たちの裡に潜む加害性を暴こうとする類の声が、表裏するようにいつもつきまとってきた。このことは、マイノリティの身体が「集団的＝民族的」なものであるほかない以上、それにたいするマジョリティの身体も「集団的＝民族的」なものとしてあらわれざるをえないということ、したがって互いに交わすどんなささいな言葉も身振りも「政治的」な種子を内包していること、一口に言えば両者の関係があらゆる次元で〝歴史〟で骨絡みになっている事実にそもそも根差しているはずだ（一応言い添えておくが、日本と朝鮮の関係では朝鮮民族および国家にたいして侵略・支配を行った日本に責任があり、日本が具体的にその責任を取らなければならないのは当然のこととして、である）。

ここで大事なのは、秋山の態度が自分のことは棚に上げて超越的な立場から二項対立を止揚する知的操作とは無縁であることだ。〝在日〟である金嬉老への単純な同情の言葉でもなく、かといって素朴な反動的言辞（「あれはもともと素行の良くない男で、犯罪の隠れ蓑に自分の出自を利用しただけだ」等々）とも異なる言葉。そんな言葉で彼の罪を見据え、倫理的に批判すること。批判の力で加害と被害の不毛な循環を引き裂き、そこから〝歴史〟を救い出そうとすること。あるいは新しく〝歴史〟を創始すること。秋山の「抽象」に手を当てれば、そのような不遜な意志が直下に熱く脈打っていることがわかるはずだ。そのために秋山が金嬉老に求めたのが、まずは一度、〈私〉という極端に微小な存在にまで自己を切り詰めよ、徹底的に自己を引き下げ、堕落を甘受せよ、一個の砂粒のごとき〈私〉の無意味さをおまえの生存の一切の基準とせよ、ということだった。むろん批評家自身、書くこと＝生きることにおいてそれを実践した。そしてこの要求の絶頂で、あくまで作品の上ではあるが、日本人と在日朝鮮人が稀有な出会いを果たしているとわたしには思える。そのような感触への驚きをわたしは隠そうとは思わない。金嬉老の場合もそうだが、「少年」李珍宇をめぐる文章を読んだときの驚きは特別深かった。「殺人考」一篇でも読んでくれればわかってもらえるはずだ。

どう足掻いても人間は加害と被害の連鎖から自由になれない。それは言い換えれば、〝歴史〟とは非対称性の暴力の連続——巨大なものから見えづらい小さなものまで——にほかならないということだ。暴力は過去から現在を貫いて走り、宿命のようにこのわたしと、わたしと共に在るだれかの上になだれかかり、わたしたちを捕らえる。捕らえている。このことをわたしはわたし自身の卑小な経験から身に沁みて知っているつもりだ。だがそれにもかかわらず、いや、それだからこそ、切実に思うのだ。この〝歴史〟に内在しながらそこからわずかに身体をずらすことで、暴力を批判し切断しうる単独者の位置を切り拓くこと、〈私〉にそれができるのではないか、と。こんなふうに言うと文学的な夢想にすぎないと映るだろう。だがそう信じたくなるほど、「少年」を語る秋山の言葉ひとつひとつに、肌を合わせる獣たちみたいにぬくく濃密な希望が息づいているのだ。

＊

わたしは〝歴史〟を救い出し、創る、というようなことを口走ったが、しかし〈私〉にそれができるかのように思いなすことは間違いだろう。〝歴史〟を新しくはじめることはもちろん、終わらせることもできない。むしろそのことを徹底的に観念し甘受しながら、加害‐被害の磁場から身をもぎ離そうとして何度も失敗すること。それでも、暴力を不可欠のエネルギーとして生きる集団的なものに絡め取られずに、問題にあくまでも個として対しつづけること。行きつ戻りつをいやがらず、失敗につきまとう失語と沈黙をおそれないこと。失語と沈黙を尊重し、かえってそれに意義深い価値を見出そうとすること。秋山の言葉の表面を踏み越えてでもそのような〈私〉のすがたを想像＝創造しなければならない危険な淵に、今わたしたちは立っているはずだ。

じっさい、作家李恢成と秋山の対話は失語と沈黙に満ちている。

一九七一年の対談で秋山は在日朝鮮人である李に、序盤から一貫して、執拗に、金嬉老と李珍宇の犯罪について〝在日〟としてではなく〈私〉を基準として思考してもらいたいと、そしてその思考を自分に――日本人としての自分にではなく一個の〈私〉である自分にぶつけ返してほしい、と食い下がっている。断るまでもなくそれは、ヒューマニスティックな一致点を立てることで彼此の差異を越えられると思いなす甘く易しい身ぶりではない。そうではなく秋山は、在日朝鮮人と日本人の差異すら「偶有的な条件として見えてくる」抽象的で普遍的な絶対的差異を――越境不可能な亀裂を〈私〉と〈私〉のあいだに走らせようとしているのだ。李はそのような秋山の意思に理解を示しながらも、要所でそれを明確に拒絶し、

〝在日〟という立場の意味を探ろうとしている。そのために両者の対話は至るところですれ違い、骨折しているように見える。

たとえば李が言う——自分は二人の犯罪について彼らが良いことをしたとは考えない。彼らは英雄ではない。「だから、たとえば金嬉老がはっきりとそのことについて、自分は日本人に対してあやまちを犯した、同時に朝鮮人に対してもあやまちを犯した、ということを絶えず一貫してつらぬいてもらいたいと思っているんです」。その上で金嬉老は差別のない正当な裁判によって裁きを受け、反省すべきだ。それがわたしたち「同胞」の思いなのだ、と。それに秋山が応じる——「そう言われると、ひとつ言わなくちゃならないですよ。裁きは自分ですべきだ、というのがあるんですけれど」と。秋山がここで言わんとする内容を正しく言い直せば、裁きは〈私〉ですべきだ、となるだろう。秋山が金嬉老を突き放したのは、金が自身の行為を〝在日〟という言葉で装い、差別こそが事件の本質であると世間に訴えた（と秋山には見えた）からだった。しかし殺人は〈私〉の行為であったはずだ。だからこそそれを〈私〉以外が裁いてよいはずがなく、裁けるはずがないのだ、と。

だが、〈私〉が〈私〉を裁くとはどういうことなのか。《〈私〉は殺しうる、ゆえに〈私〉は殺してよい、〈私〉は自由なのだから》という命題から《〈私〉は殺しえない、ゆえに〈私〉は殺してはならない、〈私〉は自由であるにもかかわらず》という禁止＝倫理を析出することだ。〈私〉との対峙、徹底的な〈私〉の寸断をくぐり抜けることで、〈私〉にはすべてが許されるという自明の理を正反対のものに変容させることだ。それが〈私〉による〈私〉の裁きということなのだ。そのような禁止＝倫理をこの現実において受肉する困難な過程、それだけが反省の名に値するのだ。それに比べれば国家や民族の名のもとでの反省はあまりに容易であり空疎である。秋山はそのような裁き、反省の可能性に賭けて、李珍宇と金嬉老について思考し、書いている。彼らを裁くためにではない。自分自身を、〈私〉自身を裁くためだ。そしてこの「書くということ」の絶頂で、彼らが——〈私〉たちが、在日朝鮮人‐日本人という枠組みを超えてたしかに出会っていると、わたしには思えるのだ。

「(…)ぼくは李珍宇の場所にいても殺さないです。(…)李珍宇がやったとき、ぼくは実際のあの少年より年上だから、未熟な青二才の少年がやったと思ったです。ぼくは、そういう「私」というのを隠します。もっと徹底して隠します。隠す人間には、その次には書くということ、つまり自分を捨てるということがある。あの少年は自分を捨てはしなかったわけでしょう。何かしら「私」というものに混乱させられたり、追われたりしてやった行為があれだと思うんだけど、ぼくは自分の手のなかで、自分とか「私」というものを、握りつぶそうと思えばつぶせるんだと思うんです」。対談で批評家はこう述べた。〈私〉さえ、裁きの最後の場面では「捨て」られ「握りつぶ」されねばならないのだ。じっさい秋山は先に題名だけ挙げた「殺人考」という「ノート」において、異様な密度の文章で「書くということ、つまり自分を捨てるということ」を遂行している。彼は「少年」李珍宇に壮絶に対峙している。ひとりの〈私〉がおのれを放棄し無きものにするためには、べつのもうひとりの〈私〉の前に立ち、その他なる〈私〉に自己を擦りつけねばならないのだ、とでもいうように。ふたつの〈私〉の烈しい衝突が発する軋み、そこに他者を殺害する行為を最後的に禁じる倫理の声を聴き取らねばならないのだ、とでもいうように。

秋山のテクストにこもるそのような不思議な共存の感触にかつて撃たれた事実を、わたしは少し前に記しておいた。ここまで追ってきたその思考と『〈在日〉という根拠』における竹田青嗣の思考は、差別を考えるのに国家や民族という公的な因子を決定的なものとはせず、それを私的な、より深い内的な場所に求めている点で一見通じているように思える。が、じつは両者は全然違っている。竹田は国家や民族といった「原理」ではなく差別される個人の「不遇性」の意識に焦点を当て、「〈世界〉の眼差に対立しうる根拠」としての「〈内面〉的自意識」の存在を強調している。だがそこにあるのは国家や民族のほんとうの意味での乗り越えではなく、理論的な手つきによる曖昧化、回避ではないのか。ある面では同じことが秋山にも当てはまるかもしれない。ただ繰り返すが、そうだとしても、しかしそれは「書くということ」においで他なる〈私〉と対峙することでおのれの加害性をねじり切ろうとする、尋常ならざる意思ゆえのことなのだ。そのような意思が竹田のテクストには欠けている。そこに他者との出会いはない。それゆえ竹田と比較して、秋山の「書くということ」のほうが質的に高いとわたしは考える。自身〝在日〟である竹田が国家や民族をあえて括弧に入れたことには彼個人として切実な理由があり、またそこに日本人が真摯に向き合うべき問題が孕まれているとしても、である。

＊

わたしは立ちどまり、金時鐘の苛烈な、あまりに苛烈な言葉に耳を澄ませる。

（…）もっと早く、善意な日本人の溢れるばかりの手ばなしの理解にほだされてきた自己の受難を、拒否すべきであった。「訴える」側にしか立てなかった自己から、もっと早く、暴かれる者への変容を自分そのもののうちに課すべきであった。

すでに告発者として、ぐんぐん日本、朝鮮の意識のどまん中へ踏み込んで行っている。そうだお互いに踏みこまれる荒々しい干渉こそ、連帯だ。訴える側と理解してやる側との成り立ち自体が差別ではないか！

この戦後世代の「朝鮮人」という呼びかいの前に、てらいなくさらせる在日朝鮮人の「私」をこそ出すべきだ。

（『「在日」のはざまで』）

この〝在日〟詩人は様々なところで書いている——自分は日本の支配から解放された後も、抑圧者の言語である日本語を放棄せず、それを用いて詩を書きつづけている。日本語に内在しながらも日本的な抒情を切り裂き、日本語を拡張することが、日本にたいする自分の報復であるからだ、と。李恢成もまた対話のなかでこう語っていた。「母国語があるのに、なぜあえて、かつて奪われたわが国の言葉を使わずに、日本語を使うのか、そういう面でその意味に耐えうる言語を見つけ出したい」。いずれ統一されるべき、いつの日か還るべき祖国〝朝鮮〟を持っておればこそ彼は〝在日〟である。だが、たぶんそれだけでは十分ではないのだ。強制されたものを逆手に取って〝日本〟を暴き、晒し、裁くこと。そうすることで、同時に、朝鮮で生まれながら母国語のイロハもろくに書けない皇国少年であった自分をも暴き、晒し、裁くこと。それができる自分に徐々に「変容」すること。その長く困難な道行きの先で「てらいなくさらせる在日朝鮮人の「私」」をしかと見据え、摑むこと。そのような「私」を「お互いに踏みこまれる荒々しい干渉」としての「連帯」の基礎とし、加害と被害の連鎖を断ち切ろうとすること。これが、金時鐘が〝在日〟である自分に課したミッションだった。

同一性、不変性（そんなものはありえないはずなのに）に安らぐ日本人の自己意識を内側から破砕し、日本人のアイデンティティの底を踏み破って不気味な〈私〉を露呈させようとする秋山の実践――そこでの〈私〉と〈私〉の対峙の可能性をわたしは最大限評価し、それをさらに押し進めるつもりでここまで秋山の言葉を読んできた。それは日本文学史上稀有なものであるとさえわたしは言いたい。

けれども金のミッション＝「私」の前で秋山のミッション＝〈私〉は沈黙せざるをえないだろう。そのような思いにわたしは包まれる。理由を説明することはむずかしい。自己を暴くこと、「変容」が、困難であることに違いはないはずだ。そしてどちらにとってもそれは人間的に良いことであるはずだ。ただ、ぼんやりした言い方しかできないが、「変容」の質が、やはり両者で異なるのだろうと思う。微妙な違いが降りつもって、結果として秋山の〈私〉は金の「私」に、日本人の〈私〉は在日朝鮮人の「私」にけして匹敵しえないのではないか。そのことが二人を、失語させ、沈黙させるだろう。だが二人はこの失語、この沈黙のただ中でかつてなかったほど〝歴史〟を間近に感じるだろう。それはそのままのすがたで、暴力の果てしない循環の〝歴史〟、おびただしい被害者たちの辛い嘆きで埋め尽くされた〝歴史〟としてそこにあるだろう。これまでにない強さで二人はそれを受け取り直すだろう。このとき〝歴史〟は、互いの手を重ねて触れることができるものとして彼らのすぐそばにあるのではないだろうか。

すれ違いと拒否にみちた李と秋山の対話、そこに生まれた失語・沈黙が、鈍い予感のようにこうしたことをわたしに想像させる。対話の余白に、本源的な暴きあい、「荒々しい干渉」による理解と承認の可能性がかすかに明滅している。

＊

右のことを、わたしはけして無責任な心構えで書かなかった。ただ読み返してみて小さなおそれ、不安を感じた。紙幅が尽きかけているので走り書き的、覚え書き的にそのことを記しておく。

敗戦後の瓦礫の上をなんの目的もなくただひたすら歩行した経験から、秋山駿は――「私は自分を戦争から抛り出された小さな野蛮人のように感じていた。いや、本当は戦争というのは正しくはない。確信とか根底とか生活の基礎とかが、一挙に根こそぎに覆った真空のような場所へ抛り出された哀れな未開人のように自分を感じていた」（「小林秀雄の戦後」）という一文に凝縮的に表現されている――これまで自明であったものからいきなり切り離される感覚、全的な崩壊の感覚、「真空」に「無一物の自己」が「露呈」されたという感覚を戦争の核心として摑み、そこから〈私〉の探求という独自のモチーフを打ち出した。その感覚にのみ忠実に自身の「書くということ」を鍛え上げようとしたのである。

とはいえ秋山が真に個性的な批評文を書きはじめたのは、戦後かなりの期間が経過してからだった（初期の代表作である中原中也論「内部の人間」や小松川事件を主題にした「内部の人間の犯罪」（原題「想像する自由」）の発表は一九六三年である）。敗戦による切断の経験が内部で熟し、はっきりした輪郭を取りはじめるのにそれだけの時が必要だったということだろう。その点で秋山は、敗戦を境に民族主義的・愛国主義的・帝国主義的作家から一躍民主主義的作家に転じることのできたモノ書きとはっきりと一線を画している。投げ出された「真空」でこの若い日本人は孤独に、文字どおり赤裸で生きなければならなかった。だからこそ浮薄な作家連が謳歌する民主主義にときに激しく牙をむいた。先に引用した一文のつづきにこうある。「ただ存続しようとするために存続している一塊の物のような人間にとっては、諸君も人間的生存であるなどという言葉は、あまり愉快なものではない。いくら突然に祭りの合図のように、人間の尊厳の根本は自由にある、内心の拒否の自由にあるなどという声を聴いても、それでこの物が人間らしい顔をしてみせてくれるわけでもない」。

しかしここに、不安とおそれの理由がある。

根拠もなにもないわたしの感覚でしかないのだが、これから先、わたしは――わたしたち日本人は、と言ってもいいだろう――秋山と同質の経験を持ちえないのではないだろうか。第二次大戦、アジア太平洋戦争だけがほんものの戦争だと言いたいのではない。たしかにわたし（たち）の時代にも戦前があり、戦中があり、戦後がある。それはあったし今も無数にある。ただ、戦争の経験がわたし（たち）を「真空」に据え置き、根源的に孤独にするようなことはもうないのではないか。これから先戦争はかえって、個人の意思を超えたところでわたしたち日本人を今よりもさらにずぶずぶに癒着させ、悪い意味の共同性、集団性をますます強めるベクトルに作用するのではないか。戦争は崩壊の意識を、鋭く切り立った個の意識を二度と呼び起こさないのではないか。秋山とわたし（たち）のあいだにはそのような架け橋不可能な深い断絶が存在するのではないか。だとすればわたしは、敗戦における絶対的な切断、そこに現出した「真空」を起点に打ち出された秋山の思考のみに拠って差別を問うべきではなかったのではないか。

一方の極に秋山を置いて、もう一方の極に、戦後の時空間＝「真空」が隠蔽している戦前戦中からの「連続」をひたすら凝視し、その線上で民族の問題にかかわる徹底的な自己批判を遂行した中野重治のような作家を置くべきではないだろうか。そうして両極を視界に収めながら徐々に自らの位置を――わたしたちが正しく差別を思考するための場所を生み出さなければならないのではないか。稿を改めて考えたい。

差別への問い（Ⅱ）　中野重治試論

［2023. 1］

1　戦後

すでに多くの指摘があるが江藤淳の長篇評論『昭和の文人』には中野重治を自らの奉じる天皇主義国家観に少しでも引き寄せようとする無理な誤読、牽強付会がいたるところに散らばっている。中野の初期詩篇「雨の降る品川駅」を論じた箇所はとりわけいやらしい。

江藤は「「日本プロレタリアート」のイデオロギー」にいささかも共感していないものの大学の講義で詩篇を朗読した折〈さようなら　辛／さようなら　金／さようなら　李／さようなら　女の李〉という詩行にこもる「ラディカルな旋律」に「戦慄」を呼び起こされ、声が詰まって読み続けられなくなったのだという。「日本帝国臣民」であることを強制されその上「父母の国」へ逐われる朝鮮人とわれわれ日本人「とのあいだに介在する、超えることのできぬ距離」、「さほどのイデオロギー的抵抗を感じずに済むような、適切な距離の基軸」に「感動」してみせておいて、最終節〈日本プロレタリアートの後だて前だて／さようなら／報復の歓喜に泣きわらう日まで〉を掲げてつぎのように批判するのだ。

「これは奇怪ではないか、いや、中野重治らしくもない不正確さというべきではないか。なぜなら、この「日本プロレタリアートの後だて前だて」という一行は、詩人がそれまでに（…）次々と発見して来た清潔な距離の感覚を、たちまちのうちに崩壊させてしまう一行だからである」——「これは、まことに巧妙きわまる言葉のトリックといわざるを得ない。ここには、「辛」や「金」や「李」や、「女の李」に対して、「日本プロレタリアートの後だて前だて」と呼び掛けることにより、彼らがあたかも同胞であるかのような印象をつくり出し、そのことによって逆に自己の立脚点を、一挙に朝鮮人と同一化させてしまおうとする意図が秘められている。同一化を求めるこの欲求の激しさは、それにもかかわらず彼我のあいだに横たわる距離の遠さを直感しつつある詩人の認識と、正確に比例しているといわなければならない」——「詩人はなぜか、この自己を激しく、あまりにも激しく嫌悪する。嫌悪するからこそ、「日本天皇」への「報復」を、同様に激しく夢想する。だが、詩人は、果たして何の故を以て、「日本天皇」に「報復」したらよいのだろうか？　ほかならぬ「日本天皇」の正当な臣民として生れたという、その平明な出自の故にだろうか？　したがって、詩人は、「報復の歓喜」を夢想することが、正当であるような何者かに、変身したいと切望する」。

しかし、いったいこの詩のどこをどう押さえればこんな音が鳴るか。

むろん「詩人」は日本人であって朝鮮人ではない。「御大典」（一九二八年の昭和天皇の即位式。当初詩篇には「御大典記念に　李北満、金浩永におくる」という副題があったが後に削除された）を目前に控えて日本国家によって強制的に品川駅から汽車に乗せられたのは「詩人」ではなく〈君ら〉であった。彼我のその「距離」は「清潔」でも不潔でもない、わざわざ「感動」するまでもないたんなる事実である。同様に、江藤がイデオロギー性を脱色して手前勝手な「清潔な距離の感覚」を読み込んでいる〈さようなら〉――そこに共産主義者である中野の、連帯してきた〈君ら〉といつか再会し革命を成就したいという願いが託されていることも明白で単純な事実である。これらを閑却しておいて「日本プロレタリアートの後だて前だて」にわざとらしく引っかかって「これは奇怪ではないか」と不気味がり、「自己嫌悪」と「変身」願望を中野におっかぶせて、ようやく「ほかならぬ「日本天皇」の正当な臣民として生れたという、その平明な出自」を持ちだす。いやらしいとはこのことである。純粋日本人という非イデオロギー的に「平明」な「出自」への「自己嫌悪」、「変身」願望ゆえの「距離」の感覚の喪失、他者への「同一化」。こうしたことのために「雨の降る品川駅」のメロディーが毀損されてしまったという〝文学的〟に感傷的な筋立て。嘆息と慟哭の演技によって非イデオロギー的ポジションを偽装するこの「奇怪」な批判はそれ自体あまりに凡庸で悪質なイデオロギーでしかない。

右のような数多の不審にもかかわらず本稿が『昭和の文人』に言及することからはじめるのは、江藤と中野には（江藤から見て）或る切実な交錯点があったからである。彼にはどうしても中野を自分に近寄せたい理由があった。たんに中野が左翼の代表的存在だったから貶めようとしたのではなかった。

交錯の痕跡は長篇小説『甲乙丙丁』を論じるくだりに刻まれている。江藤はおおよそつぎのように自らの状況と中野の状況を交叉させている。中野は一九五八年から日本共産党の中央委員を務めていたが、一九六四年には党幹部会との対立が表面化し、同年十一月に除名処分を受けている。『甲乙丙丁』は「まさしくその直後から書きはじめられている」。その頃江藤はアメリカでの留学生活を終えて帰国していたものの、雑誌連載中はそれを読まなかった。わずか二年間留守にしていただけで「東京の変貌ぶりは甚だしく、とまどうことのみ多すぎた」。『昭和の文人』にそう書かれているわけではないが、外見上は順調だったように見えるこの時期彼は精神上の危機に陥っていた。帰国から三年後の連載エッセイ「日本と私」でそのことを書こうとしたものの失敗した。そうして『昭和の文人』連載にあたって『甲乙丙丁』を遅れて通読し、衝撃を受けた。

「この小説こそは、オリンピック前後から東京に拡がりはじめたあの不思議に空疎な時空間を把え得た、きわめて特異で独創的な作品であった。そこには、いわば徒手空拳でこの白茶けた時空間と向い合っている作者の、悲痛な呻き声が刻み込まれていた」。オリンピックの旗印のもと押し進められる破壊の連続で風景が「まっ白く変ってきてしまった」という「描写」、それすら本作においては「僅かな例外」である。このことは、外界の「描写」がほとんど不可能であるという事実を逆説的に示している。戦後日本の「言語空間」において言葉は「外界の正確な映像を形成し得」ず、そのために「小説の時空間を形成する力」を「喪失」している。『甲乙丙丁』の真の問題意識はこの点にあったはずである、云々。つまり、何重にも複雑に骨折した不透明な表現によって中野は「描写」の不可能性をこそ「描写」し、告発していたのではないか、ということ。

自身の「とまど」いからじかに『甲乙丙丁』の「描写」を手繰り寄せた江藤の直観は示唆に富むものであり、迫真性がこもっている。自分が非理な破壊に「とまど」っていたまさにそのとき中野も同じように「とまど」いつつも透徹した認識によって現実に拮抗していた。数年遅れでそのことを知った江藤の畏怖が文章から伝わってくる。ただ残念なことに、批評家はそれを自らの「検閲」研究の文脈になんの躊躇いもなく接続してしまう。

江藤の理解では「検閲」という「制度」こそが「言語空間」のアルファでありオメガである。「検閲」は占領軍によってこの国に持ち込まれ、占領終了後も国内の政治体制に内面化され、維持された。一九五五年のいわゆる六全協で日本共産党の内部分裂が終わり、左右両派の社会党が統一され、保守合同によって自民党が誕生した。「今日にいたるまで、実に三十余年の長きにわたって持続している〝戦後〟の制度化された言語空間――保守・革新の双方が、対立しつつ協力し合って維持して来た言語空間が形成されたのは、まさにこの時期であったということができる」。中野が『甲乙丙丁』を「その傷口から血を滴らせながら」「「非道」で破壊的な力を受けて、粉々になった言葉によって」書きはじめたのは、彼が「制度」から放逐された＝共産党を除名された直後であった……。つまり、事実ありのままを率直な言葉で言い表すことを禁じ、しかもその禁止を禁止として意識させない巧妙で徹底的な「検閲」と微妙な距離があったがゆえに、中野は戦後日本の異様な「言語空間」に抵抗しえた。江藤はそう言いたいのである。

一方で占領軍による検閲があったことは事実であり、もう一方で江藤の主張の根拠である「ＷＧＩＰ」（ウォー・ギルト・インフォメーション・プログラム＝戦争についての罪悪感を日本人の心に植えつけるための宣伝計画）にかんする江藤の理解に様々な疑問があるのも事実である。

とはいえ、「とまど」いを共有する両者のあいだには、事実関係をめぐるディベートの手前で強調しておくべき根本的な差異が存在する。重要なのはそのことである。それは、江藤が自らの混乱を断層としての〝戦後〟と結んで説明したのにたいして、中野があくまでも、「描写」の混乱のなかで戦前から戦後を連続的に貫通するものを見究めようとしていたことである。戦後の「時空間」をそれ以前の「時空間」とは異質な、歴史的に非連続な真空として表象し、そこに中野重治を引き込むこと。それが『昭和の文人』の目論見であったとすれば、中野とともにあくまでも「連続する問題」として「描写」の問題を考え抜くことこそが江藤への有効な批判になるのではないか。そこにおいてわたしは江藤の天皇主義的国家観をわたし自身の問題として批判的に洞察することが出来るのではないだろうか。

2 戦中

アウトラインを書き出しておきたい。

「微小なるものへの関心が必要である」。

論争的エッセイ「詩に関する断片」（一九二六）のこの有名な断言に、同時期のプロレタリア絵画批判の言葉——「（…）描きだされたわれわれの労働者はいつも「型のごとくに」どなつている。中ぞらには赤い星がかかつている。そしてそれだけだ」、「われわれの絵画は工場のなかへはいりこまなくてはならない。われわれの絵画は労働者をその日常の姿において、その特定の姿において真実に客観的に写しとらなくてはならない」（「絵について」）を結べば、初期中野において「描写」が、型どおりのスローガン的表現を切り裂いて現実の労働者たちの生の具体的細部を見通しそれを革命のエキスとして煮詰める、そのような視法、書法を喚呼するものであったとわかる。そもそも近代文学の発展において被抑圧階級の主題化と生活の細部の発見は不可分だったのだが、プロレタリア芸術運動の指導的地位にあった中野の狙いは啓蒙の道具としての「描写」にとどまらなかった。「絵について」は、画家が直接工場に赴けばそれで芸術が労働者のなかに「文字どおりにはいりこむこと」になるわけではないと注意を促している。ほんとうにそうするにはたとえば「石版術をわがものにする」といった「具体的方策」を講じる必要があるのだ、と。高度な物質性と実践性をあわせ持つ、革命の総合理論としての「描写」。それが中野の究極的な狙いだった。ただ、現実には個性的なイメージの水準にとどまり、徹底的に論理化されることもなければ、創作のセオリーとして血肉化されることもなかったと言わざるをえない。それはなぜだったか。

国内政治体制のファシズム化、運動にたいする取り締まりの激化、怒濤のような転向現象のうねり。そこからの影響をもろに受けて「描写」の磁場を形成する両極――一方の極であった言葉の真理性を担保する審級としての「党」と、もう一方の極であった「からつぽの胃の腑と霞んだ眼とでただひとり人間の魂を護りつづけているもの」、「「いい世のなか」を沈痛と快活とのすべての色あやをもつて現実にたぐり寄せているところのもの」(「いわゆる藝術の大衆化論の誤りについて」一九二八)としての「大衆」が、同時に崩壊したこと。侵略戦争と並行して進行したそのような事態のなかで中野は無力感と徒労感に侵されていたはずだ。もちろんそこに彼自身の「転向」という出来事も深くかかわっていた。[1]

たとえば一九四〇年に発表された短篇「街あるき」の冒頭では主人公安吉の状態について「このごろは何としてもぼんやりつかみどころなく暮していると思わねばならなかつた」と説明されている。『歌のわかれ』に引き続いて学生時代の体験をモデルにしているこの作品には、作家の現在が色濃く反映していた。また、たとえば「小説の書けぬ小説家」という作品タイトルが示しているように、「描写」の挫折をアイロニカルに逆手にとって小説を書き継ぐ方途を模索する様子がこの時期の作品には見受けられる。一つの動かぬ事実として、監視と検閲の網の目の中で身の安全を確保しながら執筆を続けるにはそれしか方法がなかったということがあった。「ただ三九年夏になつて、「空想家とシナリオ」に取りかかつて逃げ道が見つかつたかナとも私は思つた」（全集第二巻「著者うしろ書　曖昧なところのある一つの変化」）——この、およそ四十年後から当時を回顧する言葉には、挫折と後退の日々を苦々しく思い出しながら同時に微妙に糊塗するような、「逃げ道」にたいする分裂した心境が滲んでいる。

そうして「逃げ道」の線は敗戦という出来事をまたいで『甲乙丙丁』における「描写」の内部にまで走っている。そこに「描写」の失調・不可能性を嗅ぎ当てた江藤の直覚は鋭い。それを「言語空間」の病的状態の反映と捉え、戦後に決定的な断層が存在することの証拠であると言い立てる論の運びは一見ラディカルである。しかし中野が戦中から「とまど」いの内部でずっと暗中模索しつづけた事実と比較するとき、江藤が示した言論空間からの追放と抵抗という物語はしょせん通俗的で生ぬるい。

革命運動の失速にともなって中野は「描写」からの撤退を余儀なくされた。それはそうなのだが、ここで終わりではない。大切なのは以下のことである。アイロニーからニヒリズムへ堕ちそうな瀬戸際でぎりぎりのユーモアに——無力な「空想」でしかないとしても「空想家とシナリオ」の善六の前に突如あらわれた「空地」のような場所がどこかにあることを信じて踏みとどまったからこそ、後退・撤退の線にわずかなほつれが生じ、「逃げ道」とは別種の抵抗の線が分岐したということ。その線は作家が生きた戦争の時と同質の虚無と冷笑に塗れているわたしたちの足元にも伸びて届いているということ。

＊

「転向」という出来事を作家がどのように受け止めていたのか。ひとまず「村の家」の入口に膾炙したくだり、主人公勉次が父親孫蔵の忠言――一旦筆を折って百姓でも土方でやって、書きたいものがでてきたらまたそのとき書けばいい――を押し返す場面を引き写しておく。ちなみに、両者のやり取りは「転向」後福井県高椋村一本田の〝村の家〟に一時的に帰省していた中野が父藤作と交わした会話をかなり忠実に写している。

勉次は決められなかつた。ただ彼は、いま筆を捨てたらほんとうに最後だと思つた。彼はその考えが論理的に説明されうると思つたが、自分で父にたいしてすることはできないと感じた。彼は一方で或る罠のようなものを感じた。彼はそれを感じることを恥じた。（…）しかし罠を罠と感じることを自分に拒むまい。もしこれを破つたらそれこそしまいだ。彼は、自分が気質的に、他人に説明してもわからぬような破廉恥漢なのだろうかという、漠然とした、うつけた淋しさを感じたが、やはり答えた、「よくわかりますが、やはり書いて行きたいと思います。」

繰り返し問題にされてきた右の場面の読解でとくに有名なのが吉本隆明による指摘である。「平凡な庶民たる父親孫蔵は、このとき日本封建制の土壌と化して、現実認識の厳しかるべきことを息子勉次にたしなめる。勉次のこころには、このとき日本封建制の優性遺伝の強靭さと沈痛さにたいする新たな認識がよぎったはずである」、「（…）「村の家」の勉次は、屈服することによって対決すべき真の敵を、たしかに、眼のまえに視ているのである。いいかえれば、日本封建制の優性にたいする屈服を対決すべきその実体をつかみとる契機に転化しているのである」(「転向論」)。だが、勉次＝中野に通常の転向／非転向を超える「転向とはいえぬ転向」を読み込み、宮本顕治や小林多喜二を絶対化する旧来の左翼たちにたいする批判をそこから導き出すのは、吉本の個的なモチーフの切実さを考慮しても性急ではないか。

さらに吉本は孫蔵の言葉と批評家板垣直子の痛烈な皮肉――転向作家は本来小林多喜二のように死ぬべきだったのではないか――を重ね合わせて「板垣の罵倒が、爽快な印象をあたえるのは、「村の家」の父親孫蔵のような平凡な庶民が、だれでもなしうる罵倒にほかならないからであり、それが日本封建制の深部意識からの典型的な批判とつながりうるからである」と述べている。その上で、板垣への応答を含む中野の「「文学者に就て」について」(一九三五)の末尾こそ「村の家」では「論理的に説明」されなかった事柄を「論理的に説明しようとしたものに外ならぬ」と分析する。ここにおいて「罠」の具体的中身＝「日本封建制の錯綜した土壌」が見据えられ、「書いて行」くことによる「対決」が創始されたのだ、と。

吉本より少しだけ短くわたしも「「文学者に就て」について」を引用する。

僕が革命の党を裏切りそれにたいする人民の信頼を裏切つたという事実は未来にわたつて消えないのである。それだから僕は、あるいは僕らは、作家としての新生の道を第一義的生活と制作とより以外のところにはおけないのである。もし僕らが、みずから呼んだ降伏の恥の社会的個人的要因の錯綜を文学的綜合のなかへ肉づけすることで、文学作品として打ちだした自己批判をとおして日本の革命運動の伝統の革命的批判に加われたならば、僕らは、そのときも過去は過去としてあるのではあるが、その消えぬ痣を頰に浮べたまま人間および作家として第一義の道を進めるのである。

「それだから」――。逆説の接続詞〝にもかかわらず〟と紙一重のこの順接の接続詞に全体重をかけて中野の「転向」に踏み込んだところに吉本の論考の独創性がある。とはいえ、勉次の最後のセリフが〝書くこと〟をめぐって発せられた言葉であるというシンプルな事実を吉本は素通りしている。彼は狭義の政治性にこだわるあまり勉次＝中野の「対決」と「描写」の深い関わりを見なかった。

〝書くこと〟と現実のあいだにはギャップがある。言葉と存在は一致しない、重なり合わない。〝言われたこと〟は〝言わんとしたこと〟を裏切ってしまわざるをえない。この物、この私、このあなた……。言表の一瞬手前にある〈この〉には、私的な偶然性と普遍的な真実性が分裂的に雑ざり合った、不思議な確信と信念の感触がこもるが、言葉として言い表された瞬間、書き表された瞬間に、それは失われてしまう。わざわざ口にはしないが誰もがそう感じているにちがいない。とはいえ他方で、言葉と存在は幾分かは対応する、ある程度近似するという信憑がまったくなければコミュニケーションは成立しがたいだろう。言語伝達行為にとっては、存在と言葉の対応関係をめぐって極端な信でも不信でもない、柔軟な、境界的な場が重要なのだ。

しかし――未来における言葉と存在の完璧な一致を先取的に摑む、そのような直観的な想像力が革命には必要であるはずだ。そしてそのような想像力の強さと鋭さが中野の「描写」観の原点にはあったはずだ。だが、だからこそ、「描写」の失調は彼を極端な不信へと、完全な失語へと追い込みかねなかった。「小説の書けぬ小説家」という自己定義がニヒリズムへの陥落をぎりぎり拒否しつつ失語からも身をかわそうとする「逃げ道」であったことはすでに確認した。それは中野と同様失語しかかっていた小林秀雄が〈沈黙によって事変に処した名もなき民衆〉というイメージに依拠してかろうじて言葉を紡いだことと比べて、さらに力弱い非生産的な態度だった。

言葉と存在の一致を可能にする理想的・特権的な主体（党と大衆）が消滅した事実を直視し、その上で一致などそもそもありえぬことだったと率直に認めよ。誰もが一致と不一致が混在する曖昧なゾーンで生きているという素朴な実感に潔く立ち返れ。それがこの先転向作家として正しく生きる道である。板垣の糾問を中野はそのように受け止めたのではないか。

板垣（と孫蔵）の言葉の庶民的「爽快」さ。強い説得力と訴求力。だがそこには、〝常識〟などと言って済ますべきではない、不気味な言語哲学が浸透していないだろうか。それを、非イデオロギー的な素朴さを偽装する悪質なイデオロギーとして洞察し剔抉しえないかぎり、「日本封建制の優性遺伝」という吉本の言い止めは空疎なイメージを出ない。素朴さや率直さや実感を盾にして言葉と存在の一致を不可能事としてあらかじめ切り捨ててしまう言語哲学。そこに潜むニヒリズムとシニシズム。見易い天皇への帰依や日本回帰という現象にとどまらず、そのような言語使用の在り様をこそ「罠」として分析しなければならない。そしてその分析は、普段のなにげないコミュニケーションによって培養される〈悪〉への批判として、自らの足元に折り返されなければならないはずだ。だがひとまず本筋に戻る。

本節冒頭に引用した勉次のセリフの直前にも例の「ぼんやりつかみどころなく」とよく似たトーンで「漠然とした、うつけた淋しさを感じた」という文言が書き込まれている。勉次の態度が吉本論考が予期させるような雄々しいものではなかったということはぜひ押さえておかなければならない。ではその先で「やはり書いて行」くということはいったいなにを意味していたのか。

〈言うこと〉は〈言わんとしたこと〉を裏切らざるをえない。この原理的な背理に無自覚な運動や政治は早晩欺瞞に染まり腐るはずだ。しかしはんたいに、言葉と存在の一致などしょせん妄想や夢想にすぎないと高見から断じる者が依拠している〝素朴な実感〟もまた別種の悪質なイデオロギーかもしれない。このことに注意しなければならないのだ（言葉と存在の乖離と戯れるテクスト論的な態度もその一変種である）。

中野がこの板挟みの状態からどうにか言葉をひり出そうとして直面したものこそ、批評家山城むつみが初期の批評文「書くことと転向」で浮き彫りにした「書くこと（文）の物質性」だった。山城は「日本の文字で書くという条件そのものがもつ、物質的な地盤の緩さ」ゆえに、戦前戦中のインテリゲンチャにとって「「民衆の智慧」へとなだれを打って転向・回帰」することは容易であったと注意した上でこう述べていた。「（…）そうした条件において、書くことの不透明さに固執し、そこから生じる背理を安易に押し流すまいと悪戦している中野重治には、その悪条件を突破する可能性を読めるのではと思っている」。

しつこく繰り返す。言葉と存在は乖離せざるをえない。だからこそ思想や理想は暴力に転化する危険と表裏だが、しかしそのことを知っている、認識しているということはべつになんでもない。むしろ、そうと知った上で言葉と存在を適度に馴れ合わせ、そこにあるはずの裏切りの感触から眼を逸らし、他人の信念をイデオロギーだと断じ、嘲笑（あざわら）いながら生きていく。だがそういうバランス感覚＝「智慧」にこそ最悪の暴力の種子が孕まれている。これが「革命の党を裏切りそれにたいする人民の信頼を裏切つた」作家が降り立った、〝書くこと〟の底に広がっていた光景である。

ならばそこでなお、書けるか書けないか、言葉があるかないか、そんなことにお構いなく発せられてしまう言葉、書かれてしまう言葉があったのだとすれば、それはどのようなものだったか。

山城は「書くこと（文）の物質性」と言った。書かれた瞬間、言葉は存在を裏切る。紙の上の文字たちが現実との絶対的な乖離をわたしに刻み込む。存在との対応関係から剝落した言葉が〝書くこと〟の無根拠を、無底を、わたしに突きつける。言葉と存在、言葉と世界の関係についての幻想を踏み砕いて文字そのものが露呈する。殺戮が完了した戦場に突き刺さった骨。あらゆる生命が絶滅した後の地面に散乱した無言の石。そんなイメージではしかしなにも言ったことにならない。言葉の「物質性」の極限的な突出の瞬間とは、言葉が言葉から解放される瞬間であるだろう。そのときはじめて、言葉が荒唐無稽な暴力としてわたしの奥深くに浸透する。言葉がわたしの暴力として受胎される。暴力そのものとしての言葉が、暴力そのものとしてのわたしを生み直す。

中野が土壇場で直面したものとは、そういう、暴力としての言葉、暴力としての自己だったのではないか。

そうなのだろうか。

少なくとも彼の〝書くこと〟が自らの世界認識を他者に明示するポジティブな言表行為ではありえなくなったということはたしかである。

すると、にもかかわらず「やはり書いて行」くとはこの暴力を他者に切り返して他者の言葉を吟味すること、他者の言葉を批評し、ひたすら切り刻み、素朴な実感にもとづく率直な言葉がその内奥に押し隠している〝書くこと〟の荒唐無稽、無根拠、無理、無底を、暴力的に照射することにほかならなかったのではないか。

＊

〈私は田舎者であり、桶を桶と言う〉。エッセイ「ねちねちした進み方の必要」（一九三九）で引用されるこの俚諺は、転向後の中野のスタンスを象徴する言葉として有名である。ただし『ギリシア・ラテン引用語辞典』から作家が持ってきたこの一文だけ切り取られる場合が多いので、続く箇所を書き写しておきたい。「われわれ文学者は、あらゆる出来あいの言葉はわれわれになだれかかり、しかしわれわれ自身には、一つの出来あいの言葉も与えられてはいぬことを合点せねばならぬ。桶を桶と言い、桶にたいして桶という言葉を見だすためには、われわれは往きつ戻りつをいやがらずにねちねちと行かねばならぬのである」。

この箇所にからんで、文芸批評家井口時男は「正名」という儒教由来の概念を提出している。「正名」とは、歪みや粉飾を除去し、事物をそれに相応しい「名」で呼ぶことで「名」と現実を一致させようとする態度である。「それは、乱れた言語を正すことによって乱れた認識を正し、乱れた認識を正すことによって乱れた世界の秩序を正す、という道徳的・政治的な含意を中心にもつ」（『批評の誕生／批評の死』）。本来「正名」は「秩序」の源泉としての「聖王」を要請する「治者の思想」であって、現実の作家の状況とは落差があったのだが、だからこそ短期間であったにせよそこに独特な「言説批判」の可能性が胚胎した、というのが井口の見立てである。

重要なのは、「治者」ではないことが最初から明白である以上、「名」を「正す」中野の営為が積極的なものではありえなかったということ、したがって「桶にたいして桶という言葉を見だすためには、われわれは往きつ戻りつをいやがらずにねちねちと行かねばならぬのである」という一文は、前半にではなく後半にアクセントを置いて読まなければならないということである。桶は桶でしかありえぬ、それゆえわたしは桶を桶と言うのだ、という回帰的な言明の強さではない。中野はそのような意味で強者ではなかった。そうではなく、この一文は「出来あいの言葉」を避けようとする「田舎者」が甘受せざるをえない弱々しい後退戦に明滅する、ちっぽけで無用な正義に必死に手を伸ばしている。そう読むべきなのだ。

だが、ひとりの田舎者が途方に暮れる野には、小さく弱い者がその小ささと弱さにおいて行使する、加害と被害がグロテスクにねじれたような不穏な暴力の気配が立ち込めている。このエッセイは、「生産文学」、「国策文学」、「産業小説」等々の「出来あい」の区分を無批判に受け入れる現在の評論家たちの態度は作品の内実とは無関係のポジショントークに過ぎないのではないかという問題意識に貫かれている。しかし他方で、そういうまっとうな問題意識からの不意の逸脱、過剰な突出がこのエッセイには刻印されている。島木健作の長篇『生活の探求』とそれを受容する「青年の群れ」の「弱」さ「甘」さを唐突に痛罵しはじめる箇所だ。それは言葉そのものの狂った暴力であり、中野の怒りは島木という流行作家も転向者であったという背景とはまた別の次元で奔出していると思える。

「ねちねちした進み方の必要」のすでに二年前、中野は「探求の不徹底」という小文で『生活の探求』における「作者の観察の不足」を批判していた。そこで主張される「リアリズムの問題」とは端的に、作者が桶を桶と言おうとしているかどうかである。「鑿で木に穴をうがつたり」と島木は書いているが鑿で木に穴を「うがつ」とは言わないとか、親指の爪を怪我して出た血を「血潮」と言うことはないとか、そうしたことが微に入り細を穿つように指摘されている。中野は島木からの反論を受け、重ねて長文の再反論「島木健作氏に答え」を書いているが、そちらは雑誌には掲載されなかった（発表直前に執筆禁止の処置を食らったためで、戦後あらためて単行本に収録された）。辞書にも鑿は穴を「うがつ」道具だという説明があるという島木の言い分を、中野は「正名」の論理で「小説の言葉は前後とのつながりにおいて動いて位置している。島木健作、中野重治などいう固有名詞のような具合であり、「意」の共通による他の言葉に絶対に置換しえぬものである」と応酬し、また他の論者は作品の「主題」を論じているが中野だけはそうしていないという反駁には「作の具体において、何がいかに描かれているかの解明がないかぎり批評は批評として成りたたぬ」と一蹴している。

問題は辞書に照らして言葉づかいが正しいか正しくないかではない。「田舎者」の執拗な「正名」実践によって明らかになったのは――井口の言葉を借りれば――島木の「モダニズム的言語使用」が言語間の「差異」を利用しているということ、たとえば「血」を「血潮」と呼びかえることで生じる「差異」の感触が「利潤」＝〝文学的価値〟として読者に訴えるということ、その意味で農村の暮しを素材にした『生活の探求』の喚起力はじつは資本主義ときわめて親和的な言語感覚に根差しており、その書きざまは等価交換を重視する百姓的な感性とはけして相容れない「搾取」的なものであるということ、である。

「正名」とは「資本主義的市場経済の外部を指し示す言語思想であり、そういうものとして、「搾取」なき理想社会の理念と結びつく」という井口の言揚げにわたしも同意する。だが、「彼の言葉が法言語によって監視され、縛られていたから」、中野は「直接に『生活の探求』のイデオロギーを批判すべきところを迂回して、リアリズムの欠陥を批判することで代行し」たのだと述べた上で「死地」としての言説空間の素描に向かうあたりでわたしは井口と別れる。もちろん「法言語」による「監視」などたいした問題ではなかったと主張するつもりはない。それは作家の言葉に甚大な影響を与えたにちがいない。しかし重要なのはかりにそのような歪な重力が皆無であったとしても、〝書くこと〟の底における危機はけして避けられないということである。ふたたびその場所に立ち戻ろう。

言葉とものは一致しない。じっさいにあるのは言葉のあいだの「差異」だけである。そしてもしもそれら「差異」の体系の「外部」＝「「搾取」なき理想社会」が幻想であるとすれば、「差異」によって「利潤」を産み出すテクストを批判するとは、「資本主義的市場経済」の鏡像である文学的表現を拒否するとはどういうことだろう。それは可能なのだろうか。

井口は「韜晦の語法と愚者の語法」に傾いた中野の姿勢を批判している。本稿もそれを戦中におけるネガティブな「逃げ道」として瞥見しておいた。ただし、そこを作家の〝限界〟と捉える井口の思考は罠に陥っていないだろうか。作家の〝限界〟を指さすことではなく、〝限界〟でひり出される言葉のポテンシャルを拡張的に、タガが弾けるまで読み抜くことが必要なのではないか。繰り返す。中野は間違った表現に正しい表現を対置したのではない。桶に桶という正しい名を与えたのではない。他者の言葉を腑分けし、言葉に宿る剰余価値をひたすら削り落とそうとしただけだ。言葉を表現＝価値の地平から解放し、根源的な裏切りの地平に差し戻そうとしただけだ。それは他者の言葉にたいする無意味で暴力的な振舞いであるにすぎない。だが、批評とは本来、他者のテクストを恐慌に追い込むそのような力の行使ではないのか。「作の具体において、何がいかに描かれているかの解明」とはそのような狂気じみた業ではないのか。他者の言葉との関わりの中で暴力としての自己を反復的に受け取り直すこと。無根拠な、むきつけで無底な言葉の世界に何度でも生まれ直すこと。それが批評ではないのか。

そもそも、等価交換を行う理想的な百姓など、もともとどこにも存在しなかったのだ。そう断言するのが――資本主義的な不等価交換のみならず、百姓的な等価交換の幻想すらも粉々に打ち砕くのが、「正名」の暴力なのだ。さしあたりそう言える。

そうして、わたしはつぎのような不思議なパッセージを見出す。「しかし――おまえは穢多ではない。しかし穢多である。しかし穢多は伏字にした。おまえは穢多だから。しかしおまえは穢多呼ばわりされたと考えることは許されない。伏字にしたのだから」(「文学作品に出てくる歴史的呼び名について」一九三五)。

中野はこのエッセイを、島崎藤村の『破戒』を読んで初版(一九〇五)で「穢多」と表記されていた箇所が新しい版(一九二九)では「部落民」に書き換えられていたことに躓いた経験から書き起こして、長いあいだ学術書でも「穢多」が伏字にされてきた経緯を批判している。「穢多」を「穢多」と呼ばず別の名に呼び換えること。あるいは伏字にすること。差別的な言辞をできるだけ避けるという表面的な意図にもかかわらず、その言い換え、書き換えが言葉の価値を増幅させ、もとからの差別に「悪質な偽善と挑発」を付け加えてやまないのだ、と。「(…)人間の一群を畜生あつかいするために数百年間最も感覚的に生きてきた言葉が、改めて伏字されることでいっそう感覚的に生きているのである」。

こうした指摘だけでも差別論として十分に示唆的だが、気を付けよう、問われているのは「歴史的呼び名」を使い続けることが正しいか正しくないかではなく、また「穢多」と「部落民」とどちらが言葉遣いとしてマシかということでもない。やはりここでも中野は、一つの歴史的な差別語をめぐって、言葉から剰余価値を削り取る「正名」の暴力をひたすら行使しているだけだ。結果、右の一文からもわかるとおり、エッセイには「穢多」という言葉が多量に書き込まれた。そしてその差別語はやはり伏字という方法で粛々と処理され、「悪質な偽善と挑発」のサイクルに回収された。その意味でこんな無意義な文章はまたとないものである。自分が文中に記した「穢多」という言葉がすべて伏字にされることを作家が予想していたかどうか、たしかなことはわからないが、いずれにせよ〈穢多を穢多と言う〉実践は空虚であったかに思える。

しかし以上を踏まえた上で、あえて、このテクストは発表時のコンテクストにあらためて置き直して——「穢多」がすべて伏字にされたという事実に立ち戻って読むべきである。具体的にはつぎのようなものとして。

しかし——おまえは、、ではない。しかし、、である。しかし、、は伏字にした。おまえは、、だから。
しかしおまえは、、呼ばわりされたと考えることは許されない。伏字にしたのだから。

よく近づいて、文を一個のマテリアルな実在として、「すべて事と物とをそのものに即して見かつ測る精神」(『斎藤茂吉ノート』)で見つめてみてほしい。この殺伐とした、無意味な文字の連なりはなんだろう。これを読むとはどういうことなのだろう。

思い切って断言する。無残に寸断された伏字だらけのテクストこそ中野がほんとうに書こうとした〝原文〟だった、と。

いや、その言い方はおかしい。作家はこれを国家権力などとは比較にならない力に差し込まれて書かされたのではないか。いや、それも違う。〝原文〟は〝書くこと〟以前に書かれているからこそ〝原文〟なのであり、〝書くこと〝はつねにすでに書かれてしまっているこの〝原文〝から、〝原文〝によって開始される――〝原文〝によって書かされる――のではないか。「描写」のプロ－グラム（前に－書き込まれたもの）としての〝原文〝。通常見えないそれが中野の「正名」実践においてテクストの表面に一瞬露頭した。そうは考えられないか。右の〝原文〝では「穢多」は砕け散り、無意味で無根拠な、言葉ならざる言葉、文字ならざる文字、「、、」と化して幽霊のように浮遊し、増殖し、散在している。そのため穢多という言葉の差別性は背景に退いているが、それはテクストの無害化を意味しない。逆である。ほかならぬ〝原文〝において、つぎのような禍々しく危険な相貌が剝き出しになっているのだ。

だれかを固有名で呼ぶこと。だれかを名づけること。強制的に存在を隠蔽しかつ露呈する――そんなやり方でだれかに呼びかけること。そのような重層的にねじれた命令と差別こそ〝書くこと〝のプログラム＝〝原文〝である、ということ。右に引いたパッセージは固有名の暴力が作動するありふれた根源の場所の在り様を――あらゆるテクストの直下にあって〝書くこと〝を駆動している「書くこと（文）の物質性」のそうした在り様を明かしている、ということ。

ならば〝書くこと〝のプログラムとはそのまま差別のプログラムなのだろうか。たぶんそうだ。

だが「おまえ」とは誰のことだろう。わたしが誰かを呼んでいるのか。わたしが誰かから呼びかけられているのか。どちらにしても、山城の言う「書くこと（文）の物質性」の認知とはそのことを他律的に思い知らされ慄かされる経験以外ではないにちがいない。ならば決定的な大事とは暴力に汚染されていない清浄な場所を作ることではなく、〝書くこと〝が今も手を染めつづけている「おまえ」への暴力をいかに批判するか、〝書くこと〝自体やめてしまうのでなければ、〝書くこと〝によって〝書くこと〝の暴力に抵抗するとはどういうことか、それをねちねちと思考し実践することであるはずだ。

3　戦　後

詩篇「雨の降る品川駅」の初出ヴァージョン（一九二九）――大量の伏字処理を施された状態で『改造』誌上に掲載された――と、詩集に収録されて流布され、最新の全集にも継承されているヴァージョンのあいだには大幅な異同がある。

まず全集から詩篇の最終聯を書き写す。

行ってあのかたい　厚い　なめらかな氷をたたきわれ／ながく堰かれていた水をしてほとばしらしめよ／日本プロレタリアートのうしろ盾まえ盾／さようなら／報復の歓喜に泣きわらう日まで

つぎに、一九二九年発行の雑誌『無産者』に伏字が少ない状態で掲載された「雨の降る品川駅」朝鮮語訳を水野直樹が発見、邦訳し、さらにそれをもとに全集編集者の松下裕が字数を調整して『改造』版の伏字を埋めた、初出〝復元〟ヴァージョンの末尾を掲げる。朝鮮語訳は在日朝鮮人プロレタリア作家李北満が、元原稿（現存しない）から直接訳したものと推定される。水野の発見はいわば、定稿でばっさりと削られた初出詩のクライマックスとの不意の遭遇であった。『改造』で伏字にされた箇所には傍点を付す。「彼」とは言うまでもなく昭和天皇・裕仁である。

そして再び／海峡を踊りこえて舞い戻れ／神戸　名古屋を経て　東京に入り込み／彼の身辺に近づき／彼の面前にあらはれ／彼を捕へ／彼の顎を突き上げて保ち／彼の胸元に刃物を突き刺し／反り血を浴びて／温もりある復讐の歓喜のなかに泣き笑へ

林淑美は「詩「雨の降る品川駅」とは何か」（『昭和イデオロギー　思想としての文学』所収）で、松下による原詩復刻の問題点を具体的に指摘した上で、李北満の朝鮮語訳により即したかたちの〝批判版〟原詩を提案している。末尾を短く引く。

彼の首　正しくそこに　鎌先を突附け／満身の奔る血に／温もりある復讐の歓喜のなかに泣き笑へ

林は、「故国に追放される朝鮮人の友人」への「日本人」の「呼びかけ」という側面に光を当てて「雨の降る品川駅」を読んでいる。たしかに、他の研究者との緻密な協同作業によって新たに浮かび上がった詩篇のすがたが、そうした読解の正当さを裏付けていると思える。林はその上で、晩年の中野が発した詩篇についての自己批判——「仮りに天皇暗殺の類のことが考えられるとして、なぜ詩を書いた日本人本人にそれを考えさせなかつたか。なぜそれを、国を奪われたほうの朝鮮人の肩に移そうとしたか。そこに私という国を奪つた側の日本人がいたということだつた」（「全集第二十四巻後記」）——を「ありえない」と退けている。「この詩の措辞は「天皇暗殺」のためのものではない。さきに述べたように、朝鮮人の憤怒を表すものだ。「天皇暗殺」のための詩があってもまったくかまわないと思うが、詩の措辞は「天皇暗殺」のためのものではない」と。

訳語決定のために林たちが踏んだプロセスは信頼できるもので、林の言うとおり、松下版にあった「彼の胸元に刃物を突き刺し／反り血を浴びて」という「天皇暗殺」を直接指示する詩行は慎重に取り扱わなければならない（付記すれば川西政明『昭和文学史』に掲載されている、金石範による朝鮮語訳からの翻訳も林の主張を裏付けている）。またこれも林の述べるとおり、半世紀近く前に書いた詩篇についての中野の記憶はかなり不確かだったようで、自己批判の言葉は水野・松下の発見および翻訳から多大な影響を受けていたはずである。

ところで『無産者』版の朝鮮語詩を金石範が日本語に「直訳」した『昭和文学史』版「雨の降る品川駅」では、最終行が「熱い復讐の歓喜の中で泣け！ 笑え！」とされている。すなわち『無産者』版においては、初出どおりの「温もりある」ではなくあえて「熱い」という日本語で表記したほうが適切である朝鮮語表現が採られていると、金が判断したということである。川西は『無産者』版におけるその改変を「朝鮮人の心情を直截的に表現するかのように「熱い」という言葉が使われている」、「それを「熱い」と変えたところに朝鮮人の感情の迸りが見られる」と分析している。

ならば、根本的に問わなければならない。翻訳の正確不正確とはなんだろう。あるいは、原詩、オリジナルとはなんだろう。

そもそも、朝鮮語訳からの復元作業を正確に行えばおのずと原詩が定まるという予期には致命的な暗点がないだろうか。「温もりある」→「熱い」からわかるように、翻訳とはたんに一方の言語からもう一方の言語へ意味を正確に移しかえることではありえない。訳語は、各言語空間内部にある、また諸言語空間のあいだにある、錯綜した抗争的コンテクスト（政治における抗争であれ、アカデミズムにおける抗争であれ）の渦に巻き込まれながら、必然的に、あるいは偶然的に、重層的に決定される、決定させられてしまうのではないのか。学問的に公正な過程を経た林たちの翻訳ですら、そうした事態を避けられないはずである。事が革命運動にかかわるのであればなおさらそうだろう。[2] したがって李北満の朝鮮語訳が、大逆のニュアンスをあえて強め（させられ）ていたり、逆にあえて弱め（させられ）ていたりということも、当然ありうることとして考えられる。

　狭義の翻訳だけではない。あらゆる読解が抗争的な翻訳行為をともなう以上、無傷で保存されつづけるテクストの同一性など存在しえないのではないか。同一性の源泉たるオリジナルがどこかにあると思うこと自体、誤った先入見ではないか。あるのは、無限に翻訳され変移し続ける言葉たちの運動だけなのかもしれない。もしも、そうであるがために生じる読みの葛藤や抵抗や挫折を避けて真正なオリジナルを求めるのだとすれば、テクストとの向き合い方としては不十分だろう。

　するとこう考えるべきではないか。

　無限の翻訳過程のどこかの時点で、或る決定的な仕方で、外部から差し向けられた暫定的なテクストと出会う、その出会いの場所に生成されるものこそが原詩である、と。言い換えれば、テクストの原理的な決定不可能性のなかで為される、不可能な決定の経験、それが原詩である、と。半世紀近く前に書かれ、翻訳され、そして敗戦をまたいで今またあらためて発見され翻訳されたテクストと中野重治の出会いには〝原詩体験〟と呼ぶに値する特別な強度があった。だから、敗戦から三十年以上経って中野のもとに回帰した「雨の降る品川駅」——たしかにそれは原詩であったのだ、と。

推断を重ねる。この〝原詩体験〟において、ほかでもない〝原文〟が作家に到来していた、と。より丁寧に言えば、〝原文〟は迷宮のような翻訳過程にオバケみたいにとり憑くものであるがために、単独性、同一性の地平ではけして認知されることがない。翻訳過程がなければそれは無である。そして〝原文〟の到来は、到来された者に徹底的な内攻＝自己批判を迫る。それは自己破壊をともなう奇妙な主体化である。能動と受動、積極と消極、自己と他者、主体化と脱主体化、生むことと殺すことが雑ざり合う奇妙な経験である、と……。

林が批判する「天皇暗殺」をめぐる自己批判の一年前、すでに中野は詩篇についてこう記していた。「最後の節に、「日本プロレタリアートのうしろ盾まえ盾」という行がありますが、ここは、「猫背」とはちがうものの、民族エゴイズムのしっぽのようなものを引きずつている感じがぬぐい切れません」（「「雨の降る品川駅」のこと」）。流布版詩篇についてのこの評言は原詩との出会いの機縁が熟しつつあったことを示している。ここで表白されている自らの「民族エゴイズム」への不安に、外部から原詩が差し込んでくる。それが必要だった。わたしは、すでに確認した「詩の措辞は「天皇暗殺」のためのものではない」という林の主張にたいする、詩篇はどう復元しようが「天皇に危害を加える行為」を書いていることにかわりないという水野の反論（「中野重治「雨の降る品川駅」の自己批判」『抗路』7号、二〇二〇年七月）を正当だと考える。朝鮮人の手による「天皇暗殺」の詩を作った事実、そして書き換えるにあたってその「描写」を削除した事実、これらを外部から突きつけられてはじめて「民族エゴイズム」への漠然とした不安は根源的な自己批判の質を獲得した。わたしはそう考える。

＊

〝原文〟の到来という出来事に、「天皇暗殺」の「描写」という要素と朝鮮（人）という要素が密接に関係していたということ――。

一部繰り返しになるが、前後を含めるかたちで一九七七年の自己批判をあらためて書き写しておこう。

ただここで、『緊急順不同』に触れて「雨の降る品川駅」に私の頭が行くのは、市ヶ谷の西田の手紙にある「モナーキー」うんぬんのことからだけではない。なるほどそれは明らかにあつた。その一部は言葉の上で改めもした。しかもそれは今日まで残つている。それにこれ以上手を入れるつもりは私に全くない。むしろ私は、仮りに天皇暗殺の類のことが考えられるとして、なぜ詩を書いた日本人本人にそれを考えさせなかつたか。なぜそれを、国を奪われたほうの朝鮮人の肩に移そうとしたか。そこに私という国を奪つた側の日本人がいたということだつた。私は私のことでこのことを記録する。同時に、この種のものがまだまだ広く、深く、支配側、被支配側、民主的――革命的勢力の側を含めてわれわれのところに寝そべつているように思う。

大西巨人はこの自己批判を「こんな紛らわしい「自己批判」類なんかあらずもがな」と見ている（「コンプレックス脱却の当為」）。大西は「天皇暗殺」の問題と「日本プロレタリアートのうしろ盾まえ盾」の問題を極力分けておいて、前者については詩的表現の問題として「「浪漫的極左主義」の中野におけるマイナスの表われが、「個人的テロリズム」への傾斜となった」と指摘した上で、しかしそれは自己批判の五十年以上前にすでに本人の手で「改正」された（＝流布版で削除された）のだから今さら問題にする必要はないと述べる。後者については大略つぎのように述べる。自分はこれまで「日本プロレタリアートのうしろ盾まえ盾」の「の」を「連体修飾語的格助詞」とは読まず「主語的格助詞」と——つまり「〝日本プロレタリアートが、朝鮮プロレタリアートのうしろだてまえだてである〟」と読んできた。かりにそれを「連体修飾語的格助詞」と読むとしても「同時かつ当然かつ自然かつ必然に」同じ意味になるはずだ。すなわち「〝朝鮮プロレタリアートが、日本プロレタリアートのうしろだてまえだてである〟」とはそのまま「〝日本プロレタリアートが、朝鮮プロレタリアートのうしろだてまえだてである〟」ということである。「それが「支配せられる階級」「われわれ」にとって自明な〝人民（人間）解放の国際的連帯性〟である（…）」。どうして朝鮮プロレタリアートが日本プロレタリアートの弾除けにならねばならないのかという類の「（…）消極的・受動的・コンプレックス的な（…）読み方・受け取り方・読解は、その主が日本人であると朝鮮人であると何何人であるとを問わず、「支配せられる階級（革命・現実変革・解放・自由・自立の遂行・達成を願望し追求する人人）」の保有するべき威厳および矜持において、断乎排斥拒絶否定せられるべきである」と。

よりによって作者本人が革命的連帯の主題を曖昧にし、偽善者に悪用されかねない読解を主導すべきでないという危惧は理解できる。とはいえ「日本人であると朝鮮人であると何何人であるとを問わず」という平等、対等な連帯は「支配せられる階級」という一点さえ握れば確実に成り立つのか。大西の言うとおり、反省の身振りによる自己免責には注意を払うべきである。だが「消極的・受動的・コンプレックス的」を「断乎排斥拒絶否定」してしまう前に考えるべきなにかがないだろうか。

それはある。

中野の受動的な自己批判に読むべきは弱気ではなく、瞠目すべき強気――「連帯」にほんとうの「威厳および矜持」をもたらす強さであり、それを支えるのが〝原詩体験〟の強度である。晩年の中野の自己批判は戦中の「逃げ道」の在り様としばしば混同されるが、両者は分けて考えるべきものである。両者の消極性、受動性、コンプレックス性には決定的な相違がある。

「天皇暗殺」を詩のなかで日本人にではなく朝鮮人に負わせたこと。ほとんど忘れかかっていたその事実が翻訳によって告知されたこと。朝鮮から――外なる、他なる言語空間から、そこにおける複雑な抗争を潜り抜けて抗争的にそれが届けられたこと。その衝撃のなかで、他律性ゆえの消極と受動とコンプレックスに塗れたまま、まったき他者を見つめなければならない／まったき他者から見つめられなければならない。「連帯」の表面を打ち砕き、〝原文〟の次元で具体的かつ根源的な差異＝他者を認知しなければならない。他者と視線を交わさなければならない。

＊

『不敬文学論序説』で渡部直己は中野重治の天皇「描写」に着目し、「天皇をじかに描くことそれじしんの闘争性」を洞察できた「稀少な例外であった」と中野を高く評価している。途中まで中野に並走していた行論は最終的に中上健次の未完の長篇『異族』の「抵抗の姿勢」に移る。本稿にとって示唆的なのは結論部の手前の、中上のルポルタージュ作品『紀州』（および三島由紀夫「文化防衛論」）への言及である。

天皇は根拠なきコピー、オリジナルなきフェイクにすぎない。しかし、だからこそ天皇は「あたかも伊勢神宮の式年造営のように、今上であらせられると共に原初の天皇」（「文化防衛論」）という矛盾によって空虚な超越性を担うことができる。また、深遠な秘密が隠されているわけではなく、なんの秘密も神秘もそこにない（＝たんなる模造品でしかない）ことが隠されているという奇妙な転倒が、ある種の心情と欲望を強烈にかき立てる。三島の言う「月並は核心に輝いている」とはそういう意味だ。『紀州』の「伊勢」の章で、中上の記述はその逆説の毒を多量に浴びている。

草は草である。そう思い、草の本質は、物ではなく、草という名づけられた言葉ではないか、と思う。言葉がここに在る。言葉が雨という言葉を受けて濡れ、私の眼に緑のエロスとしか言いようのない暗い輝きを分泌していると見える。言葉を統治するとは「天皇」という、神人の働きであるなら、草を草と名づけるまま呼び書き記すことは、「天皇」による統括（シンタクス）、統治の下にある事でもある。では「天皇」のシンタクスを離れて、草とは何なのだろう。そう考えながらも、私に、てやんでえ、という無頼が片方ある。草は草だ。だがしかし、それは逃げる事でしかない。

「言葉」と「物」は一致しない。すでに何度も確認した定式である。ここで肝要なのは以下の事柄である。「物」が消えて「言葉」の自己言及的な関係だけが残り、そこにエロチックな「暗い輝き」が「分泌」される、ということ。その闇黒の光によって、空虚な超越性に「統括（シンタクス）」された新しい自然が見出される、ということ。中上の洞察の範疇を越えてさらに言葉を継げば——物質性を欠いた薄っぺらなフェイクをそうと知りながらあえて信じてみせ、すすんで統治されること。そして、そのような浅さ（月並）のポーズが帯びる逆説的な深さに、そこに生じる歴史性と共同性に愛着を覚えること。「日本の文字で書くという条件そのものがもつ、物質的な地盤の緩さ」（山城むつみ）ゆえにわたしたちの〝書くこと〟は、こうした「罠」に近接せざるをえないということ。「この日本の小説家のすべての根は、右翼の感情にもとづいていると思ったのだった。現実政治や団体としての「右翼」ではなく、そのまま何の手も加えないなら文化の統らぎであるという天皇に収斂されてしまう感性の事である」と銘記したとき、中上は言葉・自然・天皇の三位一体につながる「罠」のおそろしさとともに、そこに引かれる自らの「右翼」性をよく理解していたのだろう。「書くことの毒、書き言葉の毒に私は侵されすぎている」と。むろん〝書くこと〟が超越者（天皇ばかりとはかぎらない）への拝跪に連なる危険は今日においてもなんら解除されていない。

渡部の『異族』読解はつぎのような結論に至る。「皇居が「右翼の崇拝の聖地」でありうるのは、周囲の石垣や木立に囲まれ、肝心のものがたんに見えぬからである。（…）だが、その種の逆説は、ひとたび海をこえ強烈な明度に晒されるや、たんなる錯覚にすぎぬものとなる。それが、（…）きわめて直截で月並な結論である」。「とすれば、そこに示された粗雑さはいま、「路地」を捨てたタツヤと同様に、作家じしんにあっても当初なかばは本気で夢みられていたはずの新たな可能性としての〈天皇〉にたいする抵抗の技術、その新種一方途として把握されてよいものとなるだろう。折口＝三島の説くごとく、〈天皇〉なる可能性がかりに、不断の発生として反復されつづけるのだとすれば、『異族』の粗雑さはまさに発生それじたいの否認としてあり、その徹底した平板さはまた、どのような暗がりも寄せつけぬからである」。

空虚な核心に昏く輝く「月並」を「錯覚にすぎぬもの」として「消尽」する、圧倒的な外部の光。天皇

「発生」の「暗がり」を「否認」するテクストの「粗雑さ」と「平板さ」。三島の月並に抵抗する中上の月並。だが少なくとも、「雨の降る品川駅」の翻訳過程にラディカルな「抵抗」の可能性を見るわたしたちにはこれではまったく物足りない。「ひとたび海をこえ強烈な明度に晒されるや」――。このようなかたちで内／外の二項対立に「抵抗」の基盤を求める渡部の言葉には「抵抗」の持続に不可欠なざらざらとした〝抵抗〟の手ざわりが致命的に欠けている。

　外部の「強烈な明度」によってほんとうは「抵抗」すべき実体など存在しない（＝天皇の超越性など信のポーズによって生み出された空虚なものにすぎない）ということが暴露されることと、翻訳過程が中野にもたらした知とは、別物である。そこには〈殺すべき天皇などほんとうはいなかったのだ〉と知ること（知A）と、〈あなたは天皇を殺すことができない、殺すべき天皇はあなたにはいない〉と他者から知らされること（知B）の微妙だが決定的な差異があるが、渡部の批評はそれについて無関心である。

　もしも知Aしかなければ、もとの超越者にかわってその知自体が新たに、従前にまして強力に月並の位置を占め、「今上であらせられると共に原初」という宗教的サイクルがふたたび絶望的な回転運動をはじめるだろう。しかるに、真の「抵抗」の時間性は、知Aと知Bの落差に開き、響く。そしてその落差にこそ、あの〝原文〟が棲みなしている。落差が経験されるためには外部の明度に晒されるだけでは足りない。予測不可能な、錯時法的な、迷宮のような翻訳過程での出会いが必要である。

　そしてそこには無数の（不）可能性を潜り抜けてわたしに届いた（届かなかった）他者の〈顔〉（レヴィナス）がある。わたしは〈顔〉を憎むだろう。それは、〝原文〟の暴力をあなた自身のものとして認知せよと、その認知によってあなたはあなた自身を殺せと求めてくるから。わたしは〈顔〉を抹殺しようとするかもしれない。シニカルな超越者崇拝がもたらす暴力と比較してそれがよりマシな暴力だと考える理由は一つもない。「抵抗」に不可欠な〝抵抗〟の感触とは、こうしたことへの不安にほかならない。

＊

天皇の「発生」は、「右翼」的言葉に誘惑される主体の自己形成の問題と表裏一体である。したがって天皇を殺すこと、その「発生」を絶つことを真面目に考えようとするなら、言葉と主体の関係に生じる動揺や亀裂についての問いを避けて通れないはずである。そこに、本稿が現実のテロ行為と詩的表現を切り離さない理由があり、また「天皇暗殺」を朝鮮（人）の存在とともに考える理由がある。

朝鮮を表象＝支配する言説にはつぎのような定型がある。「しとやかな女の風情にも譬えようか。高き背、なだらかな肩、軟かき肉づき。ほんのりと青ずむ白絹に身を包み、裳裾には一もとの蘭が静かな藍で染めてある。優しい心根や、慎み深い性情が誰にでも気附かれるであろう。（…）此の品ばかりではない。朝鮮のものには大概同じ心が読める」（柳宗悦「李朝の壺」）。流麗な文章がその内部に「女」と「優し」さと「朝鮮」を包み込んでいる。ここで柳が触っているのはブツとしての壺ではない。彼は言葉と言葉の関係が分泌する「暗い輝き」に触っている。中野重治も右の柳と比べてはるかに複雑な筆致で、自身そうした享楽と無縁ではありえなかった事実を記録している。小説「むらぎも」第一章の、中野が実生活で大切にしていた高麗人形が登場するくだりである。「そのつやつやしたヤニ色のものを手のひらにのせて、それをまわすようにして安吉はためつすがめつして眺めた。まわすにしたがつて、受け口のばあさんのような人間の表情がほんの少しずつ変つて見えてくる。そのとぼけたようなアルカイック風なほほえみが、言いようのない安らかな楽しみを安吉にあたえる」。主人公は人形を「併合後の朝鮮」で役人をしていた父から譲り受けた（このあたりは作家の伝記的事実と合致している）。もとを辿ればそれは「ある種の日本人」が朝鮮の古い墓を掘って収奪したもののうち「ガラクタ」と判断され手放された品である、という説明の数行後には「しかしこんなもの楽しむの、あんまりいいことでもないな……」という想念が書き込まれている。フェミニズム／セクシュアリティ研究者竹村和子の透徹した洞察が念頭に浮かび、わたしは揺さぶられる。「そして馴化された内なる暴力は、〈女性的なもの〉を比喩化した外部（階級・人種・民族・宗教……において捏造された他者）へと向けられていく。あるいは、内部で感知された〈女性的なもの〉を、実現不能な解放地点として、はるかかなたに超越的にロマン化する。どちらの場合においても、〈女性的なもの〉は実体ではなく、あくまで比喩として（しかし実体に横滑りする比喩として）、象徴空間に流通する」（『境界を攪乱する』）。

柳は、高麗人形を安吉の所有物としたような歴史的経緯をじゅうぶん理解した上で朝鮮の民藝品を愛惜していたはずである。だが、にもかかわらず、朝鮮を慈しむ彼のまごころは他者を「〈女性的なもの〉」として「比喩化」する暴力――容易に「実体に横滑りする」暴力――にほかならない。当たり前だが〝保護すべきもの〟という他者イメージは、他者を勝手に自由に取り扱えると思いなすことに転化しうる。そしてそこに折り重なるようにして、他者を「実現不能な解放地点」として想像する（「ロマン化する」）暴力が同時的に作動する。すでに確認した天皇への拝跪がたとえばそれである。加えれば、朝鮮（人）にたいしても「ロマン化」の暴力は発動しうる。厄介なことに、ひとは、朝鮮（人）を尊重しながら「右翼」であることができてしまうのだ。

ならば大逆とは、このように複雑に入り組んだ暴力のメカニズムの全的な批判と停止でなければならない。

急ぎ過ぎないようにしよう。竹村は先の引用文の直前で注意していた――「内部に生じている矛盾・葛藤は、〈女性的なもの〉と〈男性的なもの〉という二つの形態（「形式」と詐称されている）に割り振られて演じられ、欲望の異性愛化という両者の補完作用によって目くらましされる」。つまり女（性的なもの）／男（性的なもの）はじつは根源的な「矛盾・葛藤」ではなく、あくまでも「割り振られて演じられ」ている対立であり、それが外部に投射され、他者への暴力として「補完」しあう――たとえば天皇の「ロマン化」と朝鮮の女性化が組み合わさり、戦地において殺戮と強姦と略奪が結果する。そうであれば、男／女という対立によって「目くらましされ」てしまう「矛盾・葛藤」とはなんだろう。あるいはけして「異性愛化」されない「欲望」とはなんだろう。先ほどの引用文に「内部で感知された〈女性的なもの〉」という前提があったことを念頭に置いて同じ著者のべつの本を開いてみる。

しかしアイデンティティをもたずに自己であることは不可能なので、非‐在としてのアイデンティティは、自己を恐ろしい不安に陥れる。それは亀裂に対峙することであり、何かに投影され言語化された「おぞましきもの」に出会うことではない。いわばそれは、あらゆるものであり、あらゆるものでない〈わたし〉に出会うことである。したがってアイデンティティの問いかけは、言語の臨界点に連れていかれること、言語が無限に集積しているがゆえに何も語ってはいない恐ろしい孤独の場所に身を置くことである。「わたしは誰か」という問いは、答えることの恐怖に身をすくませる問いかけである。（『愛について』）

わたしがわたしに出会うこと、わたしがわたしであることは不可能である。アイデンティティはたまたま不在なのではなく絶対的に不在（＝「非-在」）であり、したがって自己であることは端的にありえない。これが「自己を恐ろしい不安に陥れる」「亀裂に対峙すること」である。しかもそれは、男／女の比喩化作用とは完全に異質な、根源的な言語経験である。わたしはそこで「言語の臨界点」に、「言語が無限に集積しているがゆえに何も語ってはいない恐ろしい孤独の場所に」、〝原文〟の場所に連れ出され、据え置かれる。恐ろしさに耐えてそこに――つねにすでに書き込まれてしまっている言葉ならざる言葉の場所に立ち続けるべきだ。そう竹村は言っているのだ。「あらゆるものであり、あらゆるものでない〈わたし〉」との出会い。この言い方は「右翼」的心情における主体化にも一見通じそうだが、両者は峻別されなければならない。「右翼」は〝原文〟との対峙を避ける。彼はある種の気分のなかにいるにすぎず、それゆえ真の「孤独」と無縁であるほかなく、内省することもできない。そこに彼の絶望の理由がある。

たとえば渡部は天皇にたいする「抵抗」として「描写」を見出した。だが、もしも、今ここで、この現実において、わたし自身が男／女の比喩を、それの外部への投射を断ち切れないとすれば、少なくともそれを試みないとすれば、いったい天皇「描写」になんの意味があるだろう。また、その切断なしで「天皇暗殺」を行うことになんの意味があるだろう。この問いを避けて「不敬」なる「描写」たちと戯れる振舞いはねじれた奴隷根性の発露にすぎないだろう。

先の引用についてもう一点補足すれば、「〈女性的なもの〉」は男／女の比喩対立の手前にあると思えるが、それも〝原文〟を脱色して得られた受動性のイメージでしかないということに注意すべきである。「おぞましきもの」についてもまったく同様である。「欲望」は、それら無害化されたイメージのなかにではなく、あくまでも〝原文〟の場所に探られなければならない。

〝原文〟を反復する。「しかし――おまえは、、ではない。しかし、、である。しかし、、は伏字にした。おまえは、、だから。しかしおまえは、、呼ばわりされたと考えることは許されない。伏字にしたのだから」――。あらゆる言明以前につねにすでに書き込まれてしまっている、呪文のような言葉ならざる言葉。無意味で無根拠な、過剰な、不気味な命令。中野はすでに戦中の「正名」実践においてこの「恐ろしい孤独の場所」に立っていた。いや、正確には戦後の「雨の降る品川駅」の受け取り直しによってそのことを遡及的に認知したと言うべきだろう。ほんとうは誰もがここに立っている。だがここに立ち続けることの切実な必要さを知るためには、翻訳過程での出会いがなければならない。男／女の比喩＝暴力の切断の契機として〝原文〟を掴むこと。一人ではけしてそのようなことは生じえない。だとすれば――〝原文〟と共に在る他者との関係にこそ「欲望」と呼ばれるにふさわしいなにかがあるはずなのだ。

連想を重ね、他のテクストを引き寄せてみる。

レイ・チョウは「サバルタンは語れない」という、ネイティヴに沈黙を押し付けるように見えるスピヴァックの思考にその先の可能性を見出している。「（…）革新的でまったく別の方策は、サバルタン言説が帝国主義言説には本質的に翻訳不可能であることを認識したとき、はじめて考えることができるだろう」と（『ディアスポラの知識人』）。「雨の降る品川駅」の翻訳過程における中野と朝鮮（人）の関係と、チョウが問題化する植民者と被植民者（ネイティヴ）の関係は異なるものの、「翻訳不可能」性についての指摘は本稿とかかわりが深い。錯綜した時空間（東浩紀を真似てそれを「郵便的」ネットワークと呼んでもいい）を通過して朝鮮から日本の中野に届いた詩篇は翻訳（＝言葉の透明な移動・置換）されたテクストではなく、翻訳不可能性としてのテクストであったということ。だからこそ、そこに、暗号のように刻み込まれた諸抗争の複数的な痕跡が読み取られたということ。翻訳が不可能である以上、朝鮮からの明示的なメッセージは一切なにも存在しなかった。ただ、その読み取られた諸痕跡が知A——殺すべき天皇などいないという認識を脱臼させ、躓かせる、という事態が生じた。知B——あなたに殺すべき天皇はいないとは、そのような、外部から到来する躓きを通しての知、躓きそのものとしての知、である。

さらにチョウは有名なルソーの「野蛮人」について、それは「たんなる文化的「他者」」ではなくラカンの言う「大文字の他者」＝「（…）主体化され、私有化されたものとしての対象、全体のなかの失われた部分であるところの対象が現れる前の他者である」と定義した上で、「大文字の他者」概念はネイティヴのイメージに「見る力を付与」し、「それによって、ネイティヴ自身も「まなざし」たり得る」と述べている。

チョウによれば注意すべきは「まなざし」を、植民者から押し付けられたイメージにたいするネイティヴの抵抗とだけ想像するのは「的はずれ」だということである。「ネイティヴのこのまなざしは、脅威をもたらすものでも、復讐をめざすものでもない。それは植民者に自分自身の存在を「意識」させる」。そしてそれは「「原初の」目撃証人自身がいかに無関心かを、模擬的な形で再度明らかにする」。わたしたちは「それを自身の崩壊の目撃者として考え直す」必要がある……。

本稿の文脈に接ぎ木する。

戦後中野に回帰したテクストは翻訳不可能であり、様々な解釈に沈黙でしか答えない。そこに表象＝支配に抗う真の朝鮮（人）の主体性や、「脅威」や「復讐」といったモチーフを読み込むことはすべて「的外れ」である。むしろ重要なのは詩篇を読む者の視野に侵入する他者の「まなざし」である。それは沈黙の内側で、通常の時間軸から永遠に失われた「「原初の」目撃証人」（表象＝支配の暴力の手前の、それを創設する最初の暴力の目撃者）を再演している。「まなざし」はわたし（たち日本人）が朝鮮（人）に押し付けるイメージには「無関心」に、起源の暴力の場所＝〝原文〟の場所に居合わせてわたしの「崩壊」を見ている。他者を表象＝支配する「描写」の根源には孤独で不気味な〝原文〟があって、わたしはそこからしか、自分自身の「崩壊」からしか書きはじめることができないのだが、そこで他者がわたしを見ている、見ていた。言い換えれば〝原文〟においてすら、つねにすでに生じていた自分自身の崩壊の場所においてすら、わたしは一人ではなかったし、これからも一人ではありえない。そこでは目撃者が黙ってこちらを見つめ続けているから。

ならば「欲望」とは、そのような「まなざし」である他者への愛なのではないか。他者を否認せず、抹殺せず、無言の「まなざし」に見据えられ、刺し貫かれながら自己の「崩壊」を是認できたとき、〝原文〟の場所に立ち続けられたとき、そうすることで他者の存在を肯定できたとき、わたしの「欲望」は正しいものであると――それは愛であると――言えるのではないか。「欲望」の軌道上で自らの眼を潰し、完全な暗闇のなかで「まなざし」を聴き取ること、それが男／女の比喩を断ち切ることであり、わたしを見つめる他者にたいする唯一の義しい応答なのではないか。念のため付け加えれば、「「原初」の目撃証人」はいわゆる歴史には、たとえば朝鮮と日本の歴史的経緯には「無関心」であり無関係である。またそれは「模擬的な形」で再演されないかぎりほとんど無である。そして端的に、それは朝鮮（人）ではない。だがわたしに向けて「まなざし」を再演する他人はかならず、わたしが比喩化の暴力を振るってきた相手、今も振るっている相手、歴史的な力の非対称における弱者である。そのため「まなざし」の否認＝「欲望」の誤使用は、現実の朝鮮（人）への暴力と差別となり、力の非対称を蓄積させ、温存し、一層強化してしまう（ここまで比喩化の問題にしぼって言及してきた男／女もまた、具体的な力の非対称の問題でもある）。

「雨の降る品川駅」はどうだろう。最初の雑誌発表版テクストには「まなざし」が存在していなかったのだろうか。そんなはずはない。だが、やはりそれは再演されることによって、ずっと存在していたものとして存在しはじめるのである。この屈折した時間性への理解がなにより重要である。「天皇暗殺」を朝鮮（人）に負わせた初出詩にも或る根源的な「恐ろしい孤独の場所」があって、そこでは他者が「無関心」に「崩壊」を見つめ続けていた。流布版における大逆の主題の抹消にも他者が立ち会っていた。とはいえ、もしも翻訳過程における再演行為がなかったら、抗争的な諸痕跡のなかにそれが感受されることがなかったら、それはほとんどまったく存在しなかったのである。

この他律的な自覚は、通常の人間の言葉では言い表すことができない不思議な時間性において生じる。中野の〝原詩体験〟をさらに一般化しなければならない。原初がなければ未来（現在）は存在しないが、未来（現在）における再演がなければ原初は存在しない。未来（現在）の他人との関係＝再演がつねにすでに存在していた「原初の」「まなざし」としての他者を存在させはじめる。再演の場で他者を正しく「欲望」すること、目の前の他人とのあいだに作動する比喩化の暴力を断ち切ること。そうすることで他者が、わたしに「無関心」に、しかしわたしと共にあり続ける（あり続けてきた）他者が、ニヒリズムとシニシズムを原理的に不可能にする根源的な約束として存在しはじめる。わたしが連帯の真の基礎として歴史を把握するのは、このような出来事の渦中においてである。つまり、そこまできてわたしは、美しい未来の想像のなかにこそトラウマ的な過去を見据えねばならず、トラウマ的な過去のなかにこそ未来の希望の可能性を見出さねばならないということを、ようやく、はじめて、学び知ることができる。[3]

そこにおいてやっと中野はエッセイ「素樸ということ」（一九二八）に予感的に記した当為——芸術家は自分の作品が残ることをではなく、そんな作品など必要としない「美しい生活が人間の世界に来ること」を願い、そのために自分の作品が「その絶頂の力」で役に立つことを念じて仕事すべきである——の現実的な端緒に立つことができた。そしてその困難な道行を忍耐と妥協と反省を繰り返しながら支え続けることこそ戦後の中野が思う〈革命の党〉のあるべきすがたであっただろう。しかし、歴史をめぐる反省を〝自虐史観〟だと嗤うような者は当然として、大西巨人のような左翼ですら中野の自己批判の核心にあった時間性の真意を摑み損ね、そこから面を背けたのである。

＊

戦後、中野は朝鮮（人）問題に触れる際に一九〇四年に締結された「日韓議定書」を植民地化の重要な発端としてしばしば取り上げたものの、近代以前の歴史を語ることには抑制的だった。友人だった在日コリアン作家金達寿とは対照的に、朝鮮半島と日本列島の関係史の底に沈殿する〝古層〟にまったく言及しなかったのである。日本（人）と朝鮮（人）の〝古層〟における相互浸透を強調することが「まなざし」の徹底的な「無関心」性を覆い隠してしまうことへの警戒があったにちがいない。また、朝鮮（人）問題をめぐる思考の起点につねにフィジカルな事実を据えていたことは、彼が「まなざし」の再演の現場をなにより重視していたことを証している。

『昭和の文人』の江藤淳は長篇小説『甲乙丙丁』に「描写」の失調を直覚していたが、「描写」の不可能性は江藤が考えたような単純な外的要因によって生じるわけではないし、外的要因の除去によって解決すべきものでもない。晩年の中野にとって真に大切な問いは、他者の沈黙＝「まなざし」への応答としての〝書くこと〟とはなにかということだった。その上で彼はあくまでも天皇問題に直結するものとして朝鮮（人）問題を摑みつづけていた。「ただ問題は、国の強制「合併」、その国の人びとの強制連行、徴用、もともとの本名の強制日本化、そして最後の「棄民」と来る線、天皇のいう「抑々帝国臣民ノ康寧ヲ図リ万邦共栄ノ楽ヲ倶ニスルハ皇祖宗ノ遺範ニシテ朕ノ拳々措カサル所」から来ていただろう」と（「無条件降伏のとき」）。

中野重治にたいする批評は、肯定するにせよ否定するにせよ、「描写」を単独で取り上げているかぎりある種の文学趣味的なお喋りに終始するほかない。そうではなく、晩年の仕事に顕著である記述あるいは記録という書記スタイルへの転回の契機として「描写」を捉えてはじめて、その本質的な意味が理解できるだろう。一部分だけつまみ出しても意味がないので引用しないが「三畳以下に住む二千八百世帯」や「日韓議定書以来」（いずれも『緊急順不同』所収　一九七三）といったエッセイを読んでほしい。戦前戦後を通じて在日朝鮮人が置かれてきた「棄民」的状況——厳しい困窮や国籍の不当な取り扱い等——についての微に入り細を穿ったねちっこい記述・記録を読むたび、わたしはいつも虚を突かれた感覚に包まれ、自問する。このような文章をもっとも高い芸術＝批評として受け取ることが容易でないのはなぜなのか、と。それは自分が、文学における、〝書くこと〟における、他者の存在を肯定し抜くための悪戦苦闘をはじめから諦めて投げ出してしまっていることの証拠なのではないか、と。

同じことがたとえば『レーニン素人の読み方』にも言える。そこで中野は、目の前の、足元の事実の記述・記録への拘泥と尊敬こそが〈党〉の基礎的な条件だと考えている。それは言い換えれば、現実に無数に散在する「まなざし」の再演の場こそ革命の原点にほかならないと中野が考えていたということである。日本の批評家・秋山駿を中心に据えた「差別への問い（I）」で引いた、金時鐘の言葉をあらためて受け取り直す。

すでに告発者として、ぐんぐん日本、朝鮮の意識のどまん中へ踏み込んで行っている。そうだお互いに踏みこまれる荒々しい干渉こそ、連帯だ。訴える側と理解してやる側との成り立ち自体が差別ではないか！

この戦後世代の「朝鮮人」という呼びかいの前に、てらいなくさらせる在日朝鮮人の「私」をこそ出すべきだ。

（『「在日」のはざまで』）

在日朝鮮人として日本語で詩を作ることによって日本的抒情を切り裂き、同一性の磁場をひび割れさせること。あえて日本語に内在してそこに抗争的な時空間をこじ開けること。それが「荒々しい干渉」としての「連帯」であり、そうすることで「てらいなくさらせる在日朝鮮人の「私」」へと生成変化し続けることが金のミッションであった。そうわたしは書いた。そのような金の「私」に、秋山駿の〈私〉は匹敵しえないだろうとも書いた。そしてその差異が強いる沈黙の内部で両者は〃歴史〃を受け取り直すだろうとも書いた。そう書きながら、被害者である（在日）朝鮮人とちがって、加害者である日本人には個〈〈私〉〉と歴史をつなぐ回路があらかじめ絶たれてしまっているのではないかと、心のどこかでわたしは感じていた。しかしそれは甘えであり、結局は自分を安全な「理解してやる側」に置こうとする浅ましい振舞いでしかなかった。

今はこう思う。「まなざし」の再演の現場に立って、その場所から、加害者にしか知りえない、語りえない〃歴史〃を書きはじめること。そのためにまずは徹底的な記録と記述からはじめること。それへの拘泥と尊敬を自分の批評に取り戻すこと。その先でテクストから革命の時間性を奔出させること。そうやって「てらいなくさらせる」日本人にわたしがなっていくこと。なること。これこそが、日本人（の男性である）わたし（たち）が中野重治から引き継ぐべきミッションである。

注

●1 一九三四年五月、日本共産党員であったことを認めて以後運動から身を退くことを約束し、執行猶予判決を受けて出所した。

●2 高榮蘭『「戦後」というイデオロギー』によれば、当時、革命運動、独立運動にかかわる朝鮮語メディアは「日本帝国による内地と外地の検閲制度の違いを利用し」ていた。そのことは『改造』版が伏字だらけ（編集部の判断で施された伏字であり、直接的な「検閲」によるものではない）で『無産者』版に伏字がほとんどないという差異にもかかわるだろう。『改造』版の自主規制の理由の一つが最終聯のあからさまな大逆表現を理由に作者が検挙されることを避ける（もちろんそれ以上の危険も考えられただろう）目的で為されたことは明白である。では『無産者』版の訳者および編集部はそれについてどのように考え、伏字の少ないかたちで印刷したのだろうか。そこには日本のプロレタリアートと朝鮮プロレタリアートの連帯という枠組みでは到底捉え切れない抗争的な諸力が作用していたはずである。そしてわたしたち日本人がその諸力について無感覚でいること自体、植民地支配、植民地差別の結果であるだろう。高は述べている。「無産者版の戦略、それが流通する空間のコンテクスト、朝鮮語の表象システムは問わないまま、朝鮮語訳を、改造版をめぐる意味の抗争の場に位置づけている限り、原典（宗主国―日本語―日本人）と翻訳（植民地―朝鮮語―朝鮮人）という位階関係の呪縛から逃れることはできないだろう。結局、改造版の伏字を復原するために無産者版を使用すればするほど、過去における二つの言語の間に横たわる位階関係を再現することになってしまう」。

●3

暴力の事実の立証は被害者＝告発者がではなく加害者がすべきであるという常識感覚も以上の事柄と無縁ではない。

文芸時評　二〇二一年

［2021. 1〜12］

てんでんこな〝オクラ〟建立（二月）

松波太郎「カルチャーセンター」、鴻池留衣「スーパーラヴドゥーイット」

先月のプロフィールにもあったとおり小商い（？）をはじめようと、山の上にたたずむ古い蔵をコツコツ修繕している。こんな私事を記したのは松波太郎「カルチャーセンター」（『早稲田文学』）を読んだ感動ゆえである……。〈お蔵入り〉。モノ書きを志す人間にとってこれほど怖ろしくも愛おしい言葉はないのではないか。自分で作品をお蔵にすることもあれば他人にされることもある。カフカやゴーゴリのようにどたん場ですべてをお蔵にしてしまおうとする極端な例もある。松波氏は途轍もないことにオクラへの情熱を丸ごと小説にした。作の中心には若くして自裁した西原康晃さん（氏がカルチャーセンターで共に創作を学んだ友人）が書いた文字どおりのお蔵入り小説「万華鏡」が横たえられており、死者と、かつての自分自身や仲間と対話しつつ氏は自らのお蔵を建てる。小説は学問の対象でも商品でもなく個人的な〝小さな説〟だ。人目から隠れていることに、なにより書くことに小説の本当の歓びがある――これがこのオクラ小説のオブセッション＝建材である。実在する作家や編集者もやって来てお喋りする。たとえば藤田直哉氏（彼もセンターの仲間だったらしい）は批評家として生きることの哀しさと非倫理を嚙みしめながら「万華鏡」をもう一度殺す。末尾、呼応するように何ものかの声が響く。「一度消えたり、沈んでいったって、また何度でも現れてこられるのが〝小説〟ってことなんだよね？」

鴻池留衣（彼も「万華鏡」にコメントを寄せている）の「スーパーラヴドゥーイット」（『すばる』）。どんなジャンルに分類すべきか知らないが、夢の話である。松波作に脈動するオブセッションとは一線を画すものの、書くこと（想像＝創造すること）と生きることの関係を問い質す迫力に圧倒された。言葉が〈私〉を削り、突き破る。殺す。しかしでは、その言葉はどこから来るのか。〈私〉でなければ誰がそれを書くのか。書かせるのか。そんな物狂おしい問いに身を引き裂かれながらなお生きて書きつづける、書かされつづける、そういう気迫だ。その問いの根源にひっそりと建つ無数のオクラたちが触知される。

以上二つが今月おすすめの小説である。先崎彰容氏が江藤淳論「家族と敗戦」（『新潮』）で「喪失感だけが、日本「と」私をつなげてくれる」と述べているが、「喪失感」以前の「喪失」の事実、それを見つめる経験が個々の人間を小説家にし、てんでんこなオクラ建立作業に向かわせる。それが大事なので、「小説の主題」における「公的関心」の有無や「日本「と」私」がどうであるかはほんのつけたりだ。二作を読んでそう思った。

三国美千子「骨を撫でる」。「どこが分かれ道でこんな風になってしまったんやろう」という主人公の疑問はさいごまで音楽として鳴っていない。そのために必要な空間が作家の精確な技量と細心で埋められている。行き届いた平等な描写で腑に落ちやすい結末まで運ばれては彼女が可哀そうである。

児玉雨子「誰にも奪われたくない」(『文藝』)。アイドル・音楽業界の楽屋話に小説らしい饒舌を織り交ぜたチャーミングな作品。ただしヤマ場、常習的な万引きが露見したアイドル真子ちゃんと主人公の対話に引っかかった。主人公は彼女の告白を質問で遮ることを「最も暴力的な選択だ」として自分に禁じ、彼女の言うことをよく「理解」できないまま「受け入れ」る。読んだわたしも「理解」できなかったが「受け入れ」る心持になれなかった。「理解」への渇望は「暴力」的だが、それは書くこと・読むことの不可欠の条件でもある。それを現実の「暴力」と混同して避けて通ることは一層悪い「暴力」だと思う。作者自身真子ちゃんを底まで「理解」しようとしないまま曖昧に「受け入れ」たのではないか。大食いに取材した山下紘加「エラー」(『文藝』)にも同じようなことを感じた。巧みな描写・説明に終始するのなら「コントロールし得ない領域まで達した時の自分の最奥部」のような言い方は無しで済ませてもよいのではないか。それは小説を作品(商品)らしく装う思わせぶりではないのか。

『群像』では田中兆子「地球より重くない」と上田岳弘「ボーイズ」が印象に残った。身近な誰かと生や死について遊ぶように語り合えること、そのための場所と時間を持てること。それが自由であり幸福である。両作はそんな当たり前だが大事なことを考えさせる。だが田中作末尾の引用文献一覧はどうしても必要なのか。感興がそがれた。

異業種の人気者が参入して〝純文学〟の硬直をほぐしてくれるのはアリガタイことだ。とはいえ小暗いオクラの存在を忘れてしまっては元も子もない……。カストリ焼酎で酔ったわけでもないが愚痴っぽくな

ってきた。オクラ・ソングでも口ずさみながらそろそろわが卑小なるわがお蔵に帰ろう。〈オクラらは今は罷らむ～♪〉

自らの歪みの意味を問う軌跡（四月）

櫻木みわ「コークスが燃えている」、木村友祐「きわに暮らす者たちの十年」

綾部　おう、久しぶり。

川口　あら。

A　俺も小説でも書こうと思って文芸誌を読んでみたんだ。俺の相方もだが、このご時世小説家の約半分がお笑い芸人だろ？　残り半分はミュージシャンだ。加納愛子って人も最近盛んに書いてるぜ。「ステンドグラス」（『文學界』）読んだか？

K　はい。

A　身体的なパフォーマンスの言葉と、書かれる／読まれる言葉は時間性がまったく違うからよ。それの交雑って難しくて、下手すりゃ全然笑えなくなっちまう。それにしてもいつから、締まんねぇ手癖っぽい表現のダダ漏れが〝小説〟として通るようになったんだ。〝ステンドグラス〟が何のことかそもそもわかんねぇし。

K　それ以前のところで僕にはこの作品がわからない気がして……。説明が難しいですが、僕はこの書き手と世界をまったく共有出来ていなくて、この人が見てるものが僕には見えていない。見ないでも生きていける。だから小説の根本の動機を共有できない。恐いことですが、それってひょっとして、僕が男で作者が女性だからじゃないのかな、って。

A　なるほど。

K　似た戸惑いは三木三奈さん「実る春」(『文學界』)、くどうれいんさん「氷柱の声」(『群像』)にたいしてもあります。

A　馬鹿げた感想だが、二言三言茶化してこれが批評でございと居直るよりマシだ。前に貴様がくさしてた児玉雨子「誰にも奪われたくない」や李琴峰「彼岸花が咲く島」にも同じことを言うべきじゃないか。

K　そうそう。

A　どうやら貴様は男が書いたものを褒める割合が多いようだ(女/男ってのは簡単には言えないにしても)。読むことって、作品を通して自分の歪み、男なら男としての自分の歪みを知らされることだと思うんだ。その歪みの意味を問う軌跡を貴様の批評にしていくしかないだろ、批評やりたいんなら。

K　そうかもしれません。

A　じゃあ櫻木みわ「コークスが燃えている」(『すばる』)は応えたんじゃねぇか。貴様のカミさん、子育て支援の仕事やってたんだろ?　春生っていう主人公の彼氏の変節の描き方が雑でよくわからんが、たいしたことじゃない。みぞおちにズシンときたぜ、女が強いられてる現実の理不尽さがよ。ほんとに笑えねぇ。

K　はい。妊娠を機に、結婚、父親の認知、出産、労働、その他ありとあらゆる事柄をめぐる不条理が——個人と個人の関係においても、社会制度的にも——主人公にのしかかり、彼女は命を産み育てること、命を肯定することが不可能になるギリギリまで追い込まれてしまう。そんな世界を造ったのはミクロでは個々の男の振る舞いであり、マクロでは男たちによる政治である。作者はさいごに希望としての「強くやさしいひとびと」の存在を書き込んでいますが、たぶんそこに男は含まれていない。それでいいんだと思います。男は滅びたほうがいいし、そうなりつつある。

A　うん、自壊してる。

K　そんなことが心にかかってたもんで、前段で自己反省的なことを吐いたんですよね。

A　昔『男流文学論』で上野千鶴子たちが〝こいつは女が書けてる、こいつは書けてない〟なんて議論する〈男流〉作家のコッケイを批判してたが、いつか男たちが女性作家について〝男が書けてる、書けてない〟って堂々と話す日が来るかな。

K　たしか、室井光広さんは遺著（『多和田葉子ノート』）で自らを〈男末流〉と位置付けていました。滅びの瞬間まで、男は試行錯誤して変容し続けるしかないですよね。

A　震災後十年だが、木村友祐の「きわに暮らす者たちの十年」（『すばる』）は読んだか？

K　いいえ。目次に「エッセイ」とあったので。

A　なんで批評家がエッセイと小説を人様に区別してもらう。てめぇで決めろバカ！

K　……。

A　「きわ」に生きる青森のおっちゃんの「おかしみのある語り」から笑えねぇ現実が浮かび上がってくるんだ。こりゃ文学そのものだぜ。震災という絶対的な〝切断〟の内側に戦後から今ここへの〝連続〟をも探り当てる目、「生きることの普遍を言いあてた言葉」と共に「〝日本型〟問題の根深さ」をも聴き取る耳、そういう目と耳の働かせ方が大事だよな。

K　読みます。

A　元気ねぇな。

K　藤原侑貴「ビザラン挽歌」(『対抗言論 vol. 2』)は？

A　笑えねぇ。主人公の日本人の若い男は東南アジアを放浪してるんだが、女を買い、孤独を深める。こいつが疎外されてると思い込んでる国家なんてほんとはたんなる幻想よ。でもアジアとの歴史的・経済的非対称性と複雑に絡み合うことで〝日本〟はこいつをじっさいに孤独にし、差別や暴力を反復させるんだ。一番笑えねぇのはラスト、現地の政治的動乱にこいつの虚無感が反応し共振するところよ。あまりにイビツだ。このイビツさをもう少し意識的に書いてくれてればちっとは笑えたかもな。お、もう時間だ。原稿料は折半でいいだろ？　会社には絶対に内緒だ。

K　闇営業……。

A　批評家なんて反社みたいなもんだぜ。

K　違いますよ。

文芸批評は暗渠のように流れ（七月）

山本貴光「乗代雄介「旅する練習」論」、住本麻子「富岡多恵子論」

「群像新人評論賞」が「いったん休止」（「編集後記」）されるそうだ。二十年前に文芸批評家・井口時男が指摘した「文芸批評が批評一般へと解消され、批評が知的言説一般へと解消されかかっている」という状態の順当な帰結である。モニュメンタルな出来事なので今回ばかりは批評に多くを割いても許されるはずだ。そもそも批評って？　という方は今引いた『批評の誕生／批評の死』の終章「結　文芸批評という隘路」を読まれるとよい。自らの肝に銘じるつもりでそこからモノ深い定義を書き写す。「彼〔批評家のこと――引用者〕の仕事はただ謎を解くことではない。彼の仕事には、謎を解くことの喜びとともに、謎を生きることの喜びが息づいていなければならない。そして、彼の仕事が本物なら、その謎は彼自身の「宿命」という謎に通底しているだろう。／現代は「わかりたい」という欲望だけが氾濫している。しかし、「宿命」と切り離されたこの欲望はただの「ヴァニティ」（中原中也）である。知的向上心や知的虚栄心である。そんなものは知性でもないし批評でもない」。「宿命」を〈私〉と言い換えてもよい。文芸批評は〈私〉が担う負荷ゆえに学術的な制度や普遍真理とは馴染まないが、だからこそ固有の倫理を帯びる……。こんなまっとうなモノ言いさえ虚ろに響く空気にわれわれ文芸批評愛好者は取り巻かれているが、それでも批評の営みは暗渠のように流れ続ける。じじつ『群像』は批評特集を組んでいる。気づいたことを記しておきたい。

特集劈頭の一篇、山本貴光「認識と情緒のあいだで　乗代雄介「旅する練習」論」。「（…）完成された作物から、それがいかなる設計や機構によってある効果をもたらすかを分析する」という機能的な文章に〈私〉の体臭は皆無である。こうした方向に批評の活路を探るのも一興だろう。ただ気になるのは〈私〉を脱臭して分析機械になりおおせるために山本が「だからどうしたと言われたらそれまでだが」とか「なにもここから教訓めいたことを引きだそうというのではない」のごとき留保を多量に必要とした事実であり、かえってそこに〈私〉ならざる、小心にちぢかんだ〝私〟が透けて見える事実である。もう一点。原文九七ページを引用した上で「「私」しか見なかったことを書き残す。どうしたら、練習の旅の様子をよりよい形で書き残せるか。彼はそのように考えているはずである。そうでなければ、彼が言うように「あらゆる意味で無垢で迷信深いお喋りな人間たち」のように書けばよいのだから」と論じるくだり、〈認識的な書くこと〉／〈情緒的な喋ること（のように書くこと）〉という二項を立てて語り手の「前者に重きを置く姿勢」を強調する箇所は山本の牽強、曲解である。「旅する練習」の「書くことについての意識」はさほど単純ではない。語り手はそういう「人間たち」が「必要」だとはっきり言っており、理由は山本が引いた段落の前の段落に柳田國男の逸話に拠って書かれている。これも持論に固執する〝私〟のヴァニティゆえだろうか。たいして「旅する練習」の作者乗代雄介の批評文「掠れうる星たちの実験」はサリンジャーおよび柳田の「宿命」の核心に大胆かつ繊細に肉薄した、論じ手の〈私〉の感触がこもるブリリアントなものだった。文芸批評の愉しさと怖さが集約された、非常に深い皮肉である。

住本麻子「傍観者とサバルタンの漫才　富岡多恵子論」についても一言だけ。加藤典洋が富岡の『波うつ土地』を取り上げたのは『成熟と喪失』を読む線上であり、その意味で「『成熟と喪失』のパラダイム」の上にあった。が、加藤は〈自然＝女性の崩壊〉という江藤淳の思考の枠を踏み破って「ぼく達がそうであるべき自然」を露出しようとしたのであり、それに触れないで加藤を江藤的パラダイムによる『波うつ土地』解釈の「代表的な例」として挙げ「家父長制の立て直しを望んでいるかのよう」な「保守派的な解釈」と一直線に結ぶのは、加藤がそういう安直さと無縁であることが周知の事実だとしても不当である。批評から公正の感覚が見失われるのは一愛好者としていたたまれない。

申し訳ないが小説は駆け足で。山野辺太郎「恐竜時代が終わらない」（『文學界』）は人間／他の生命（恐竜！）、喰う／喰われる、生／死、愛／憎、等の境界を揺さぶり、今ここに在ることの〝業〟を明らめ＝諦めている。「オーラルヒストリー学会」なる謎の組織に乞われてたった五人の聴衆に向けて語るという設定が活かされなかったのがもったいない。天埜裕文「無風」（『すばる』）は、アルバイト先の後輩、麗珍との交際を機に主人公の日本人としてのナショナル・アイデンティティが問われるという話で、不穏な気配に惹かれて読んだ。お盆・日の丸・八月十五日・学生運動といった象徴的な事物が文学的韜晦を突き破るリアルさを帯びるまでには至らず、ある種の定型にとどまったのが惜しい。

個別的な経験と一般的な思考のあいだ（九月）

桜庭一樹「少女を埋める」

現在、桜庭一樹「少女を埋める」（『文學界』）に思わぬ角度からスポットライトが当たっている。鴻巣友季子氏の時評に作者本人が異議を表明したのである。時評の要約だとあたかも主人公「わたし」（かぎりなく桜庭氏に重なる）の母が父を看護中に「虐待」していたかのようであるが、それはひとつの解釈としてはありえても要約としては誤りだ。要約が鵜呑みにされ、現実の自分の母親に実害が及ぶおそれがあるから訂正してほしい、と。本作を読み、その後鴻巣氏の文章に触れてわたしにも思うところがあった。ただしそれはたんに〝作品を読む〟次元での話で、文芸時評の存在価値や作品読解が現実に持ちうる暴力性をめぐる議論とは無縁の素朴単純なものである。

最初わたしも、鴻巣氏の要約の内容を予期していた。家族という閉じた関係における暴力が正面から取り上げられるのかもしれない、と。時評家＝商業読書屋としてというより、「密室」での「弱弱介護」失敗経験者、「虐待」者として、文学がそこにどのような表現を与えるのか、期待しながら読み進めていたのだ。かりにそのような経験のないひとでも、「虐待」の可能性を念頭に置いて読んで当然だろうとも思う。そうしたくなるのに十分な材料や空白が点在しているのだ。だから母から父への暴力があったのかもしれないと想像し、それにもとづいて作品を読解する自由が読み手にはある。そして当然、結局のところ暴力は明示されなかったのだから留保なしにそれをあらすじに組み入れるべきではない。わたしの関心は、暴力が予想されるにもかかわらず書かれていないことの文学的な意味であり、そのことが「ケア」をめぐる内在的思考にとってどのような意味を持つか、ということである。

事実として「虐待」の描写が存在しないということも重要だろうが、そもそも暴力的な出来事の同定をむずかしくする語りを作者が採用しているということもまた重要なのではないか。「ユニークな人」である母親の言動の揺れ（それが故意か故意でないかもよくわからない）が〝真実〟を見えづらくしている、ということが、わかりやすくある。ただ、母の暴力性から明瞭な輪郭を奪い、本質的に不確かで曖昧なものにしているのは、母にたいして批判的な位置にいるはずの「わたし」の語り口ではないか。もちろん、夫を亡くし気落ちしているはずの母への娘としての気遣い、という側面があるだろう。地方特有の共同体の重力の作用、という側面もあるだろう。だがわたしは、そうした作品造形上の合理的理由を超えた、作者の実存的不安（？）の影をそこに読まずにはおられず、その感触はわたしを――「虐待」者としてのわたしを不安にした。かつて母から受けた暴力に言及するさいの「わたし」の言い淀みや取り乱しを参照してほしい。自分の記憶の中の「事実」をことごとく疑い、こんなことを思い出している自分はじつは民話に出てくる妖怪なのかもしれないと最終的に茶化す主人公の語りは言葉の真の意味で不気味である。

基本的に「わたし」はそこから――個別的な経験から一般的な思考＝「正論」へと、横滑りする。「正論」の存在は「わたし」にとっての「命綱」だが、同時に作品を不安で不気味な境域から救う安全装置でもある。そこで、商業読書屋としてのわたしは結果的に破綻のない面白い作品だったという感想を持つ。だが同時にこれは「虐待」の可能性をも孕む「ケア」についての内在的思考にとっては行き止まりだという感想も持つ。「わたし」が考えるように個別の暴力の背景には歴史的・構造的な力の非対称が存在する。暴力を振るう者は暴力を振るわれる（た）者である場合も多い。誤解の余地のない正しい認識である。ただ、暴力の加害者や被害者が言い淀み、取り乱しながら個別的な関係に、不安な閉域にとどまろうとすること——〈わたし〉と〈あなた〉の次元で暴力を問い続けることも同様に正しいことだろう。というより、一般的な思考と個別的な経験のあいだで引き裂かれることが、「ケア」やそこにおける暴力の可能性への真剣な問いかけの起点になるのではないか。「正論」一辺倒に傾いた本作の結末からはそのような可能性を感じなかった。当今の「ケア」概念については無知な、月並な「ケア」失格者の感想である。

……鴻巣氏の時評を読むと、テーマを抽出するのが批評の役割だと勘ちがいしそうになる。作品について具体的になにかを伝えたり伝えられたりするにはなにぶん字数が少なすぎるのだ。ボルヘス的な要約の魔法をひとつの理想とすることは大事だが、時評の書き手も読み手も、自分が魔法使いではなく凡人にすぎないということも忘れないでおいたほうがよいのだろう。

文学という流れ
二〇二二年文芸回顧

本紙文芸時評を担当したこの一年間に手あたり次第に読んだ膨大な数の文学作品について、わざわざ再説したいとも、ましてや順位をつけたいとも思わない。自分に言えるかぎりのことはその都度言ってきた。そうして〝五大文芸誌〟が形成する〝文芸シーン〟(?)についての知見は深まらずあいかわらず素人以前である。なので回顧といっても、かつて作品と結んだ関係を現在から想起し、いまでも自分のなかで熾火のように確実な熱を保っている事柄を見分け、あらためて手をかざしてみるという程度のことしかできない。

〝小説〟とはそもそも何であるのかはっきりしない不安状態で時評に手を染めたわたしにとって、松波太郎氏の「カルチャーセンター」(『早稲田文学』冬号)を読めたことはうれしく、励まされた。正直わたしは、作者の死や不在を工夫をこらして告知するタイプの作品を心の底から愉しめたためしがない。いわくありげな書き手の表情がちらちらして死や不在の感触がかえって稀薄な場合が多いことが理由かもしれない。すべて紹介できないのでぜひ原文を読んでほしいが(『ことばと vol. 4』の氏へのインタビュー記事もできれば併読してほしい)、「カルチャーセンター」ではほんとうに作者は死んで〝小説〟というオブセッションだけが残り、そしてそれがさらに松波太郎という人間を、時間をかけてゆっくりと死に至らしめようとしている。だがそれこそが生きるということではないか。少なくとも作家として、書くことによって死ぬ＝生きるということではないか。当たり前だが、人とくらべてなにかをより多くより正確により上手く語れるということと〝小説〟を書くことは一切無関係である。それは批評を含むすべての文学と無関係である。

迂闊なわたしは、主として女性の生存を主題とする、主として女性によって書かれるテクスト群が作り出す大きなうねり——いわゆるフェミニズム文学の潮流についてまったくの無知だったが（『文藝』フェミニズム特集のことも、『早稲田文学』女性号のこともつい最近知ったくらいだ）、結婚や妊娠にかかわって女性にかぶさる現実の不条理を強い素朴な線で描いた櫻木みわ「コークスが燃えている」（『すばる』四月号）を読んで、男性として動揺せざるをえなかった。七月には「群像新人評論賞」休止の話題に絡んで山本貴光氏と住本麻子氏の論考をわたしが批判するということがあり、有難いことに住本氏から応答があった。はじめのうちわたしは事柄をあくまでも手続き上の問題、文芸批評が守るべき最低限のマナーの問題としか捉えていなかった。もちろんそれはそれとしてあるのだが、氏の「反論」を読み自分も再反論を書きながら、論争という行為に抜きがたくあらわれる〈力〉の意味、そこにつきまとう自らの男性性、という方向にも考えが進んだ。そこには批評の男性性という問題も当然含まれるだろう。また、ふたりの女性の関係に焦点を合わせた児玉雨子氏の中篇「誰にも奪われたくない」（『文藝』春号）について批判めいた感想を記したものの、同氏の短篇「凸撃」（『文藝』夏号）——こちらは男性の関係が中心にある——を読んで前言を翻すということもあった。これも右記の問題と根っこでつながっていて勉強になった。

『文學界』一月号の鴻巣友季子、安藤礼二、江南亜美子三氏による座談会「21世紀の日本文学」における安藤氏の率直な言葉が印象に残っている。「文学はジャーナリズムではありません。私が鴻巣さんと一番相容れない点はたぶんそこにあると思います。別に文学をジャーナリスティックに評価してもしょうがないでしょう」「わかりやすい社会問題に沿っていけば表現についていろいろ語れるけれど、そういったものが本当に文学にとって重要なのかという疑問は当然残るはずです」「だから、問題、問題、問題、と問いを重ねていくと、本当にそのような問題が存在するのだと思い込んでしまう。しかし、問題を立てないこともまた重要なプロテストになるというか、文学の機能として重要なんじゃないかな、と」。じっさい作品は「問題」とどこかでかかわりながら、しかしそれに明確に背を向けてめいめい孤独に立っていた。「ジャーナリズム」はその事実をどうすることもできない。さいごにちょっと前のものだが『群像』の創刊70周年を記念した座談会（二〇一六）での辻原登氏の発言を書き写して、極私的な「おそすぎた目覚め」（中野重治）をめぐるこの小文を閉じる——「文学という流れは、文芸誌に常に掲載されたり、文学賞をとったり、売れたり、売れなかったりという形で、作家という職業につくこととは全く関係ない。文学志願者、それから文学愛好家たちがうねりのように生まれて消えていく。そこには進歩も発展も何もなくて、ただひたすら累々と日の目を見なかった作品だけが残っていく」。

「ぼく達」のゆくえ——住本麻子氏の「反論」に答える

［2021. 8］

「反論」を読んだ。住本氏の文章は、氏の論考「傍観者とサバルタンの漫才」（『群像』）にたいするわたしの批判（『週刊読書人』時評欄）への反論部分と、そこから派生した——時評の範囲を超える部分——わたしへの問いかけ・持論の展開・批判的結論という、大きく言って二つのパートに分かれている。以下、読んで考えたことをあたうかぎり判明に述べることで氏への応えとしたい。

前者、時評への直接的反論についてだが、基本的にわたしは氏の主張に動かされなかった。つまり、時評に書きつけた中身——加藤典洋が論考「崩壊と受苦」（『アメリカの影』所収）において江藤淳のパラダイムを踏まえつつそれを踏み破ろうとしたこと、「それに触れないで加藤を江藤的パラダイムによる『波うつ土地』解釈の「代表的な例」として挙げ「家父長制の立て直しを望んでいるかのよう」な「保守派的な解釈」と一直線に結ぶのは（…）不当である」——を変更する必要はないと考える。必要ないどころか、住本氏の言葉に触発され「崩壊と受苦」を読み直した結果、「不当」の感はむしろ強まった。

たしかに氏が「反論」文で「確認」しているように、「家父長制」云々の言葉は「『表現者クライテリオン』の読書会」に「かかっている」。加藤典洋に「かかっている」のでは断じてない。わたしが「明記」しなかったそのことを氏は「一応公正の感覚から示して」くれた。わたしも「明記」したほうがよりわかりよく、より「公正」であっただろうと思う。そのことを氏にたいして申し訳なく思い、指摘をありがたく思う。もちろん加藤その人にかかっていないものを「かかっている」かのように見せかけることで住本氏の文意を捻じ曲げる下卑た意図など、わたしにはなかった。そもそも文意は、そのような操作によってはけして捩じ曲がりなどしない。「一直線に結ぶ」、とわたしは書いた。氏は、「家父長制」云々が「かかっている」「『表現者クライテリオン』の読書会」と「家父長制」云々がかかっていない加藤を結んだ。「かかっている」とは、「かかっている」なにかが、それをかけられているものの属性である、ということだろう。たしかに「家父長制」云々は『クライテリオン』の属性であるのかもしれない。だが加藤の属性ではない。それは『クライテリオン』に「かかっている」と「明記」した以上、氏はこのことを知っているはずだ。では氏は百も承知の上で、「かかっている」ものである『クライテリオン』を、かかっていない、かかりようのない加藤におっ被せてまとめて「棄却」してみせたということになる。かかりはしないが「結ぶ」ことはできる(そんなことできはしないとわたしは思うが)、ということを証明するいかなる努力も抜きに、である。

したがってあらためて断言する。氏は「家父長制の立て直しを望んでいるかのよう」な「保守派的な解釈」を有する「『表現者クライテリオン』の読書会」と加藤をなんの屈折もなく「一直線に結」んでいる。それゆえに氏の言葉は「不当」である。

かりに加藤が『波うつ土地』読解で試みたことが空転を避けられないとしても、かりにそこに決定的な誤謬が含まれていたとしても、まぎれもなくそれは江藤のパラダイムとの緊張関係から生じたもの、それを切断しようとする意思から生じたものだった。「反論」文最終段落の「更新」という言葉の用い方から想像するに、否定的であるとしても、氏はこのことを理解してはいるだろう。にもかかわらず、氏は「結んだのだ、「資本主義によって国土がつぶされて、社会が破壊されて、男が本格的にだめになって、女どもが悲鳴を上げてるっていうことじゃないか」(「読書会」の藤井聡の総括)という言葉と。いったい氏は、こんな、読解以前のたわごとが加藤のなにを「根強く」「受け継」いでいると主張するつもりなのだろう。わたしにはわからない。氏には、「崩壊と受苦」の江藤にたいする批評性について、ほんのわずかでも書きとめる紙幅と時間の余裕がなかったのだろうか。百歩譲って、わざわざこんなかたちで加藤を持ち出さずとも、悪しき「『成熟と喪失』のパラダイム」にもたれかかった『波うつ土地』解釈を「棄却」することは可能だったのではないか。

氏が「あえて」こちらの「意図」を「汲」んで(自分の意見を述べるのにわざわざこんな持って回った言い方をして頂かなくて結構である)整理したところによると、氏が加藤の読みと『クライテリオン』の読みの「共通点」を重視するのにたいして、わたしは「差異を強調」しているのだそうだ。氏はこう述べている、「もちろん加藤と『表現者クライテリオン』の読書会は別物なのだから違いがあるのは当然である」。なんだろう、この謙譲に見せかけた矮小化は。氏は自分にとって都合の悪い「違い」から目を逸らそうとしているのではないか。もちろんリンゴとミカンは別物なのだから「違い」があるのは当然だとわたしは思う。だが、わたしはあなたと、くだものの「差異」の話がしたいのではない。わたしはあなたと批評的なレベルの「差異」の話をしていたつもりである。

加藤の言葉と『クライテリオン』読書会での藤井の言葉のあいだには、批評精神を尊重するものにとって絶対的に重要な「差異」があるはずだ。だが、とりあえず予断なしに、氏に問うておこう。ならばあなたは、リンゴとミカンには似たところもあるという水準以上のいかなる「共通点」を両者のあいだに見出したと主張するのか、と。氏は両者の「共通点」を「強調」するためには「加藤が露呈させようとしたという「ぼく達がそうであるべき自然」について検討する必要がある」と述べている。じつはわたしとしてもそのような「検討」に関心があり、「必要」とも思う。氏の言葉を追おう。

*

ところが意外なことに、切迫した口調で「検討」を言挙げしたその舌の根の乾かぬうちに、氏の文章は目標を見失い、堕落し切ってしまう。江藤の『成熟と喪失』と加藤の「崩壊と受苦」の違いを教科書的にまとめている段落のつぎの段落、最終段落の前半部分をとりあえず書き写す。――「ところで川口氏は「ぼく達がそうであるべき自然」の内実を具体的に理解しているのだろうか？　理解しているのなら示してほしい。加藤が「崩壊と受苦」において使用する「自然」というワードはしばしば曖昧である。しかしそれが具体的に指し示すことができたのだとしたら、それは加藤（もしくは川口氏）が創出した自然ではないだろうか。そこに加藤が使用する「自然」という言葉の恣意性が露出し、「そうであるべき」という言葉に「ぼく達」が縛られることになりはしないか」。

「検討する必要がある」と述べた以上、当然、加藤の言う「ぼく達がそうであるべき自然」を「検討」することによって氏がわたしを「反論」し批判するものだと、わたしは待ち受けていた。しかし氏は唐突にそれの「内実を具体的に理解している」かどうかをわたしに質し、「理解しているのなら示してほしい」と求めている。これはなんだろう。

たしかに加藤が用いる「自然」は「しばしば曖昧」であるかもしれない。そのために氏は加藤の言わんとするところが「理解」できず、「理解」しているかもしれないわたしに教えを乞うてみた、そういうことなのだろうか。だとしても氏は、「検討」が「必要」とまで言い切ったのだから「具体的に理解」しようと試みたその過程を示すことによって自分が「理解」しなかった理由を示すべきだろう。あるいは、氏はなにもかも「理解」した上であえて韜晦してみせているだけなのだろうか。「しかしそれが具体的に指し示すことができたのだとしたら、それは加藤（もしくは川口氏）が創出した「自然」ではないだろうか」などと言うからには、また、その「理解」において「「自然」という言葉の恣意性が露出し」などと言うからには、「具体的に理解」しないまでも氏は「そうであるべき自然」についてなにごとかを摑んでいるのかもしれない。たとえば——「具体的に指し示す」こと自体が罠であるような根本的な抽象性、虚妄性、「そうであるべき自然」は核心にそのような危険を内蔵しており、その磁場に落ち込んだがさいご、加藤＝川口の「言葉」には「恣意性が露出」せざるをえない。そんなことを言いたいのか。だとしても、思わせぶりな奇怪な質問を発する前にそこに至る「検討」の過程を氏は氏自身にたいしても読者にたいしても明らかにすべきだろう。具体的に示せと迫っておいて、示せたとしたらそれはおまえのでっちあげだと宣い、自らは一指たりとも動かさない。こんな不条理にお目にかかることは稀である。少なくとも批評文のなかでは。氏自身による「検討」がないかぎり、加藤と『クライテリオン』の「共通点を強調したい」と見得を切り、「これ［「崩壊と受苦」のこと——川口］が『成熟と喪失』を踏み破っているとはとうてい思えない」と結論されてもなんのことかわからない。これでは批判対象でありそれゆえこの文章のもっとも切実な読者であるわたしにたいしてあまりに不親切ではないか。他の読者にたいしても同じだろう。

「反論」文に「露出」しているのは加藤の言葉の「恣意性」でもなければ川口の言葉のそれでもない。「露出」しているのは依然として、『表現者クライテリオン』の読書会」の「家父長制の立て直しを望んでいるかのよう」な「保守派的な解釈」と加藤の読解をなんの屈折もなく「一直線に結ぶ」、住本氏その人の言葉の「恣意性」である。

(氏の論考「傍観者とサバルタンの漫才」について念のため二言三言言い添えておきたい。まず、時評でもこの感想文でも、氏の論考の本筋、「不完全な「妊娠小説」として『波うつ土地』を読むこと」に直接的にまったく触れていないが、氏のねらいそれ自体には意味があった、とわたしは考える。また論考内には、『波うつ土地』ははっきり、『成熟と喪失』とは異なる「自然」観を持っている」という言葉はあるものの、「そうであるべき自然」についての「検討」はなされていない。

*

住本氏の「反論」への感想は上に尽きる。ただ事実としてわたしは氏から「ぼく達がそうであるべき自然」を「検討」するという課題を受け取ったので――そしてそれは大切な事柄なので、「検討」の端緒だけでも以下に記しておきたい。

「崩壊と受苦」は、『成熟と喪失』の十七年後における根源的な読み変え・編み変えの試みである。

加藤は江藤の仕事に「ぼく達の内面に、一九六〇年代の経済高度成長下の農耕社会の崩壊と自然破壊によってひきおこされた危機を、「母」の崩壊として摑みだし、それを広義のアイデンティティ・クライシスの問題として提示した」意義を認めている。しかし加藤は鋭く問いを切り返す――『成熟と喪失』の現実把握では現在の「ぼく達の内的な自然空間の崩壊」をとらえられないのではないか。「「アイデンティティ」の危機」というパースペクティブで現実を理解しているようではダメで、それでは「ぼく達」が今まさに経験している事態＝「「母」の崩壊」という「内面的危機の構造それ自体が、崩壊したという事実」＝「新たな「崩壊」の現在」が見えなくなり、その意味をまともに問うことすら困難になってしまう、と。

住本氏が「ここに女性が含まれているとはとうてい読めない」と正しく指摘していたように、「ぼく達」とは、日本のマジョリティ男性たちのことである。加藤が一般的な意味でそのような男性だったかわたしは知らない。しかし少なくともこうは言えると思う。自身マジョリティ男性である者（わたしもそうだ）が江藤淳の仕事をその最長到達点で批判しようとする場合、まずはこの「ぼく達」のマジョリティ性を、つねにすでにそうであった自らの生の絶対的な事実・条件として引き受けることを避けてはならない、ということ。加藤が江藤を論じるにあたって「ぼく達」という主語を択んだのにはそのような意味があった、と。それは江藤を批判的に継承する、江藤を正当に受け止めた上で切断する、そのための基礎的な条件なのだ。この条件の重要さにくらべれば、江藤の占領研究の学術的な不備をあげつらうことなど遊びみたいなものだ。

「ぼく達」が江藤を批判するとは、最終的には、長い歴史的経緯も含めて、自らのマジョリティ性の内実を直視した上でそれをなにかべつのものに変容させることでなければならない。男性性に内在しながらそれを変容させること。そうした事態を希求すること自体は悪ではないだろう。またそれは可能かもしれない。だが、けして外部からそれを切除することなどできはしない。「ぼく達」ならざるものによってそれが切除されることを期待してはならない。それを他者に求めてはならない。それは欺瞞以外のなにものでもないから……。大事なのはこのことをミゾオチで理解し貫徹することだ。これはおそらく容易なことではない。この困難と、マイノリティが自らのマイノリティ性に直面することの困難——痛みと言うべきだろう——とは質的にまったく異なるが、それでも困難は困難としてある。この困難とほんとうに正対し対決して、ようやく、「ぼく達」はあいかわらず「ぼく達」のまま、批評性＝単独者性をかすかに身に帯びることができるのかもしれない。そこから遅すぎた一歩を踏み出すのかもしれない。

住本氏はわたしへの「反論」を「加藤が『成熟と喪失』をよりリベラルな価値観へと更新しようとしたとしても、それがいずれ保守派へと連なる経脈となっても不思議ではないのである」と締めくくっていた。まさにそのとおりである。テクストが将来いかなる「派」や「価値観」に「連な」ったとしてもなんの「不思議」もない。ただしこれは、批評を書くことによって生きかつ死んだ人間の存在を閑却したところにしか成り立たないモノ言いである。また、一人の人間がその内部に、まったく個的に、倫理的渇望の子種を宿しうるということの、そして文学作品を読むことがその渇望にとってなにがしかの意味を持ちうるということとの、全否定である。べつにかまわない。住本氏にはそうまでして言いたいことがあったのだろうから。テクストの内実を切り捨て、「(…)永遠に「崩壊と受苦」をくり返さざるをえないのではないだろうか」という呪文めいた言葉を上から浴びせておいて、「リベラルな価値観」か「保守派」かという手製の対立枠に落し込む、氏にはそうすべき理由があったはずだから。批評はときおり個人にそのような無理を強いるものであり、最終的にはそれも住本氏という一人の人間の問題にはちがいない。だとしても、わたしは思う。恐れつつ呟く。加藤という一人の人間を切り捨てた上でそのテクストを「資本主義によって国土がつぶされて、社会が破壊されて、男が本格的にだめになって、女どもが悲鳴を上げてるっていうことじゃないか」というたわごとと躊躇なく「結」んでしまう、そのような人間侮蔑の精神がいつかアホでまぬけな「保守派」とは比べ物にならないほど悲惨ななにか「へと連なる経脈となっても不思議ではないのである」……。

＊

では『波うつ土地』読解にあらわれている倫理的渇望とはどのようなものか。

「ぼく達」は危機的な現実を意識化しないかぎり、「母」の崩壊と「父」の不在という従来の視野に依存しつづけ、それを「国家」と結びつくことで、あるいは「アメリカ」という外敵の表象を再生産しつづけることで垂直方向に克服する心の傾斜に自らを委ねつづけてしまう。加藤の問題意識はさしあたりそのようなものだった。たとえば加藤は自分が江藤の占領研究に魅惑される事実を隠さない。彼自身切実に実感している超越への欲望が他の作家とは比較にならないほど赤裸に露出していたからこそ、江藤のテクストは「ぼく達」を誘惑するのだ、と。この率直な姿勢にわたしは打たれるが、そんなことに感動しているようではいけないのだ。このままでは「ぼく達」は依然として、「個人」の「苦しみ」と「国家」の「苦しみ」という「異質」なものをぐずぐずに溶かし合わせながら、「ぼく達」と「ぼく達」以外のあいだに暴力的に線を引き、崩壊の予感におびえながら、しかしあくまで自らは安全な場所に立って「ぼく達」ならざるものを永久に差別し排除しつづけることになる。

ではどうすればよいのか。どうすべきなのか。ここまできてようやく加藤は「ぼく達をおそっている崩壊が何であるかを教える」作品として『波うつ土地』のページを開く。加藤の「曖昧」さがあらわである箇所――加藤が、富岡作から受け取った大切な主題をはじめて指差すくだりを引用する。


この小説の主人公は、女性だが、この小説が主人公を女性とすることによってぼく達の内面的危機のありかに届くのは、いまのぼく達の危機が、同じ「母」の崩壊でも男からみたそれ、つまり、他者としての自然の崩壊ならぬ、女からみたそれ、つまり自己としての自然の崩壊としてあるからである。

これは、現在のぼく達の問題が女性によってしか担われえないなどという話では勿論、ない。そうではなく、かつて、『成熟と喪失』が書かれた時代には日本人一般の内的危機のイメージが「母」の崩壊を眼前にし、社会への露出を余儀なくされるオトコの姿に像を結んだように、いまのぼく達の危機のイメージを探せば、それは、『波うつ土地』におけるような、一人の成人女性の――しかも成熟などありえない――自己崩壊受容の姿に、その像を結ぶだろうということである。


ここにあるのは、超越の論理の明晰さからはほど遠い、ナマな思考の跡である。「「母」の崩壊」を扱う江藤の手際にこのような混乱はなかった。なにが語られているのか、少しずつ解きほぐしたい。

これまで「男」は「危機」を自分の外側に、他人事としての「「母」の崩壊」＝「自然の崩壊」に見出し、眺めてきたが、それでは「ぼく達の内面的危機のありかに届」かない。現在の「危機」―「崩壊」は「女からみたそれ、つまり自己としての自然の崩壊としてある」。だが疑問が浮かぶ。「危機」があくまでも「女」に根差し、「女」から見られてはじめて正しく認知されるものなのだとしたら、「男」はそれをどう理解すればよいのか。そもそも理解できるのか。「男」の視点から「女」の視点へ一足跳びに移動できるはずはない。それはあくまでも「女からみたそれ」であって、「自己としての自然の崩壊」を「男」が見ることなどありえない。あるいは仮構された高みから見下ろせば、一見それらしい「像」を得ることは可能かもしれないが、それは断じて自らの眼で見ることではない。たしかにそのようにして得られた「像」は「崩壊」についての社会学的な外貌を呈示するかもしれない。だが「男」によってメタポジションから想像された女性の「自己崩壊受容の姿」などに、いったい幼稚で甘やかな美化以上の意味があるだろうか。「危機」の「ありかに届く」ためにはどうしても「崩壊」を自分事（「自己としての自然の崩壊」）として自らの眼でたしかめなければならない。だが、「自己」とはここでは「女」でありそれを見るのも「女」である。自己自身を見据える「女」の眼に映じた「崩壊」の在り様を「男」である「ぼく達」が見ることはできない……。

「崩壊」を「像」として語ろうとする傾きが加藤自身にまったくなかったとは言えない。引用文で彼はかなり危うい綱渡りをしているように思える。だが「像」を語るだけでは江藤が試みた克服となんらかわらないと、超越的な位置から身をもぎ離してはじめて江藤批判たり得ると、はっきり気づいてもいたはずである。富岡多恵子という女性作家によって書かれた女性が主人公である作品を取り上げて「これは、現在のぼく達の問題が女性によってしか担われえないなどという話では勿論、ない」と断言したからには、「ぼく達」は垂直方向の引力を拒絶し、「天」や「父」を見上げることを禁じ、自己自身の地平を、足元を眼差すことで「ぼく達の問題」を「担わ」なければならないのだ。とはいえ「崩壊」を見ることの不可能性にもかかわらず「ぼく達」の「危機」に手を伸ばし触れる、そのような方途がはたして存在するのだろうか。

引用箇所の前後で加藤は、江藤が分析の対象とした庄野潤三『夕べの雲』と『波うつ土地』の差異——具体的には両者における自然破壊の差異を強調している。前者ではそれは「むこうから、徐々に近づいてくる」ものとして描かれる。主人公の大浦は「もう自然ではないもの(破壊された自然)」の接近に怯えているが、だからこそそれとは区別される「残された自然」に執着する。そこにある種の「フロンティア」の感覚が残っていた。しかるに後者では「フロンティア」は消滅している。ではそれはどこに消えたのかと加藤は問い、答えている。「それは、『夕べの雲』が書かれた後、ぼく達のすぐそこまで近づき、ぼく達に触れ、ぼく達の生存の皮膚をつき破り、ぼく達の内面を侵し、そして、ついにはぼく達自身として、ここにいる——」。そうしてそれは、「フロンティア」の感覚自体「実は『嘘』、ぼく達の眼を欺くもの」であり、大浦自身がじつは自然破壊に「加担」している事実を隠ぺいするものであったことを告知するのだ、と。

この鋭く鮮やかな対比は、きわめて曖昧で不透明なものを蔵している。すでに見たように加藤は、大浦という男に感受されていた「あのフロンティア」は現在消滅し「ついにはぼく達自身として、ここにいる——」と述べていた。だとすればそれは前に引用した、現在の「危機」は「他者としての自然の崩壊ならぬ、女からみたそれ、つまり自己としての自然の崩壊としてあるからである」という言葉とどうつながるのか。簡単に言えばここには「男」と「女」の不可解な混雑があるのだ。たとえば「男」のなかにある

「女」性性のようなものを想定し、男女に通有の「女」性性こそが危地に陥っているのだ、と解釈すればこの混雑は解決されるのか。しかしそれでは安易にすぎるだろう。加藤は最終的に『波うつ土地』を「彼女」の物語として読み切っているし、引用箇所だけに着目してもやはりそのような読みは無理だろう。わたしは疑問をそのままにして、この女性を主人公とする小説が「ぼく達の内面的危機のありかに届くのは」「いまのぼく達の危機」が「女からみたそれ、つまり自己としての自然の崩壊としてあるから」という言葉に拘泥したい。

思えば「崩壊と受苦」は冒頭付近ですでに、「ぼく達」が見ていないものの存在に言及していた。「(…)いまぼく達のおかれている或るよるべない状態について、これは何であるというように、名を与え、これを解釈するが、何か、その言及そのものによって、ぼく達にそのよるべなさの実態が、見えなくなってしまう(…)」。目の前の現実を既存の価値や概念で語ろうとすることがその「未知性を覆い隠」してしまう、と。だがここで述べられている「未知」性と、先の引用箇所で加藤がぶつかっている根源的な見ることの不可能性とは、全然べつのものだ。加藤は『波うつ土地』を読みこんではじめて、見えないということと見ることができないということのあいだには絶対的な差異があり、後者にこそ本質的な問題があるということに思い当たったのだろう。

どういうことなのだろうか、「男」がけして見ない「それ」、「女」の「自己としての自然の崩壊」が「いまのぼく達の危機」に届くとは。

論考の末尾近く、加藤は絶対零度とでも言うべき「男」の盲目と「女」の「深い眼の色」の対照を印象的な筆致で書きとめている。作中の男女は情事を繰り返すが「女」にとって「男」は「コトバのない砂漠」であり、彼女は「男」を、自己の「内面に、「たんに性交をする」相手として、呼び入れ」る。「男」との関係において彼女は自己を「男」に差し出すのではなく、自己自身に向かって差し出す。「(…)彼女は「もう自然ではないもの」として、しかしまたそのような自然として、自分をその崩壊へと差しだすのである」。彼女ははっきりと「自己としての自然の崩壊」を見る。たいして「男」は、「あくまで彼女に「女性の自然性」ともいうべき可愛い女、人妻、愛人を見ようとする」。しかし彼女は「男」のそのような態度に「困惑」するわけでも「脅威」を感じるわけでもない。ここにはなにがあるのか。

それを的確にいうことは非常に難しいと感じるが、ここには、ただ、自分の最も奥深い「自然」が他者の最も浅薄な「理解」に曝されるのを、深い眼の色でみまもるような、自分の「自然」にたいする――成人して自分の手を離れた子の背中をみまもる母親の眼にも似た――そのような眼差しが、感得される。そしてそれは、表題ともなり、また作中に頻出しもする「波うつ」土地というコトバに重なって、何か、ぼくの内部に、主人公が一つの崩壊をその横たえたからだに深々と受ける、そんなイメージを生むのである。

「男」は「女」を、その「自然」を見ていると思いこんでいるが、じつはそれは見ることではなく、「最も浅薄な「理解」」にすぎない。「女」はそんな「理解」に曝されている「自然」=「もう自然ではないもの」=自己自身を、「深い眼の色」で見つめている。少し離れた後ろから愛(かな)しんでいる。「成熟などありえない」、かつても「母」などではなかったし、これから先も「母」などではありえない自分自身を。その眼は「母親の眼」のようだがそれは「男」が考える「男」のための「母」ではない。もちろん「女」は

「男」など見ていない。だから二人のマナザシはけして交錯しない。そもそも「男」はなにも見ないのだ。「男」は「女」に見えているものを見ないし、その眼に大切ななにかが映っていることも知らない。「女」にたいして、彼女たちの、自己自身であるような「崩壊」にたいして、彼は原理的に盲目である。

「ぼく達」の「危機」が、このようなものであるとすれば――「ぼく達」の「崩壊」とは他者のみならず自己自身の「崩壊」さえ見ることができないということ、他者は言うに及ばず自己をもけして愛しむことができないということであるとすれば――それこそが「ぼく達がそうであるべき自然」だとすれば――「男」としてこの世界に生れ落ちることにいったいなんの意味があるだろう。……これは『成熟と喪失』の論理がついに乗り上げることのなかった暗礁であり、環境破壊や家族制度といった文脈で語ることのできる範囲をはるかに越えている。

だがだとしても、加藤の思考（を読むわたしの、「ぼく達」の思考）がそれをもって「ぼく達の内面的危機のありかに届」いたと言い切ってしまってよいのだろうか。この暗礁への乗り上げは、結局は絶望的な暴力や死――たとえば江藤の自殺のような――に至るほかはない、虚しい自己絶対化に至るほかない、悪に結びつくほかない、そういう獲得となにがちがうのだろうか。これでなにかが「更新」されたと言えるのだろうか。やはり「男」は、「ぼく達」は――住本氏の言うとおり――欺瞞にまみれた「崩壊と受苦」を永遠に繰り返すほかないのではないか。

「ぼく達」は自分自身がこれまで加担し、今も加担しつづけている具体的な「破壊」の責任を問い、取りながら生きつづけていくべきだろう。加藤が死んだ今、彼の論考が『成熟と喪失』を「踏み破っている」かどうかは「ぼく達」の実践にかかっている。右のようなことを知りつつ、それでも自分自身で内在的に変容する可能性をこの生の内部に、自らの足元に探し求める「実践」に。

「ぼく達」は変容し、いつかこの眼で、「女」の眼を見つめ、そこに映る彼女たち自身の「崩壊」のすがたに正しく恐れおののくことができるだろうか。

末尾、加藤はどんな思いで、どんな眼をして、「「もう自然ではないもの」に自ら、も、う、自、然、で、は、な、く、な、っ、て、会、い、に、い、く、」「女」のすがたを見つめながらそこに「一つのモラル」という言葉を書き記したのだろうか。そして彼は、どんな思いで、どんな眼をして、批評を書いて生きかつ死んだのだろうか。

＊

わたしは加藤の言葉と、住本氏が引用した「『表現者クライテリオン』の読書会」の言葉の「差異を強調」しようとしてこの稿を書きすすめてきた。成功したのかどうかはわからない。わたしはもう一人で、加藤の、江藤の、富岡のテクストに戻らなければならない。率直に「反論」してくれた氏に心から感謝する。「ぼく達」の一人でしかないわたしは「サバルタン」でも「傍観者」でもありえずその「漫才」にも加われないが、もしいつかどこかですれちがうことがあれば幸せである。さいごに念のため、他人事ではなく自分事として繰り返す。「批評から公正の感覚が見失われるのは一愛好者としていたたまれない」。

書評

[2021. 10～2023. 9]

沈黙とノイズの音楽
児玉雨子『誰にも奪われたくない／凸撃』

「誰にも奪われたくない」の主人公立野玲香（園田レイカという名義で作曲活動をしている）は楽曲提供がきっかけで知り合ったアイドルの真子ちゃんと徐々に関係を深めていく。……ように見えるが、二人にはもどかしい距離がつきまとう。彼女は誰にもなにも奪われたくない。裏返せばそれは、自分もまた他人からなにも奪ってはならない、他人にとってのノイズになるべきではない、という厳しい生の掟になる。玲香は真子にたいして「強固に自分を塞ぎきらなくてはならない」と心に決めている。一緒に食事をしながら目の前の彼女に「腐った無神経さを浴びせてしま」うことを恐れている。この配慮の対極にいるのが、同僚男性（玲香は会社勤めもしている）の林である。彼はノイズキャンセリング機能付きのイヤホンによって自分を外界から切り離している玲香に、その「張り詰めた無音の底から」電話をかけてきては無遠慮に彼女からなにかを奪い取っていく。

物語は女二人(+男一人)の関係を軸に進むが、作者は、玲香と真子に全的に共感し、林を嫌悪するだけの単純な書き方はしていない。すこしでも無防備に外部に曝されるとはげしい不安に駆られる玲香の在りよう(左耳のイヤホンを紛失したときピークに達する)、彼女の「惨めさ」の感覚は微妙に突き放されてもいる。だからこう言えるかもしれない。作者は、たとえば「林はわたしの怒りの根源そのものではないだろうと思う」と記すことで、林の暴力=奪うことから切り返して、玲香自身が体内に孕み持っている暴力=奪うことの子種を見据えてほしい、そこにこそ彼女の「怒りの根源」を探ってほしいと読者に促している、と。そうしてさらにその先で、奪われたくない／奪いたくないという掟に疑問符が突きつけられる。――掟が可能だとして、それは正しいことなのか、と。

真子はアイドルであるがゆえに他人から見られ(盗撮さえされ)、消費され、奪われてきた。玲香も彼女のイメージを享楽し、奪ってきた人間の一人だ。だがその真子もまた、他人からも自分からも多くを奪ってきた事実が明かされる。「誰がこの連関を止めるのだろう」という悲痛な問いに、しかし作者は最後まで答えない。ただただ彼女らと共に、掟をめぐる悩みを深めていくだけだ。

物語の終盤、真子は玲香にこれまで自分が為した暴力=奪うことを告白し、奪ったものを直接返そうとする。他人から奪ったものは他人に。自分から奪ったものは自分に。しかも、それ自体暴力であるかのような凄惨なやり方で。奪う暴力から、返す暴力へ。その過程をくぐり抜けなければけして自覚されない自分というものがあるのだ、とでもいうように。ひとは他人から(自分から)奪わなければ生きていくことができない。他人と共に在る（自分と共に在る）とは、まずはそういうことなのだろう。しかし、奪ったものを返しながら他人と（自分と）共に在ることもできるのかもしれない。暴力を暴力ならざるなにかに変容させる努力を少しずつつづけながら。だがそれを完遂することは言語に絶した奇跡的な出来事なのだろう。だからこそ玲香はまだ、真子の告白を遮らずに耳を傾けることしかできない。「真子ちゃんの言っていることはあまりよく理解できなかったけれど、わからないまま受け入れられると思った」。わたしは玲香の沈黙を書き切った作者の誠実さを貴重なものと感じ、これから玲香もまた返す暴力へと、「ほんとうのわたし」へと、一歩を進めるにちがいないという予感に包まれた。

じつは初読時、わたしはこの沈黙の意味を聴き損ねていた。そのため、末尾に「すぐそこまで迫ってきた」と記される「鼓動」にこめられた希望と不安の複雑な音楽を聴くことができていなかった。わずかなりともそれが聴こえだしたのは、併録されている短篇「凸撃」を読んでいる最中だった。「凸撃」を充たしているのは沈黙ではなく過剰なノイズである。ある場合には耳障りなノイズ（「凸撃」）が沈黙のかぎりない深さと重さ（「奪われたくない」）を想起させる。またべつの場合には沈黙が表層を走る無数のノイズの存在を照らし出す……。本書の稀有な点は、沈黙とノイズを共存させたまま両者を往復する聴覚の可能性を開いていているところだ。

詳しく紹介できず残念だが、いくつか走り書きしておく。まず「奪われたくない」とは対照的に「凸撃」は男二人の物語（なんと一人は林である）で、どちらも過去にイジメを受けている。とくに林は陰惨な性的虐待を二度経験しており、いずれも主犯は男なのだが彼が敵視するのは女たちであり、口論やセックスで女を組み伏せ、復讐している。が、それは虚しい。林を脅かす「あのぬかるんだ視線」は外部からのものではなく、ほんとうは彼自身の「足許から」「湧き上がって」くるものだからだ。彼は「初めに奪われたものを取り返すために復讐する」という不可能な循環に囚われている。ここにおいて作者の想像力は、玲香たち(女性たち)とちがって林たち(男性たち)がノイジーな闘争=逃走に没入しつづけるのはなぜなのか、という難題にたしかに届いている。もう一つだけ。先日この短篇を学生たちと読む機会があった。そこで作中の光景——ネット上の罵詈雑言による喧嘩行為(「凸待ち」配信)が彼らに身近であり、彼らがこの作品を、とくにもう一人の主人公、凸主・金キング(まだ十六歳である)の生き方を辛いくらいにリアルだと感じたことを知った。若い人の目に現実がこれほど悲惨で殺伐としたものと映っている事実に面喰らった。彼らのために、彼らと共に、文学はなにができるのか。本書を奇貨とし、沈黙とノイズのあいだの往復運動を実践しながら考えつづけたい。

〝この二人〟の小説

児玉雨子『##NAME##』

雪那(せつな)と美砂乃(みさの)。二人は小学生時代同じ芸能事務所に所属する友人だったが、雪那が退所して交流が途絶えた。美砂乃はイメージビデオへの出演を中心に活動を続けていたものの妊娠を機に休止する。就活中の学生である雪那はＳＮＳをつうじてそれを知った。雪那は明確に法に抵触する仕事こそ経験しなかったが、幼い自分が性的消費の対象として人前に立たされていたことを今では理解しており、母のいびつな期待や水着グラビアが学校でばれてイジメを受けたことなども含めて、トラウマ的な過去とともに生きざるをえない。はっきりはわからないが美砂乃はさらに深く傷ついていただろうと想像される。ここから、この頃広く話題になっている、いわゆる芸能界における児童搾取構造の問題を思い出さないことは難しい。ただし雪那は、自らの経験が「闇」とくくられてしまうことに抗ってもいる。「自分の知らなかった領域やそこにいる人々に出くわした時の、手に負えない現実を見切る時の呪文であり、未知に遭遇した興奮にはしゃぐ時のかけ声のようで好きじゃない」と。とはいえ本作から——複雑な状況を生きる個々の人間を切り捨てて物事を単純化すべきではないというメッセージだけを読み取ると、なにかが零れ落ちる。

二人の関係を軸に、いくつかの時間の層を行き来しながら物語は語り進められる。時系列に並べ直すと、二〇〇六年の出会いではじまり、二〇〇八年に二人が離れ、二〇一五年に雪那は大学に入学、二〇一七年で終わる——とシンプルで、社会の移り行きを示す要素も出来るかぎり削ぎ落されている。現在もpixivなどを舞台に盛り上がっているネットの二次創作文化、児童ポルノにかかわる法律、それくらいだ。にもかかわらず、厚みのある時間の流れのなかで〝この二人〟が生きた、これからも生きるだろうという感触がつよく残った。過去作「誰にも奪われたくない」もそうだが、なぜ彼女たちの、〝この二人〟の物語でなければならないのか、表面的な理由は語られていない。読者は——雪那も（！）——美砂乃についてごくわずかな事柄しか知らない。にもかかわらず本作は二人が会わなくなってからも、はじめからおしまいまで、〝この二人〟の物語だとしかいいようがない。言葉の節約によって生れる余白、そこに感情と時間が不思議に折り重なりもつれ合って、いつのまにか〝この二人〟になってしまっている。彼女たちがそのように在り、生きている場面が静かに重ねられていく。その関係が友情なのか、恋愛なのか、それとも別のなにかなのか……それを問う必要は感じなかった。

たとえばこんなことを考えてみる。〈見る／見られる〉営みによって形成されているこの世界を、〈名づける／名づけられる〉ことのほうから読み替え、生き直せないだろうか。〈見る／見られる〉を前提として人間が組み上げてきた主体や責任や倫理の概念を、そこから編み直せないだろうか。そして小説というものが、そのような、遡行不可能な始原における〈名づける／名づけられる〉を、歪められた形式で、ことものようにくり返し再演する営為なのだとすれば、どうだろうか。もしそうであれば、どんな小説も〝この二人〟のための場所であると、いや小説とは〝この二人〟そのものなのだと、言えるのではないか。

アイスキャンディーをもたされて模擬撮影（レッスンシュート）を行なっていた小学六年生の頃からかわらない、幼く薄いからだの美砂乃が「スレンダー美の女子高校生」とコピーを付けられ、読者投票型オーディションのファイナリストとして他のタレントと一緒に青年誌のグラビアページを飾っていた。雪那がページから丁寧に美砂乃の輪郭を切り抜くと、彼女は「居たたまれない子供」ではなくなった。雪那は無数の視線に「シュート」される美砂乃を想う。「（…）美砂乃ちゃんはそれを食らってどんどん穴だらけになり、ついに穴そのものになり見えなくなった」。そして、小さく切り抜かれた彼女に向って「みさ」と呼びかけてみる……。

〈名〉は存在自体と無関係の空虚な社会的記号に過ぎない。だからこそ様々な欲望がそこに投射（シュート）されうる。ひとびとは美砂乃が幼いから彼女に欲情するのだろうか。ひとびとの眼差しが彼女の名をスカスカの抜け殻にしてしまうために、彼女はいつまでも幼い。そんなふうに他人をこどもでい続けさせることこそ、児童搾取的な快楽の究極なのではないか。

冒頭に、雪那が美砂乃から、自分のことを「みさ」と呼んでほしいと頼まれる場面がある。自分は雪那を「ゆき」と呼ぶから、と。だが不思議と、二人が一緒にいるあいだには、雪那はその願いに応えなかった。よくある児戯かもしれない。応えなかったのもただの偶然かもしれない。だがもう二度と会わないことがほとんど決定的になったタイミングで雪那が「みさ」と声に出し、自分自身を「ゆき」と呼びはじめるのには大事な意味がある。ほんとうに必要な瞬間に、正しい名を、呼ぶ／呼ばれることがどうしても出来なかった。これから先雪那が発声する「みさ」・「ゆき」は、その挫折の跡を響きの内側にいつまでも宿し続ける。今後彼女が自分を「ゆき」と呼ぶときも、他の誰かから「ゆき」と呼びかけられるときにも、彼女は美砂乃の、いや、「みさ」という名の沈黙を聴かなければならない。だがそれは、以後、沈黙をたんなる沈黙として聴くことがないということでもある。沈黙が、呼ばれず、応えられもしなかった名の騒然たるはげしい嘆きで充ちていることを彼女は知ったからだ。騒々しい沈黙が雪那に教える。美砂乃は、欲望の眼差しに追いつかれないように「閃光」の速さで歌っていたのだ、と。彼女はこうして言葉へ、世界へ開かれた。遅れて。ひとりきりで。

未知の臓器が脈打つリズム

朝比奈秋『私の盲端』

先日知人と本作について雑談していてどうも話が嚙み合わなかったのだが、わたしが作者を女性だと思いこんで喋っていたことが理由だったとしばらくしてわかった。その後作者の性別についてとくに確認していない。大事なのはそういう錯誤（？）が生じた理由を自分の〝読み〟の問題として咀嚼することだろう。

ところで〝臍〟にまつわる慣用句が多い（臍で茶を沸かす、臍を曲げる、臍を固める、臍を嚙む）のは、想像するに、レントゲン写真など見る機会のなかった昔の人びとが内臓の存在を臍で感受していたからではないのか。臍は内臓という見えない宇宙に通じる不思議な穴なのだ。だが科学の知見によって内臓を理解することに慣れたわたしたちはふだんこの穴をなんとも思っていない（臍の緒を保存する風習は残っているが）。本作の主人公・涼子の臍の近くには内臓と直接つながるもうひとつ別の穴がある。いや、それは自らの腸を裏返して作られた人工肛門なので、彼女の場合、美しい花のように皮膚上に開いたその穴――「腸液でしっとりと湿っているところなどは、朝露で濡れた肉厚の薔薇みたいだ」――は内臓そのものでもある。

学生である涼子はバイト後に突然の病に襲われ、人工肛門の保有者（オストメイト）になった。それはこの社会で障がい者として生きることを意味している。人工肛門には便意がなく、気がつけばいつのまにか腹にぶら下がったパウチの中に排便している。便を処理しパウチを洗わなければならないので、外出先ではつねにオストメイトトイレの有無を確認する必要がある。服の下のパウチの存在を他人に気づかれないか、ひょっとして便臭がしてはいないか、いつも気にかかる。ただでさえ社会通念上秘匿すべきとされる排泄行為にこういった具体的困難が絡めば、気おくれやみじめさ、自己嫌悪や絶望にとらわれないでいることはむつかしいだろう。もちろん涼子も例外ではない。しかし注目すべきは、彼女がさまざまな屈惑を抱え込みながらも自分の身体と他人の身体を見据え、穴－人工肛門－内臓の哲学とでも呼ぶべき思考を織り上げていくことだ。それは迂回し躓きながらも、この身体を生きることに向かって開かれていく思考である。「体があるから穴と先端が必要で、体がなければ誰とでも直接繋がりあえる。男も女も関係なく交われる。おのずから、そうわかってしまうのは思考も内臓から解放されて、脳を通さず直接理解できるからかもしれない。内臓から解放されるとこんなにも自由なのだ。悩むこともなくなる。しかし、重みのない体は虚しかった。内臓がなくなれば、生きている実感も失われるのだ。やはり、便は、たとえ腹の穴からでもいい、これからも出続けてほしい。痛くても、生理だって毎月来てほしい」。

〝障がい〟にフォーカスすることで〝障がい〟の側から〝健常〟の価値観を転倒する試みならありふれている。しかるに本作には〝障がい〟／〝健常〟の二項対立の場そのものをずるりと裏返す不穏な気配が漲っている。圧巻は、涼子と京平（彼もオストメイトである）のセックスの場面だ。いや、これはセックスなのか。なにが起きているのか。欲望や快楽の主体であるとはいったいどういうことなのだろうか。「分厚く腫れた人工肛門の粘膜は先端を咥えても、中は硬くしまっていた。京平は腰を前傾させると、先端がぐいっと入った。その瞬間、猛烈な便意が込み上げた。懐かしさと歯がゆさが一気に押し寄せると、撓んでいた腕に力が漲ってきて、自分は今、半年ぶりにきばっているのだと実感する」「腹の奥に硬いしこりを見つけ、それに指を強く擦りつけた瞬間、指の先端で何かが爆ぜた。頭が白くちかちかと点滅して、全身がぐったりと脱力してしまう。たちまち、溜まっていた便意は引いていき、腹の底から満足感が湧き上がってきた」――。これはなんだろう。わからないまま、わたしは身体感覚にひび割れが生じ、自分と他人、自分と世界の境界がかき混ぜられているように感じる。どんな変化なのだろう。様々な嗜好がありうるとはいえ、人間は各人一個ずつの性器を用いて性交するものであり、最終的にはかならず挿れる側、挿れられる側という役割分担が生じるはずだ。そういう根深い思い込みが揺さぶられたのだろうか。だが、そんな賢しらな言い方では本作の蠕動し捻転する身体哲学にとうてい匹敵しえない。文章を目で追い、脳で理解するだけでは正しく受け止め切ることができない。どうやら本作は、臍で読み、自分自身のからだも同時に生に開く、あたらしい読書術の開発を求めているようだ。

わたしはどうして作者を女性だと思いなしたのだろうか。たぶん男性作家は性器の結合をend（終わり＝目的）とする関係を書きがちであり、身体性の微細な襞に着目することで批判的にendに亀裂を走らせるのが女性作家であるという先入観ゆえだ。〈男性性・性器的・正規的／それを批判する女性性・非性器的・非正規的〉という対立軸において女性はつねに劣位にとどめられる。これは大方わたしの問題であるが日本文学の蓄積の問題でもある。本作は涼子が、京平と、もう一人の登場人物・華子とのあたらしい関係に踏みこむ決意をするところで終わる。それがどういうことであるかはっきりとはわからなかったが（わたしの読書術がいまだ十分ではないのだ）、さいごの対話に頻出する「……」（三点リーダー）の底で鳴っているかすかな音楽ならばたしかに聴こえたような気がした。それは臓器の拍動音のようなものではなかったか。人間と人間のあいだに、わたしとあなたのあいだに生成する未知の臓器が脈打つリズムだ。あなたも聴いてみてほしい。

物語と秘密

小松原織香『当事者は嘘をつく』

様々な人々がこの本を手に取るだろう。その人はなんらかの出来事の「当事者」かもしれず、「研究者」かもしれず、「支援者」かもしれない。自分をどこに位置づければよいか迷いながら、あるいはどこにも位置づけられないまま、出来事と向き合おうとしている人かもしれない。本書は、著者が臨床哲学を学ぶ大学院生に向けて「研究者」として語るなかで、自分が性暴力被害「当事者」であることを「初めて他人の役に立てるために」カムアウトした経験を契機として書き出された。「もしかすると新しい哲学研究のアプローチについてガイドブックが書けるのではないか」という希望を抱きながら。そうして著者はこの「ガイドブック」を、「私」の、「きっと嘘がたくさん含まれた物語」、「精一杯の当事者の夢」として書いた。「少しでも読者の役に立つこと」を祈りながら。

「当事者」の立場に固執することだけが重要なのではないし、様々な立場を認め、それらに平等に目配りすることだけが重要なのでもない。出来事の瞬間、ひとは否応なくひとつの立場に立つ。立たされる。しかし他人たちと共にこの世界に存在している以上、ひとつの立場にしか立たない、立てないというのはナンセンスである。「私」とは、この容赦のない背理によって引き起こされる葛藤・抵抗・ねじれの〝場〟そのものではないのか。そうして本来「物語」とは、ねじれをねじれのまま、架け橋不可能なものを架け橋不可能なまま引き受ける意志と努力と屈惑と驚きを語ろうとする、「私」のぎりぎりの表現行為ではないのか。本書が生き延びようとするだれかの「役に立つ」とすれば、それは、あくまでも明晰でコンパクトな、ときにはユーモラスでチャーミングですらある「新しい語りの型」が、真にクラシックな「物語」の在り様と根底で通じているからにほかならない。

著者は自らの被害体験について深く考えるきっかけになったデリダの哲学との偶然の出会いと傾倒をめぐって「一方的で学問的ではない、空想的なものである」と記している。わたしは「哲学研究」にかんしてまったくの門外漢であり、「私」が「当事者」であるのと同じ意味で「当事者」であるわけでもないが、「私」が文字通り腸を引き千切られる痛みとともに反芻したであろうデリダの思考――償いをあてに出来るがゆえに赦しうるものを赦すことは断じて〈赦し〉ではない。〈赦し〉とは、償いなど不可能であるがゆえに赦しえないものを赦すことである――と正しく「空想的」な関係を取り結びたいと、はげしく願わずにはいられない。たとえば「空想的」に被害を加害に置き換えて考えてみる。わたしには償うことが出来ず、したがってわたしは赦されえないが、にもかかわらず／だからこそ赦されなければならないのだとすれば、いったいそれはどういうことなのだろう。わたしが受け取らなければならない〈赦し〉とはなんだろう。そのときわたしはどんな姿勢で「私」の「物語」を聴き取り、「私」に向かってどんな「夢」を「物語」り返せばよいのだろう。

「私」は末尾でもデリダを引用した上でこう述べている。「証言が本当の本当に真実であるかどうかは、証言者だけが知っている。それは、隠していた秘密を暴露したときに、新たに生まれる秘密である」。暴力にたいする防衛反応＝「解離」という精神障害によって生じた「秘密」は、証言されることで重層化され、新たに摑み直され、生き直されるのだ。わたしは『罪と罰』の登場人物ソーニャに小林秀雄が付した註釈を思い出す。「公開しても生きている秘密、自分にそんなものを支えて立つ力はない」。ならば暴力の加害者はどうか。加害者にも「秘密」があるのだろうか。その「秘密」もまた証言において新たな生を生き始めるのだろうか。そうであるはずだ。では、その「秘密」と被害者の「秘密」はどこかで触れ合うだろうか。わからない。だが真剣に考えるべき事柄であることは確かだ。

「美しい生活」の論理
笙野頼子『発禁小説集』

本書『発禁小説集』が「ＭｔＦトランスジェンダーやノンバイナリーのアイデンティティに脅威を与え

るとみなされても仕方のない部分」を含むものであると岡和田晃が文芸時評（『図書新聞』二〇二二・六・一八）で、本書所収の小説「質屋七回ワクチン二回」で「何より問題なのは、トランス差別への批判や権利の擁護が、小説ではあたかも世界的に広まる陰謀であるかのように描かれていることである」と水上文が文芸季評（『文藝』二〇二二春号）で、それぞれ述べている。また、李琴峰が「差別に加担しないためのインターネット・リテラシー」（『シモーヌ vol. 6』）において、笙野のエッセイ「女性文学は発禁文学なのか？」に含まれる事実誤認・事実無根を指摘している。大事な事柄がわかりやすくまとめられているので読んでほしい。誰でも簡単に自己申告で法的性別が変更可能になる、というのが笙野が恐れる「セルフID法」のイメージであるようだが、マイノリティーへの差別を禁じる基本的な制度のはるか手前で尻込みしているのが現実の日本の状態だ。その前提を踏まえずマイノリティーを悪魔化し、自分こそ消滅の危機に瀕する少数者だと言い募ることは非論理以外のなにものでもない。

ＬＧＢＴＱの権利獲得――それは、すでに多くの蓄積と成果を持つ女性の権利獲得の歴史（もちろんこちらも現在進行形であるが）と不可分のものとして互いに照らし合いながら進展してきたし、これからも進展していくはずである。もしも笙野にそのようには感じられない、見えない、信じられないのだとすれば、それは笙野の一見強いフェミニズムに論理の面で致命的に弱い部分が存在していたことの証拠である。「未成年の頃から、体は女だけど心は男、そういうフィクションに縋って私は生き延びてきた。男が女をみる目で自分を見られたくなくて。普通に男言葉で「オレ」と言って、男物を着ていて、でもズボンを履いていてもばれれば痴漢には遇う。結局安心な場所では女ものも着てみている」（「前書き」）。こういう切実な生存の事実をモトに書き継がれてきた小説や論争文に、弱く甘い非論理が存在していたことの証拠である。だが、取り乱しが不可避な局面を自分のなかにいつまでも生々しく保持し、しかもそこにおいて論理的であろうとすることだけが〝ヘイト〟とは異質の強度と深度をそなえた〝怒り〟を可能にするはずだ。もちろん批判は即座にわたし（たち）に跳ね返ってくる。これまで笙野に応答した男性文学者の言葉に論理として甘く弱いところはなかったか。この本を「発禁」にするに足る論理をわたし（たち）はじゅうぶんに鍛えてきたか。

本書で模範的な書き手として引き合いに出される中野重治は「文学的仮構を使わずしてはけして暴く事の出来ないその正体を暴き」などと金輪際書かなかったし、「そしてただもう、ただただもう、そうです私たちは呪われている、と言いたいのである。しかもそれは恐怖の黒魔術であると。は？ エビデンスだって？ うむ、つまりこれは小説なので（だからすごいことがさらっと言えるのさ）」などと口が裂けても言わなかった（「引きこもりてコロナ書く」）。「文学的仮構」や「小説」に頼らなければ打ち倒せない敵、中野はそんなものにひとかけらの関心もなかった。どんな状況でもただただ〝事実に立って〟敵を名指した。怒りの尖端で彼の論理は明晰だった。「芸術家は、彼の作品なぞを必要としないような美しい生活が人間の世界に来ることを、そしてそのことのために彼の作品がその絶頂の力で役立つことを願うべきであろう」（「素樸ということ」）。そういう日が来ると信じていたから、それができた。「しかしなるであろうか／しかしなるであろう」（詩篇「その人たち」）。非論理から悪意に落ち込むことは容易い。「美しい生活」を論理的に信じることがむずかしいのだ。

われわれ男たちの呆れかえった共同事業

杉田俊介『ジャパニメーションの成熟と喪失』『マジョリティ男性にとってまっとうさとは何か』

上野千鶴子は名著『女ぎらい　ニッポンのミソジニー』の末尾で、「「ポスト男性運動」的な状況」を「統一的に論じうる男性性の理論が不可欠なのではないか」という杉田俊介による問題提起を取り上げて述べていた。そのとおりだ、フェミニズムは「自己嫌悪」との闘いをとおして自分自身との和解の道を見出してきた、それが男にできないわけではなかろう、「そしてその道を示すのは、もはや女の役割ではない」と。それから十年以上の月日が流れ、杉田は『マジョリティ男性〜』にこう記している。男たちは自分たちのことを自分たちで考えるべきだということ、それが「メンズリブの最低限の尊厳」である、「男たちは他者から「呼びかけられている」、それだけですでに十分な幸運であり、それがすでに「ゆるされている」ということなのです」。これが「他者」＝女性やマイノリティにケアを期待するマジョリティ男性の甘えた心根のあらわれではなく、それを突き放す冷厳な言葉であることは明らかである。ただ他者が他者としてそこに在るということ。他者と自己のあいだに差異があり、力の非対称が存在しつづけているということ。このことを繰り返し学びながら――しかもその際に参照するのが他者＝フェミニズムの試行錯誤の蓄積であるほかないという圧倒的な〝ねじれ〟を前にして失語しながら――自分の特権性を剝ぎ取っていかなければならないということ。そのような実践だけが男の「尊厳」、「幸運」のほんとうにほんとうの支えになりうるということ。

杉田の仕事から受け取ったもの、共に学んできたと信じる事柄について自分なりの言い方でもう少し詳しく書いてみたい。男が女になにも求めず、しかし女がそこに在るという事実に根差しながら「自己嫌悪」と闘い、自己との和解を探るとはどういうことか。男は、女が見ているなにかについてなにも知らず、それを見ることは不可能だが、女がなにかを見ていることを、見てきたことを、見ようとしつづけてきたことを認知し、そのことに正しく震撼することならできるかもしれない。その上で、オソレとオノノキの感覚をけして手放さず、ミソジニストたちが紡いできた暴力の歴史（history）を、その帰結である現在を、容赦なく自己批判し未来に向けて改革しなければならない。絶対的非対称性の視野に踏みとどまりながら自己理解を試行錯誤し、ミソジニスト（human）ならざる人間主体へと変容しつづけなければならない。

いかにも高尚で難解なハナシだと思われるかもしれない。じじつ存在論的な位相で考えるべき問題ではあるのだが、とはいえ、些細でみすぼらしい不安、恥ずかしさや怒り、恐怖といった日常的な感情を横に置いて理解することにはなんの意味もない。そうしてだからこそ、ラディカルな自己変容に「まっとう」（『マジョリティ男性〜』の鍵語だ）に向き合う者の歩みは、ジグザグな、途切れがちなものであるほかないはずなのだ。未だ途上にある闘いと和解の道、その不器用な軌跡を辿り直した上で、状況にたいして今言えること、これだけは言うべきと思うことをできるだけ率直なコトバで説き明かそうとした〝大人〟の中仕切りの仕事。二冊の本はそのようなものとしてわたしの目の前にある。

ジグザグに、ということが大事なのだろう。

『ジャパニメーションの成熟と喪失』の第一部に収められた『もののけ姫』論（雑誌発表は二〇一六年）

の冒頭と、巻末の「おわりに」には、ある「個人的な背景」が銘記されている。――二〇一四年に刊行した『宮崎駿論』はいくつかの批判を受けた。それは「ラディカルな何かを渇望してしまう杉田の欲望を静かに諌める」ものであり、また「「大人」としての「責任」」をめぐる真剣な問いを突きつけるものだった。それ以来「今までの自分は何かを微妙に、致命的に間違ってきたのかもしれない」という思いにふとした瞬間にとらわれるようになり、「もう一度宮崎駿について何かを書きたい、むしろ書かねばならない、しかも、わたしの人生の「折り返し点」となるような書きざまで」という気持ちが徐々に大きくなった。その結果としてこの文章がある（『もののけ姫』論）。――二〇一七年刊行の『戦争と虚構』では、現代日本のアニメ作家たちを論じるなかで、とりわけ最終局面の押井守論において、人類の絶滅を享楽する「快楽主義的なニヒリズム」に陥ってしまった。「こうした悲観的な結論しかありえない、と当時は感じていたのである」。しかし刊行後に襲われた心身の衰弱状態への向き合いのなかで、「あの結論は「違う」」という違和感が大きくなり、一度引き返して「二〇一六年の『もののけ姫』論、『風立ちぬ』論の時点に立ち戻るべきだ、とおのずと感じるようになった」（「おわりに」）。

どうだろう、『宮崎駿論』にあったラディカルな崩壊への渇望にたいする厳しい批判と内省を経てあらたに『もののけ姫』論を書いたにもかかわらず、そのすぐ後にニヒリスティックな絶滅への意志が露出した文章を発表し、しかしそれではやはりだめだと身体レベルで思い知らされてまたもや以前の論考に立ち返り受け取り直さざるをえなくなった……こんな無様なジグザグが正直に書き止められているのだ。正直にわたしも言うが、わたしが好きなのは『宮崎駿論』や『戦争と虚構』の押井守論の杉田だった。それは文芸批評の一つの到達を示すものだと感じていた。だとすれば、崩壊を待ち望む姿勢にこそ真の批評性が宿るのだとわたしは思いなしてきたのだろうか。そのような危うい欲望において、文が最深度の緊張をつかむということ、つかまされてしまうということ。そういう感覚にこそわたしの、あるいは〝男もすなる批評といふもの〟の致命的な死角があったのかもしれない。

『もののけ姫』論中、短篇アニメーション作品「On Your Mark」に言及したくだりに宮崎自身の印象的な言葉が紹介されている。「ただ、状況に全面降伏しないで、自分の希望、ここだけは誰にも触らせないぞというものを持っているとしたら、それを手放さなければならないのなら、誰の手にも届かないところに放してしまおうという」。たんにすべてが破壊し尽くされればと願うのではない。カフカがノートに記した——到来の日、最後の日より一日遅れで、もはや必要なくなったときにやってくるという〈救世主〉。そこにぎりぎりの「希望」を託したい。そう願わずにはいられないのだ。〝大人〟は、そんな「希望」を安易に肯定すべきでもこれみよがしに否定すべきでもない。どちらも無責任だ。ただ、独りきりで静かに、そっと、「誰の手にも届かないところに放してしま」うべきなのだ。

たぶんそのときからだ、わたしが、「われわれの呆れかえった共同事業」（室井光広『エセ物語』）の星座にようやく連なりはじめるのは。

「批評」＝「運動」としての革命へ

杉田俊介『橋川文三とその浪曼』

『すばる』誌上で本書のもとになる連載が開始されたのとほぼ同じタイミングで著者の杉田俊介氏と個人的に知り合った。〝文芸批評〟と正面切って格闘しようとする氏の緊張を間近に感じたものの、連載は時折のぞき込む程度だった。正直なところ、保田與重郎、丸山眞男、柳田国男、三島由紀夫という四人の作家・思想家との対決をとおして橋川文三を論じ進めていくスタイル（外堀から埋めるような？）に馴染めない感じを抱き、読むことを先延ばしにしていたのだ。だが今般通読してつまらない先入観であったと後悔した。しかしわたしはなにを読んだのだろう。暗愚な情熱が無数に泡立ち、あらゆる人間的なものを呑み尽くさんと渦を巻いている。人間的なもののリミットに顕現する神を待ち望みながら。いや、その神をすら殺し呑み下そうとして。あるいはわたし自身とっくに、そのような禍々しいヴィジョンに殺到され、呑み込まれ、溶け、消滅してしまったのかもしれない。いずれにせよ今は、このような異形な欲動に貫かれた野蛮な書物が同時代に書かれえた事実に心底驚いている。

「戦後的な泥沼」、「その俗悪な空疎さ」――これが本書の現状認識のアルファでありオメガだ。たとえば三島由紀夫は日米安保条約の自動延長を「日本人の精神的空洞」の後戻り不可能な分岐点と捉えたが、現在の劣悪は三島の想像をはるかに超えていると氏は指摘する。とはいえ、三島を捕らえて離さなかった空虚さの核には自己と他者を絶対的な平等性に向けて開くロマン的大逆の理念の炎がたしかに燃焼していた。わたしたちはどうだろう。「今の保守政治家やネトウヨのどこに文化があるか。それに対抗する左派もリベラルも大して違いはない。政治的経済的な権威（あるいは抽象的な正義）に自発的に隷属するだけの〈虚無なき空洞〉たちしか見当たらないではないか」。もちろんこのような悲憤自体、戦後的堕落を絶対化する悪質なイデオロギーでしかないだろう。もしも「革命」をめぐるひとつの冷厳な事実を見つめ返し、そのことへの腸を断つような愛しみを起点にそこから思考を深化させられないのであれば、だ。愛しむべき事実とはつぎのことである。「私たちは民衆の力によって人民革命を達成したという歴史的な記憶を持たない。誰か（現人神と非人間たち）に自己犠牲を強いて、「人間」であることを放棄させねば、国民統合の手段を持ちえなかった。ゆえに近代的ナショナリズムの根元に、欧米の文明に対する屈従と劣等意識、そしてアジアの隣国への帝国主義的欲望を根深く抱え込んでしまった」。

日本列島人の伝統的な霊魂観や民俗を下方に踏み抜いた底に露顕する根源的地平。そこに萌す、生命の圧倒的平等。虫けらより無残なこのわたしと現人神と非人間の祝祭的合一の予感……。そうした〝ロマン的革命〟の感覚を足元の生活に折り返した上で、アンチヒューマニズムの善用可能性に楽天的に賭けてみること。それは空想によって現実の空虚を埋めようとすることではない。空虚が空虚そのものとの間に作る差異を足がかりに空虚ともみ合えば、空虚が空虚のまま動くかもしれない、そのように信じる勇気を自らのなかに生み育てるための小さな小さな一歩目にすぎない。

右のごとき「革命」像を鼻で嗤うのも、怒るのも自由だ。人間が抱く「革命」のイメージが一つである必要はないのだから。ただし、美しい善良と汚れた残酷を分裂的に共存させる氏の文の運動に明滅する特異なヒューモア、「光りしずまる」（武田泰淳）がごとき不思議な発光にかんしては性急に通り過ぎるべきではないだろう。思うに、それは（文芸）「批評」に固有のヒューモアである。

一読して明らかなように、本書には本源的「批評」にかんする明察が無数にちりばめられている。たとえば橋川が三島を読み、何事かを書く。必死な読み書きには心からの感謝や友愛が、そしてまた沈黙や裏切りがつきものである。そして三島を読む橋川を杉田が読み、何事かを書く。そこには否応なく、杉田の橋川（と三島）への感謝と裏切りがこもる。そのように、僅かずつ、他者とつながりながら（つながりを絶ちながら）批評精神の星座を描いていくこと、「批評」＝「運動」とはそれ以外のものではない。「ある時代の中で展開される「運動」とは、必ずしも目に見える「会話」によって成り立つとは限らない、いわばもどかしい失語や沈黙をも通して形成されるような、見えない星座としての友愛関係のことでもあるのだろう。友愛とは、対立やすれ違い、火花や敵対をすらも含み込むものなのだろう」。「感謝とは遠慮ではない。他者への公然たる批判としてのみ表明される感謝がある。しかもそれをたんに他者の死角を指摘することではなく、理論的対決の水準に高めること。そのような感謝としての批評があるのだ」。橋川の（複雑な意味での）師である丸山について考えるとき、杉田は自らの師を思い出さざるをえなかったはずだ。橋川の（複雑な意味での）友である三島について考えるときには自らの友を思い出しただろう。他者との躓きや屈折にみちた関係の星座としての「批評」＝「運動」。そうした実践が文章に刻み込むジグザグがあり、その軌跡に分泌する名状しがたいヒューモアがある。たぶん、それの助けがなければわたしたちは「水子たちの存在」、「ヒルコ［伊邪那美命が生んだ異形の子］たちの影」の声なき声を聴きとることは出来ないだろう。いわんや偶然と不如意にみちたこの世界で彼らを生み、彼らと共に革命的に生きることにおいてをや。もはや具体的に述べる紙幅の余裕はないが、ほんとうに幽かな小さな声が第四章四節の注に聴き収められている。このひめやかな〝聴き方〟にこそ、文学の、文芸批評のヒューモアの成分が凝縮しているとわたしは思う。

補遺

江藤淳ノート

［2023.8］

1　恥ずかしさについて

小林秀雄という絶対的原点から出発する固有名の数珠繋ぎとしてのいわゆる文芸批評が、排他的、抑圧的な制度であることが明らかになってから――文芸批評が恥ずかしいものとなってから、かなりの時間が経った。しかし他ならぬ小林秀雄から私信を公開する許可を得て執筆された『小林秀雄』によって若くして確固たる地位を築いた文芸批評家江藤淳の名が案外ひんぱんに呼ばれるのはどうしてだろう。ここ数年で活発に商業雑誌に作品を発表するようになった注目すべき二人の書き手、西村紗知と水上文のデビュー論考でも、彼の仕事が重要な参照枠組みとして使われている。なぜ、江藤淳は恥ずかしくないのかという疑問が、ぼんやり心にかかっていた。

遡れば、平和憲法をめぐる加藤典洋の探究も、大塚英志の戦後文化論も、江藤の仕事なしには考えられない。社会学者上野千鶴子が『成熟と喪失』に与えた高い評価も忘れがたい。上野千鶴子ははじめて『成熟と喪失』を読んださい、江藤がこの本を「書かざるをえなかった切実さがひしひしと伝わって」きて「涙なしに読め」なかったという（富岡多恵子と小倉千加子との鼎談『男流文学論』）。本の副題である「「母の崩壊」」という一語」に凝縮された「女が壊れたという認識」が、社会学のタームに収まらない衝迫力を帯びて、上野自身の「切実さ」とはげしく共振したのだろう。爾来フェミニズム批評にとって、『成熟と喪失』は批判的に継承し更新すべき重要な里程標となった。ただし現在への影響という意味では、同書における上野のつぎの発言も聞き落せない。「私は、江藤はこの本までで、死んでてくれてたらよかったと思うの（笑）。そうしたら、ずっと尊敬できた」――「私は『一族再会』で、彼が変節したとき、江藤は私にとってこのときから無縁の人になったと思った」。

フェミニズムの論点を先取りした『成熟と喪失』によって最高到達点を記録し、その直後の『一族再会』ではやくも転落した。以後、保守派論客として〝日本〟に回帰したことは、その批評のポテンシャルを圧殺するものだった……。しかし注意しよう。鼎談での上野の態度は、一面ではそのような上昇・下降図式によるわかりやすい江藤理解を促すが、意外に複雑でもある。いま抜き出したふたつの発言にはさまれた場所で、上野は加藤典洋の『アメリカの影』を引用した上でつぎのように述べている。山括弧でくくられている加藤の言葉もあわせて引き写す。

〈もし、一方に確固とした日本的自然、ナショナリズムの源泉ともいうべきものが信じられていれば、彼は「議会制民主主義の擁護」を主張する近代主義者として、世に立つこともできた筈である。また、他方に日本の「近代」というものが確固として存在しているという判断があれば、彼は、『一族再会』を書きすすめ、一人の保守主義者、失われつつあるものを深く哀惜する者として、世にあることも可能な筈だった。〉

けれど実際には、このふたつのオプションのどちらも取れなかった江藤のみじめさがある。そのみじめさが、江藤の今日的な混乱とみっともなさの源泉になっているんです。それは時代のみっともなさの忠実な反映でしょうけれども。そのことに対する哀悼が加藤典洋にはあるんですよ。

……「ナショナリズムの源泉」がはっきりしていれば江藤は「近代主義者」であることができた。逆に「近代」がはっきりしていれば「保守主義者」であることができた。しかしどちらも手元になく、何者にもなることができなかった。このことが彼の「みじめさ」と「みっともなさ」の根本にあったので、少なくとも、『一族再会』を書いたことによって進歩的な「近代主義者」から旧態依然たる「保守主義者」へと「変節」したからみじめでみっともないのではない。そう言っていると思える。

文庫新版として上梓された上野の『近代家族の成立と終焉』には、江藤に言及した論考が二つ収録されている。――「「母」の戦後史」(もとは『成熟と喪失』の文庫解説として書かれたもので初出は一九九三年)および「付論　戦後批評の正嫡　江藤淳」(初出二〇一九年)である。

前者で上野はふたたび、「父」になり急いだその他大勢の戦後日本の男性知識人たちと、近代における「女」の自己嫌悪を正確に見抜いた江藤を対比する文脈で『アメリカの影』のあのパッセージを引用している。江藤が「近代主義者」でも「保守主義者」でもなかった一事があらためて確認されるのだが、しかしその理由については、「時代に対する鋭敏さゆえ」、「時代の混乱に忠実につきあった」態度ゆえであると、ポジティブな面がもっぱら強調される。はんたいに「みじめさ」「みっともなさ」というモチーフは後景に退いている。この重心の移動は重要である。

さらに講演をもとに書かれた後者では、「江藤さんも帰ってこられてから保守知識人となり、わたしはそれ以後、読むのをやめました」と述べている。一見、鼎談での発言と平仄が合っているようだが、しかし『成熟と喪失』もアメリカから「帰って」から書かれた文章である。なにより当初上野は、他の「北米体験」から「帰って」きた「日本の男性知識人」とちがってストレートに「近代主義者」にも「保守主義者」にもなれなかった江藤のねじれを重視していたはずだ。そのねじれに由来する「みじめさ」「みっともなさ」において江藤のテクストを読んでいたからこそ、それを書かねばならなかった「切実さ」に深く揺さぶられたのではなかったのか。「保守知識人となり」と雑駁に切って捨てることで感動の質は確実に損なわれている。

上野個人の矛盾をあげつらいたいのではない。右のような現象が瀰漫していないか、と疑うだけだ。時間の経過とともにテクストを読む経験が整理され均され、「みじめさ」と「みっともなさ」が、江藤が喚起する本質的な恥ずかしさが無害化されたのではないか。結果として、そこから任意に社会学的な記号・情報を取り出すことが出来る便利なログとして『成熟と喪失』が頻繁に参照される一方で、その直後に『一族再会』が書かれたという、本来興味深いはずの出来事の意味が問われなくなってしまったのではないか。

「付論　戦後批評の正嫡　江藤淳」のさいごの節には「「生き延びるための思想」へ」という題が付され

ている。日常をかろうじて生き抜こうとする女性たちを利用し抑圧しながら男たちが数千年にわたって積み上げてきた「死ぬための思想」。『成熟と喪失』の有名な「治者」の思想もまたそこに連なるものだ――フェミニスト上野は、江藤の自死も念頭に置いて、そんなまっすぐな批判を題に込めたのだろう。それに応答するためにも、わたしは一度、江藤のテクストを恥ずかしさに差し戻さなければならないと感じる。それは『成熟と喪失』と『一族再会』の〝あいだ〟に立って、連続と切断がかたちづくる微細な襞において、江藤の言葉を読むことである。

2 帰ってから

簡単な年譜を示しておく。

一九六二年（三十歳）　八月、プリンストン大学に客員研究員として赴任。
一九六三年　プリンストン大学東洋学科教員として日本文学史を講じる。
一九六四年　八月帰国。九～十一月「アメリカと私」を連載。十二月、市ヶ谷のマンションに落ち着く。
一九六五年　二月、友人の作家山川方夫がトラックに轢かれて死亡。六月～「文学史に関するノート」を連載（翌年七月まで）。
一九六六年　八月～「成熟と喪失」を連載（翌年三月まで）。
一九六七年　一月～三月「日本と私」を連載（未完）。四月『季刊藝術』を創刊。同誌上で「一族再会」

を断続的に発表する（一九七二・七まで）。

一九六九年一月二十二日の新聞記事「歴史・その中の死と永生」で、江藤は三日前に発生した安田講堂をめぐる学生と警察の衝突に重ね合わせるように、『一族再会』執筆開始時の感覚を呼び起こし、こう述べている。悪意ある強力な「体制」を思い描いてたたかった若者たちの「焦燥の根源」は、ほんとうは彼らが信じているよりも「もう少し奥深いところに、私たちの外によりは内にある」。「つまりこの解体し、流動化して行く世界像を有機的に再構成するだけの、新しい包括的な歴史の概念がどこにも存在しないことが、私たちをかぎりなく苛立たせ、不安にするのである」。

江藤はしかし、高みから日本の若者たちの視野狭窄をたしなめているのではない。「歴史の概念」の不在による「世界像」の「流動」という事態に他の新たな「概念」を対置するのではなく、不安と焦燥にあえて「内」から対峙すること。その残酷な経験に到来する「私たち」の共同性に賭けるべきではないか……。六十年安保に新進の批評家としてコミットし深い失望を味わって以来の革命嫌いはかわらないものの、ここには、たんなる嫌悪とは異なるなにかが、出来事と稠密に交感し、その「内的な理由」（秋山駿にまで沁みわたろうとするかのような、いわば奇妙な同情が滲んでいる。かつて、吉本隆明の詩の「呪詛」の破壊衝動、底知れない「暗さ」に呼応した上で、しかし君の欲望は進歩的文学者たちの戦争「責任」を糺すくらいのことで慰撫される甘やかなものではないはずだとはげしく突き放した、あの過激な「連帯」イメージがかわらず拍動している（「「体験」と「責任」について」一九五九、一二執筆）。手を当ててみればわかるはずだ。

江藤は、自己と歴史の疎隔が危機的なのは、それが「死を予感させるから」、「永生の可能性を奪うから」だと言い置いて、つぎのように述べる。

「季刊藝術」に『一族再会』を書きはじめたとき、私がこのような死を感じていたことは、おそらく疑いようのないことである。私のなかには、今日の革命思想に託されている以上の過激な死の予感があり、破壊の衝動があった。周囲に存在する文学や思想に関する概念が、にわかに断片的・人工的なものに見えだし、私の過激な情念とそれらとのあいだには黒々とした虚空が見えた。「小説」という概念も「批評」という概念も、折紙細工のように吹けば飛ぶほどのものに見え、そこからはみだした剰余の部分だけが目についた。要するに世界は、「私」という概念をも含めて剝落しつつあると見えた。

そのとき私が、自分のミクロコスモスのなかに、現代の世界像そのものの剝落を見ていたことはほぼ確実である。そしてそのとき啓示としてひらめいたのは、歴史は外にではなく内にあり、歴史と自分とは概念によってではなくイメイジによって結合され得るものだということである。この歴史は解釈し指導するための歴史ではなく、現存する生そのものであるような歴史である。

繰り返すが、江藤には若者たちの暴力をなだめるつもりなど毛頭ない。どうするのが正しいとか、そんなことはまったく言うつもりがない。ではなにが言われているのか。……数年前の自分も君たちが感じている「死の予感」におののいていた。いや、その「過激」さ、「破壊の衝動」の強さは、「革命思想」のなかに全身を投げ出した君たちを凌駕するものだった。君たちにも、必死に学び、信じた「概念」があっただろう。しかし君たちは「情念」の爆発のただなかで、自己の信念を根本から疑わしくする「黒々とした虚空の存在」を見、そこに奇怪な「剰余」を感知しなかっただろうか。それを「世界」の剝落として経験しなかっただろうか。「私」＝「自分のミクロコスモス」と「現代の世界像」がじかに釣り合ったかと思うと瞬く間に崩落するその出来事は、君たちに、私たちに、ある可能性を、それこそ革命的と言うべき可能性を啓示しなかっただろうか。歴史は私自身のなかにあるということを。すなわち歴史とは何者かによって解釈され指導されるものではなく、私が、君が、いまここに生きている事実に、私たちのこの生の現存に根差しているということ。だからこそ私たちには、歴史を「概念」ではなく「イメイジ」として引き寄せ、自分一個の言葉でそれを語ることが可能である、ということ。言い換えれば、暴力で歴史をデザインし直したいという、個と共同体を破滅させる馬鹿げた欲望からもまた――死にたい、他人を殺したいという不穏な欲望の内側からさえも――君の生と死の必然性に根差した歴史を摑み、その「イメイジ」を言葉で象り、他者たちと分け合うことはけして不可能事ではない、ということ。

『アメリカの影』の加藤典洋は同じ文章を読んで、ここで「啓示」とは「国家」との出会いだと端的に述べている。たしかに新聞記事のつづきにはこうあった。「それは、私の内に在る言葉を通じて血につながる歴史である。一族の血液のなかに流れる歴史。郷党の、民族の胎内に流れる歴史。そしてその自覚的な表現としての国家の歴史」。

加藤は推断する。じつは「世界像の解体」は、米軍の占領によって日本人の自己同一性が失われたというストーリーとは別の次元で進行した現実に――高度経済成長において「「自然」が崩壊し、「母」性原理の基底がぼく達の内部で地すべり的に失われていった」ことに対応する事態だった、と。「「母」の崩壊」

を契機として、「「母」は死に、「父」もいない」という事実が明らかになり、「父」であるかのように生きるか（「治者」の道）、それとも「孤独で露出」されていることにひたすら耐えて生きるか（「個人」の道）という、『成熟と喪失』のフィナーレで示される二つの選択肢が切実なものとして浮上した。しかるに江藤は、この現実認識をもち堪えることが出来ずに「国家」へ傾斜し、「自分を超えたなにものか」を作り出すことで自己を支えた。江藤批評が「限定し承認する」「アメリカ」の視線を呼びこまざるえないのはそのためである、と。

『『成熟と喪失』の自助型世界像」の放棄、そこから「『一族再会』の――「国家」をひきこむかたちでの、従って「アメリカ」をひきこむかたちでの――他律的世界像」への転回……。ブリリアントな論理のはこびだ。しかしどうだろう。江藤自身そのように読まれることを望んだとはいえ、エッセイ「歴史・その中の死と永生」の、危機と回生の物語を鵜呑みにしてよいだろうか。「啓示」（＝血・民族・国家の歴史への垂直的な上昇）を決定的な転換点として『一族再会』が書かれた（が、そこに江藤の弱さがあった）という明快な読解枠組みをそのまま信じてよいのか。はたしてそれは、「黒々とした虚空」を見つめる禍々しい眼差しの重量に匹敵しているだろうか。

否、そうではないと、わたしは考える。

学生運動の燃焼を目の当たりにした江藤は、死の感覚から「現存する生そのものであるような歴史」へ、という物語をあらためて自分に言い聞かせる。だが、やはり、泥沼のような現在にせり上がった暴力的な出来事と交感するとき、彼の手は、言葉に、崩壊の感触を刻み込まずにはいない。それをこそ読まねばならない。生の思想なのか死の思想なのか。革命を加速させようとしているのか、むしろ致命的な袋小路を指さしているのか。――こうした問いが執拗に問われながら、絶えず決定不能性に宙づりにされてしまう。昂奮と絶望が、生と死が激しく交替する音楽にひたすら耳を傾けることをわたしは強いられる。そこに突然、血族や民族や国家に回収されえない奇妙な共同性の到来を予感させる中間休止が鳴る。それをリアルに聴いてしまう。江藤を読むとは、そのような経験であるはずだ。一九六九年の柄谷行人が聴いたのもおそらくこの音楽だった。柄谷は「江藤氏の抱くある種の超越性への感覚」について、それが「信仰」ではなくあくまで「感覚」であることの意義に思いを馳せ、こう述べていた。「氏が求めている秩序の感覚は、破局を経て生れるものであり、相対的な秩序のなかにはない」、「(…)個体が生存することがそのまま本質的であるような状態への本能的な飢渇が彼を反逆児たらしめるだけだ。「良心」とはまさにこういう「本能」にほかならないのである」(「江藤淳論」)。

＊

アメリカから帰国して五、六年の短い期間に『アメリカと私』『成熟と喪失』『一族再会』という、質、量ともに充実した仕事が集中している。年譜を見てその事実に驚かされる。海外滞在記―エッセイ、小説作品―文芸批評、家族―歴史。短いスパンで対象とスタイルを大きく替えながら、各作品に濃密な達成が記録されている。ただし一層興味深いのは、そのような成功作と雁行して「文学史に関するノート」、「日本と私」という失敗作が書かれたことである(江藤はデビュー以来、原稿を確実に締め切りに間に合わせ、雑誌連載を単行本としてまとめるサイクルを律儀に守った。それがこの二つのテクストでは破られている。もうひとつの例外として、二回分だけ書いて連載を放棄し自殺した『幼年時代』がある)。

ところですでに言及した「「体験」と「責任」について」で江藤は、「観念から観念への綱渡り」を行なう知識人が、戦争のような巨大な出来事ばかりに特権的な「体験」の地位を与え、「日常生活」を「灰色の「蛇足」」としてしか見ないことを痛烈に批判していた。「村上氏〔村上一郎――筆者注〕の好まぬものは、常住坐臥、人間の存在をとりまいているあの辛気臭い現実というものであるらしい。（…）家庭などというものは身近な人間同士の間に底の知れぬ穴が閉じたり開いたりする奇怪な場所にすぎないのである。村上氏はいかにも国士風に、「幸福な」（！）家庭生活を軽蔑してみせるが、その実、この何の変哲もない外貌をもった現実に触れることを恐れている」。

江藤は自らの経験を織り交ぜて語るエッセイ的なスタイルの批評文を書くことを好んだ。「日本文学と「私」」（一九六五）、「戦後と私」、「文学と私」（一九六六）、「場所と私」（一九七一）等、「〜と私」という題の付け方にそれがあらわれている。ただし重要なのは、たんなる軽妙な私語りとは違って、それがつねに、平凡な生活の場に突如として口を開く暗い「穴」の存在への根源的な直覚に貫かれていた事実である。大学在学中に執筆された『夏目漱石』の時点ですでにそうであった。目の前にいつも「打っても叩いても平然としている「他人」」が立っていて「この不思議な存在」をどうしても「愛さなければならない」。当たり前な風景のなかにそのような危機的な命令の声が響き、突き刺さる。こうした感覚ゆえに漱石は『行人』という作品を書かざるをえなかったので、彼が孤独な知識人だったから孤独な作品が書かれたわけではない。そんなふうに作家の人間を摑むところから江藤は批評を書きはじめたのだった。

では、はじめて「〜と私」を冠した『アメリカと私』には、以前と以後を画然と分ける特別なポイントがあったのだろうか。

『アメリカと私』の連載は帰国後ほとんど間髪を置かず開始されている。〝新帰朝者〟である彼には、アメリカ生活で得た実感をもとに、文学者の視点から日米関係や国際情勢を解説する役割が期待されていた。江藤はそれに過不足なく応えながら、「他人」としてのアメリカのすがたを――そこから逆照射される、アメリカの「他人」としての日本のすがたを見据えている。デモクラシーとは日本人が想像するような普遍理念ではなく、アメリカという一国家の内側で激しい競争に晒されている人間たちの、抗争的で複雑な生存――「アメリカン・ウェイ・オブ・ライフ」の異名である。江藤はそう述べている。その意味でアメリカ国民にとってデモクラシーとはなによりも「ナショナリズムの象徴」なのだ。ならばそこから折り返すようにして、戦後日本に普遍理念として君臨する「民主主義」の擁護を、「「ジャパニーズ・ウェイ・オブ・ライフ」擁護の屈折した表現」として、内的な激しい抗争の歪められた表現として、ひとつのナショナリズムとして、あらためて捉え直すべきではないか……。

ここには、個人と歴史をめぐる認識の決定的な深化が刻印されている。――素朴に馴染んでいた存在が、愛さなければならない「他人」としていきなり目の前に立ち現れるということ。それは、自分とその「他人」の関係が、力の抗争の場所であらざるをえないという事実に遅れて気づく（気づかされる）ことである。たんに二人の個人が敵対するという話ではない。それぞれに家族がおり、生育した文化環境があり、政治的状況があり、歴史的経緯があった。そうしたすべての場所で「他人」たち――そこには個としてのわたし自身があずかり知らぬ死者たちも含まれる――が織りなしてきた複雑な、無限に錯綜した抗争の諸結果のうちのひとつとして、今ここに「他人」同士であるわたしたちが存在している。互いが互いにたいして存在し生きるとはそういうことである。そして、抗争の場としてのわたしとあなたが、過去の「他人」たちと同じように絶対的に盲目な暴力の瞬間を繰り返すことで新たな力を分岐させ、未来の「他人」たちに向けて送り出している。

わたしとあなたの関係に歴史の暴力が凝集し発現する。ほかでもないあなたが、そのようなわたしの「他人」であり、ほかでもないわたしが、そのようなあなたの「他人」であるという事実。暴力によって、暴力において洞察されるこの事実に――暴力だけが明らかにしうる事実に共に耐えて生き続けること。それが、わたしがあなたを愛するということなのではないか。ならば「打っても叩いても平然としている」真におそろしいものとは、こうしたプロセスの総体としての歴史なのかもしれない。すると、愛さなければならないという命令は、歴史の事実性から歴史の事実性そのものとして「他人」との関係に差し込んで認知を迫る、耐えがたい不快な光ではないだろうか。

「穴」をめぐる実存感覚が、このようにして、批評の生産的なエレメントへと変身を遂げたということ。それが江藤批評の重要トピックが一気に出揃い驚くべき速度で素描される『アメリカと私』の豊饒の要因だった。またそれゆえにこそその後彼は、醒めた目でリアルポリティックスを説くだけの〝批評〟と厳しく一線を画しつづけたにちがいない。――必死に暴力を生きなければならない瞬間が誰にでもおとずれる。その能動とも受動ともつかない不思議な時間のなかに響く命令の声を目の前の「他人」と共に聴かなければならない。その出来事の意味を問い、その声を未来に向けて書き写すことが批評を書くことであり、歴史を書くことだ。批評家はこの記述のスタイルを「〜と私」と名指したのだった。

帰国直前に日本の新聞に寄稿した短文で江藤は「(…)二年間米国で暮しているうちに、私のなかの「死の感覚」は大分鈍ったような気がする」と述べている(「国家・個人・言葉」)。もしこれがアメリカで日本を〝発見〟した満足に由来する感情であったのなら、そこに残って教師を続ければよかったのだが、そうしなかった。だから「死の感覚」の鈍麻を安易に治癒と考えるわけにはいかない。『アメリカと私』を書いたことによるブレイクスルーには、「愛さなければならない」という声が、ギフト＝毒として浸透している。そのとき批評家は、〈死〉の反対物が〈生〉ではないような奇妙な生命の流れのなかで生きはじめていたはずだ。

『アメリカと私』の末尾では、「好きになりはじめていた」「この静かな大学町での自分の生活」に見切りをつけて帰国する理由を自己分析している。自分が気に入ったのはアメリカ社会の「苛酷」で「冷酷にギスギス」しているところだ。その点日本の社会は「温かさや余裕をとどめている」が、だからこそ、そこにいるとき「私は、自分に幸福に暮して行くためのなにかが決定的に欠けていることを、いつも感じつづけていなければならなかった」。アメリカではそのことがさほど気にならなかった。むしろ自分がそんな人間であることが受け入れられている感じさえした、と。「孤独であることは、ここでは「悪」ではなくて、強さのしるしとされた。淋しい人間が周囲にいくらでもいる以上、淋しさは常態であって、特別な病気ではないからである」。そう述べて、だが、と付け加える――「だが、こういう生活に根を生やしてしまった日本人に、ある頽廃が育たないとはいえない。いくら苛酷な米国社会の嘘のなさが気に入っても、私は「日本」を忘れるわけにはいかなかったし、この「日本」は、次第に私の自己満足のからくりを支える、最大の嘘になって行きかねなかったからである」。

ウエットな日本的人間関係とドライなアメリカ社会。こんなありふれた対比からでさえ、「頽廃」と「嘘」が生じかねない。「アメリカ」で「日本」人であるとはそのような困難な位置に身を置くことだと彼は感じていたのだ。その危機意識の根っこには、酒井直樹が『日本思想という問題』で明らかにした事情が横たわっていたはずだが、ここでは詳しく触れられない。さしあたり、江藤が単純な意味では「近代主義者」にも「保守主義者」にもなれなかったことに深く関わるであろう事柄を、酒井の言葉を借りて最低限確認するにとどめる。——「遍在する「西洋人」の欲望を内面化し、我がものとすること」と「絶対的な欠如」の感覚。このふたつがコインの表裏のように重なり合う磁場に生じる歴史の重力が、われわれを「日本人」にするのだということ。このことを無視するかぎりでひとは「日本」か「反日本」かを任意に選択することが出来る。江藤はこの図式の拘束力を鋭敏に察知し、はげしい抵抗と葛藤を感じていた。『アメリカと私』で繰り返し言明される、「日本人」のごとく振舞うアメリカ人日本文学研究者に抱いた侮蔑感情がそれを示している。さらにいえばそれは『成熟と喪失』の「父」の問題系に連なっている。近代日本の「「父」のイメイジ」の「稀薄化」は「敗戦だけのせい」とは言えない、それは「米軍撤退などで少しも片付かないほど根深い欠落の意識」であるという洞察において、この図式の外部に出ることの困難が反芻されているのだ。

江藤が帰らなければならなかったのは、したがって、このまま異国で暮していては「反日本人」になるかもしれないと恐れ、生れ故郷で「日本人」として生きたいと願ったからではない。「近代主義者」であることも「保守主義者」であることも虚偽だと感じるシチュアシオンの感覚を何度でも思い起こそう。この感覚を裏切った途端に「頽廃」、「嘘」が蔓延りだす。だが、日本にいさえすれば「自己満足」的な虚偽から逃れられるわけではないのだとすれば、それでも帰らなければならない理由はどこにあるのか。いったい、帰る、とはどういうことなのか。わからない。ただ、〝なぜ日本に帰るべきなのか〟という問いは、そう記しているのがすでに帰った人間であるという当たり前の事実を勘定に入れて、そこにある時差も含めて、重層的に聴き取られるべきなのではないか。どうだろう。なぜ帰らなければならないのか。この問いを日本であらためて問い直し、書き直している彼のすがたを重ね合わせながら読むとき、微妙に声がズレて聴こえてこないか。〈なぜ帰るべきなのか〉――〈なぜ帰ってきたのだろうか〉と。

＊

『アメリカと私』に続いて、江藤は一九六五年六月から「文学史に関するノート」という硬質な長篇連載に着手するのだが、その前に「日本文学と「私」 危機と自己発見」を発表している（一九六五、三）。アメリカでの講義をベースに、これから書く本格的な文芸史論のための助走を意図した長めのエッセイである。「危機と自己発見」という副題から『成熟と喪失』が容易に連想されるが、『成熟と喪失』における「成熟」と「喪失」の複雑きわまる弁証法的関係と比較すれば、ここでの「危機」と「自己発見」の連関は線的で、教科書的に整理されている。

「危機」とは、「国」と「天」が自然に重なり合っていた旧来の世界像の崩壊を指す。たとえば『こゝろ』が、登場人物の「自己処罰」への希求を克明に描き切ることでテクストに「公」の倫理的感触を刻印しえたのも、また硯友社によって「江戸文学以来の美的形式」の独自の探究が為されえたのも、それにたいする「危機」意識ゆえだった。しかるに白樺派および自然主義文学は（江藤は両者を同じ穴のムジナとみなす）、個人がそうした解体現象と無縁に生きられるかのごとく思いなし、「文体」＝「文化の形式」の「破壊」を目的とした。その延長線上に現在の不毛があるのではないか。……という批判が本筋だが、引っかかるのは末節的な箇所、漱石にかかわる重心の移動である。

英国留学体験で出会った西洋という「他人」が、彼をこれまで「公」や「官」に結びつけていたきずなを断ち切った。明治人漱石はひとりロンドンで「巨大な幻滅」に耐えなければならなかった。ここまではよくわかる。しかし、続く一節に浮上する「妻」が唐突に思える。「彼が出発前に（…）甘い句を書きのこしてあたえた妻は、手紙さえよこさなかった。つまり、彼女もまた別な意味でもうひとりの「他人」――彼の幻滅と苦痛を共有することのできぬ「他人」にすぎなかったのである」。デビュー評論で見据えられていた「打っても叩いても平然としている「他人」」が、ここではテクスト内からひきずり出され、「妻」と実定されている。この微細な相異を頭の隅に置いて少し後の段落を読もう。

> それ［秩序なき無限定な世界のなかで「他人」たちが規定してくる自己イメージを際限なく受け入れながら生きなければならないこと――川口］は自己喪失への道であるが、漱石はそこに踏みとどまって、この何者でもなく、彼自身でしかないもの――彼の「私」をその手につかみ直そうとした。それはもはや漱石という学者ではなく、漱石という作家であった。そして、この漱石という作家は、いったい自分は誰のもので、どの家に属しているのかと問いつづけながら、愛の薄い実家の両親と、夫婦喧嘩をくりかえしている養家の父母とのあいだを往復していた、おびえた、不幸な、暗い幼年時代の記憶から浮び上ってくるものであった。
> （…）

「他人」の存在が自己の「何者でもな」さに思いいたらせる。彼はその衝撃への「踏みとどま」りのなかで「私」に手を伸ばしていた。その試みが彼を「学者ではなく、漱石という作家」にしたのだ。ここに、作品論から評伝への移行を読み取るだけでは足りない。聴き落としてはならない。この断言のなかで、江藤は漱石の「私」に彼自身の「私」を目一杯響き合わせている。「自己喪失」のただなかで摑み直される「私」、それが江藤淳という、学者ならぬ、文芸批評家である、というように。

この時点ですでに「おびえた、不幸な、暗い幼年時代の記憶から浮び上ってくるもの」としての「私」を見つめる営為こそ批評だと確信していたのだから、「文学史に関するノート」は「学者」の仕事としてはあらかじめ失敗を決定づけられていた。

ライフワークとなる大部の評伝『漱石とその時代』の第一部と第二部が同時に刊行されるのは五年後の一九七〇年である。主にロンドン留学から『吾輩は猫である』までを扱う第二部の劈頭には、さりげないタッチで「妻」鏡子と漱石のあいだに起きた「事件」が描き出されている。「事件」とは、ある早暁に鏡子が川に身を投げて自殺をはかった出来事である。鏡子がじっさいに「ヒステリー性」の病気だったのか、あるいはそれは漱石を含む多数の男性文学者たちが彼女に被せてきた虚構のイメージであり、むしろ問われるべきはその病の方ではないのか……こうした事柄について今は追究しない。ここでは取り急ぎ、漱石の自伝的作品『道草』から、主人公健三が毎夜、寝返りがうてるように長さを工夫した紐で自分の帯と妻の帯をつないで寝床に入っていた、という挿話に江藤が付したコメントを確認する――「この紐は、一面からいえばいつ夢遊病者のようにさまよい出るかわからない鏡子をつなぎとめるための実際的装置であるが、半面金之助［漱石――川口］の必死の求愛の象徴である。そこには彼の妻に託した夢が賭けられ、家庭生活の崩壊を喰い止めようとする意志が注がれた」。

「作家」漱石の再発見。しかし、西洋から日本に帰ってきたという共通点のほかに、このとき江藤の身体が「作家」と「妻」の関係に着目せざるをえない状態になければ、この出会い直しは決定的なものにはならなかったかもしれない。より直截に言い換えれば、もしも、自分と「妻」をつなぐ「紐」にたいするある驚異の念が彼にきざしていなければ、漱石を触媒に「おびえた、不幸な、暗い幼年時代の記憶から浮び上ってくるもの」への執着が生じることもなかっただろう。〈なぜ帰ってきたのだろうか〉という、足元を食い破りつつある問いが「学者」としての問題意識を揺さぶり、彼の文をひび割れさせた。慶子夫人の突然の体調不良による入院騒動で幕を開ける『アメリカと私』だが、「妻」にかかわる記述は多くない。一時帰国していた江藤を空港に迎えにきた彼女を認識できず、「東洋系の米国人」から声を掛けられたと勘ちがいするエピソードが印象に残るくらいである。だがそこにも、過去の場景がそれを書いている現在によって奇妙に歪ませられるような、不気味な気配がたちこめている。

「公」の価値を称揚した保守的文学者というイメージが江藤に定着しているが、「文学史に関するノート」を読むかぎり、もう少し複雑である。彼は単純な意味で「近代以前」を安定した秩序ある時代とみなしていたわけではない。論の前半ではむしろ、そこにおける過渡的、抗争的な批判精神の複雑骨折のようなあらわれに注目している。そして中盤で、近松の悲劇が「娼婦や遊冶郎」に、また「生身の人間」ですらない「木偶」にまで批評性を分有するさまを見とどけた後は、戯作を支える古典的感覚にたいする西鶴のリアリズム（「エトスを失って空虚になった様式を顚倒させてみせる生々しいエネルギー」）を強調し、「日本文学と「私」」と同様の結論に着地している。白樺派・自然主義批判としてあったものが、西鶴批判として変奏されているのだ。

批評家はこの時点まで、「学者」の平衡感覚を保持していた。それが破れるのは次回「上田秋成の「狐」」においてである。もしも第十回の西鶴論で擱筆されていたなら、このテクストは『近代以前』として刊行されるまで二十年もの長きにわたって放置されずにすんだのかもしれない。

連載第十一回は、現代文学作品についての、脈絡を欠いた、唐突な問いかけではじまっている。——「永井龍男氏の『一個』にでて来るあの嬰児はいったい何だろう」。しかし、つぎのような述懐を読まされても、いきなりあらわれたこの「嬰児」はいったいなんだろうという読者の疑問は深まるばかりだ。

もちろん私は停年間近のサラリーマンではない。(…)だが、私は、日常生活が停年をひかえた老サラリーマンの前でなくても容易にひび割れるものであることを、その裂け目から非現実が顔をのぞかせるとき何がおこるかを、少しは識っている。それは「天使」の顔をしているとはかぎらない。しかし、何の顔をしているにせよ、それはわれわれの日常生活のいかだが浮んでいる深い淵の存在を覗き見させ、われわれの生活がどんな脆弱な仮定の上にいとなまれているかを思い知らせる。『一個』の嬰児は、この短篇小説に描かれたほかの何よりも強烈な実在感に輝いている。つまり、それは実在よりも一層実在感に充ちている。

日常に露頭する非実在の象徴としての「嬰児」……。章題にある、上田秋成の「狐」へつなぐブリッジだとみなすとしても、なぜ江藤は前回で一段落ついた「文学史」にこの「狐」を呼び出さなければならなかったのか、わからないままである。秋成という「孤独な個人の内面」の底に、誰にも見えないが「濃い実在感」をたたえた動物＝「一尾の「狐」」が棲んでいた。西鶴の内面にはなにもなかったが、秋成にはそれが在った。この「狐」のしわざが作家に真の変容をもたらす。秋成の「狐」は朱子学的世界像にかわる自然的秩序のイメージを与えない。またそれは「集団」ではなくあくまで「個人のなかに棲息するもの」であるがゆえに、秋成を『一個』の作者がそうであるような孤独な近代作家に近づけている」。それは「近代小説の精霊」である。「そして「狐」の存在を知らぬ人間には、「狐」と闘いながら暮している人間の足跡はたどり切れない」……。こう言い募れば言い募るほど、この章は「文学史」の文脈から乖離していく。「しかし、秋成にとっては「狐」は肉感と血の暖かみをかねそなえた内的な現存であった。それを狂気といってもよい。しかし、その狂気はあくまでもひとつの症例として扱われることを拒み、それが解放してみせた感情を一々正面からうけとめることを要求するのである」――このように宣長と対比して秋成の「狂気」が擁護されるにいたってわたしは、そう書いた者が今どんな「嬰児」を視、どんな内なる「狐」と格闘していたのかと、問わずにはいられなくなる。そうでもしなければ続きを追えないような書き方で彼は書いている。書かされている。

ほかの箇所に現代文学への言及がないにもかかわらずわざわざ『一個』を持ち出したのは、自分が「少しは識っている」事柄を、「文学史」のなかではなく「日常生活」の風景のなかに置いて語りたい思いが強かったからだろう。江藤はこの後、二か月連載を休んでいる。単行本『近代以前』「あとがき」にはこうある。

だから、当時の「文學界」編集部からなにか連載評論をと求められたとき、私は、ためらうことなくこの「文学史に関するノート」を書きはじめた。しかし、文壇ジャーナリズムが、三十代になったばかりの現場の批評家に要求しているのがこの種の仕事ではないことに気付くためには、いくらアメリカぼけの身とはいえ、さしたる時間はかからなかった。その上、この連載中、家族に病人が続出したりして、身辺もまたどちらかといえば落着きが悪かった。昭和四十一年（一九六六）五月号と六月号の二ヶ月間、心ならずも休載を余儀なくされたのは、もっぱらそのためであった。

硬いテーマ（『近代以前』）から世の中の期待に沿える現代的なトピック（『成熟と喪失』）にシフトした。そう韜晦しているが、じっさいにそれを促したのは突然露頭した「嬰児」であったにちがいない。最終章となる次の章では、自分は「文学史」を説く「学者」ではない、「他人」と共に在らねばならない生の悲惨のなかで「私」を摑もうとのたうつ批評家でありつづけるほかはない、そのような覚悟が、秋成に仮託して執拗に、自己破壊的に述べたてられる。秋成が「怪談小説という枠組みのなかでしか語り得ない」「自己」に想到したことは「ほとんど批評の誕生を意味する」とまで言い切っているのだ。そこに「文壇ジャーナリズム」が容喙する余地などなかったはずである。

＊

上田秋成の「批評」を宣長にたいして立てることは、折しも長篇評論『本居宣長』に着手した小林秀雄への挑戦と受け取られたにちがいない。だがそこに文壇制覇の野望などを見るのは的外れだ。

この頃に執筆され、本にならなかったテクストがまだあった。小林秀雄単独編集と銘打って一九六六年二月から刊行がはじまった文学全集『現代日本文学館』の月報に連載されたコラム「小林秀雄の眼――編集者の横顔」だ。ようやく二〇二一年に『小林秀雄の眼』としてまとめられた単行本の「解説」に、平山周吉（浩瀚な伝記『江藤淳は甦える』の著者である）は「読み捨てにされてそのまま忘れられてしまったのか」とコメントしている。各篇独立しており、毎回冒頭に掲げられる小林の名文から連想を自由に膨らませるスタイルの、随想という言い方が似つかわしい短文集である。

「文学史」を書き泥んでいた時期にちょうど重なる「2　歴史ということ」（一九六六年三月）と「3　女と成熟」（四月）の連続に小林批判の根本動機がきわどいかたちでにじんでいる。後者では「Xへの手紙」の有名な一節、「女は俺の成熟する場所だった」に絡んで小林と漱石を対比する。――小林の批評と思想は「女のところから「出て行った」人」のもので、そのためどんなかたちであれ小林の「成熟」は「孤独」なものにならざるをえない。「同じヒステリー症の夫人」との生活から出て行こうとしなかった漱石との「根本的なちがい」がそこにある。非凡な漱石はあえて凡庸な生活を選んだが、非凡な小林は非凡な生活を選んだ、云々……。

すでに触れたが、江藤はデビュー評論から「他人」と生きる漱石の顔貌を大事にしていた。しかし今、批評家の認識の針は完全に振り切れている。「他人」の内面を正確に推し測ることは出来ないという事実と、「他人」とは「狂気」であるという事実のあいだには、なめらかな移行を許さない深淵が存在する。後者の認知は、前者の常識の底が抜ける経験の後にしか来ない。「他人」と生きるとは、「狂気」と共に在ることだ。自分と「狂気」を紐でつないで、闇のなかで眠らずに薄目を開けてそれを見つめつづけることだ。あるいは「嬰児」の身体が発する未だ声にならないふるえを受け取って、言葉に翻訳しようとすることだ。そうやって「私」のこころを、「狐」を、彼女の存在にかがらせることだ。こういうおそろしい事実の認知が、宣長批判・小林批判の背骨をなしていた。

それは、アメリカ生活で準備され、日本に帰って決定的になった変化だっただろう。前月の「2　歴史ということ」で、批評家はなんの前触れもなく、「私は、かつてひとりの神経を病む女性を知っていた」と語り出している。――彼女は、「夫も兄弟も、子供さえも」信じられず、自分と彼らを結ぶ記憶をもはや実感をもって思い出すことができなかった。「孤独地獄」から彼女を救い出せる者は皆無だった……。初読時の困惑を手放さずにつづきを書き写す。

「しかし、それでもなお女は、この暗い閉ざされた世界のなかを、必死で手さぐりしつづけた。そういう女が「お母さん！」という叫びをさぐりあてたのは、単なる偶然だったかも知れない。しかし、その叫びが口をついて出た瞬間に、彼女のなかにはにわかに堰を切ったように情緒があふれはじめ、それは大粒の涙となってやさしい表情に戻った頰をぬらした。われにかえったとき、女はいつのまにかあれほどかたくなに拒んで来た夫の両手を握りしめていた。彼女の叫びに、亡母へのどんな「恨み」がこめられていたかは知らない。しかし、母の記憶がよみがえったとき、あきらかに彼女はもう一度生命力をとり戻していたのである」。

当時この不可解な記述を読み、書き手自身の苦境を暗示していると了解できたのは、ごくわずかな周囲の人間だけだった。現在では『江藤淳は甦える』の実証によって、『近代以前』の「あとがき」でも軽く触れられていた危機の主要因が、慶子夫人の精神の変調にあったことがわかっている。著者の平山は「かつて」や「子供さえも」という言葉で所々虚構化されているものの、挿話は「リアルタイムでの江藤の経験」であっただろうと述べている。さらに「お母さん！」という叫びには、慶子夫人の、満洲からの苛酷な引き揚げ体験によるＰＴＳＤが影響していただろうとも推測している。

母を呼び、歴史に触れた「嬰児」は、母ならぬ夫の手をかろうじて握りしめた。それが彼女が現実に戻るたったひとつの通路だった……。批評家は、「妻」が再生のとば口にたどり着く物語をこのように書きあらわした。しかしこんな通俗な物語がなにになる。どんな記憶も事後的な物語だ。現実と虚構の境目を正確に知ることなど誰にも出来ない。そのとおりだ。でもわたしには、そういうことを訳知り顔で確かめ合うことに意味があると思えない。批評家自身、自分の言葉を全然信じていないし、信じているふりをする必要も感じていない。物語は誰も救わない。全部わかりきっている。にもかかわらず、彼は書いている。なぜだろう。こんなにも情けなく空疎な、無用の〝書くこと〟を肯定する論理がはたして存在するだろうか。もし存在するとして、それはどこから届くだろうか。どんな人間がそれに値するだろうか。

彼女はほとんど存在の根拠を喪いかかっていると、彼には見えた。しかも、そう見えることと、自分が彼女の死を願っていること、死を与えたいと想っていることとの区別がつかない。事実、区別はないのかもしれない。自分は自分が生きたいだけだ。「おびえた、不幸な、暗い幼年時代の記憶から浮び上ってくる〈もの〉」がとても愛しいから救ってやりたいだけだ。「〈もの〉」が殺到する。眼眩めき耳聾いたるこの経験をわたしはまるごと生かしたい。いつか、光と爆音のただ中でその実在を感受したことがあったような気がする「嬰児」を正しく想起し、時制が混線する今ここで受け取り直したい。彼女と一緒にいると、そのことがよくわかる。彼女が死んでもいいと、それどころか彼女を殺したいというはげしい願いを抱きながら、自分の思いの輪郭がはっきりしてくる。だがそれならば「他人」を愛さなければならないとはどういうことなのだろう。

小林秀雄は、女は自分の「成熟」する場所だったと書いた。それは「他人」と距離を取ることで社会も歴史も諦念し、澄んだ眼で眺められるようになったということだろう。江藤はそれを「孤独」な「成熟」と呼ぶ。では逆に「他人」＝「狂気」と紐で結ばれた身体に訪れる「成熟」とはなんだろう。「嬰児」でも、「もの」でも、「天使」でもいい。「他人」の消滅を希む暴力的な衝動のなかで、それらを自分の内部に取り戻し、生かし直してやりたいと願い、祈りを深くすること。──それが「孤独」ではないとはどういう意味だろう。それが「孤独」とは異なる状態だと言う精神の在り様を思い描くこと自体、わたしには難しい。それでも彼は「孤独」ではない「成熟」がこの先にあると自分自身に語り聴かせる必要があった。文脈などにはかまわず、上田秋成の「狐」について、「ひとりの神経を病む女性」について、書かずにはいられなかった。それはわかる。

わたしたちは「歴史」への不信を科学への「軽信」で置き換え、自分自身を嘲ることを覚えたが、「いまだに母の名を呼ぶことができずにいる、その結果の荒廃」のなかにいる──。江藤は先ほどのコラムをそう締めくくっていた。思想家ヴァルター・ベンヤミンが描いた天使の像が不意に浮上する。顔を「過去」に向け、わたしたちが「出来事の連鎖」をしか見ない場所に「ただひとつの破局（カタストロフィー）」を見ている天使──現在に踏みとどまって「死者を呼び覚まし、打ち砕かれたものをつなぎ合わせたい」と願いながら、楽園から吹き付ける強烈な風で彼が背を向けている未来へ押しやられる、あの天使だ（「歴史の概念について」IX）。崩壊や破局がもたらす不安を正しく受け止めながら、ばらばらになった断片を集め、つなぎ合わせ、その名を呼び、呼び覚ますこと。「もの」を「いまこのとき（Jetztzeit）」（XIV）に充満させ、猛り狂わせ、根源の歴史を想起すること。それが天使のミッションだった。

歴史の天使がベンヤミン自身でもあったように、「ひとりの神経を病む女性」は江藤自身だった。ふたつを分けることは出来ない。そういう瞬間を経験することが、「他人」と生きることの意味だ。ここにヒロイズムもマチズモもない。ただ、「他人」との関係に衝き動かされて書かされるほかないという条件をもつ、批評というものの弱さ、情けなさ、愚かさ、恥ずかしさの根が露呈しているだけである。批評家の「成熟」とは、このことを冷笑や皮肉とは異なる態度で諦め、肯定することではないか。そうして、現在から未来へ剝落しながら、それでも「他人」との暴力的な対峙の時間の内側で――あなたに死を与える衝迫がピークに達する瞬間に受肉された歴史の天使を絶対的に生かし切る道を、無限に錯誤を積み重ねながら求めつづけることなのではないか。

＊

アメリカから帰国した江藤夫妻を、父や半分血のつながった弟たちが空港に迎えに来る場面から書き起こされる「日本と私」では、戦中戦後の混乱期、高度経済成長期を経て現在にいたる江藤の家族体験が生々しく呈示されており、『成熟と喪失』の重要モチーフである〝家探し〟と、帰国後じっさいに体験した転居にかかわる不如意との対応関係も明かされている。また『成熟と喪失』で説かれる、近代家族が女性を圧迫する力が、現実に妻慶子を襲っていたこと――ほかでもない江藤自身が精神に不調を来した彼女に暴力を振るっていた事実が書き込まれている。

こうした意味で『成熟と喪失』は、生前公刊されなかった「日本と私」と併読すると面白いが、どうして無惨な楽屋裏を晒す必要があったのか（最終的に隠蔽しなければならなかったのか）、わかりづらいところがある。徒手空拳でぶつかればわかるが、『成熟と喪失』は江藤の全著作中でも特別な難読感を読者に与える本である。たしかに、近代家族の「終焉」（上野千鶴子）を剔抉した先覚的な書かもしれない。現代社会に適用可能な知見が依然として見つかるかもしれない。だがそれらはどうでもいいことだ。「日本と私」が描いた心象風景（むろんすべてが事実に合致するわけではないとしても）のなかに置いて読むとき、『成熟と喪失』の批評言語の迷宮化にはむしろ拍車がかかる。そうして以下のような当たり前の事実にあらためて心付かされる。すなわち——「他人」の存在によって、現実と虚構が、過去と現在が、あなたとわたしが、ねじれ、雑じり合う奇妙なゾーンがこの世界に打ち開かれる。批評文は、その様相を記述する必要に駆られて書き記されるのだ、ということ。

……〈家〉において女は孤独な〝個〟であらざるをえず、それゆえ〝狐〟（＝狂気）が不可避である。その女の狂気によって「拒否」され、同時にこれまで内心に抱いてきた「母」のイメージからも突き放される男のなかには「自分こそが相手を見棄てたのだという深い罪悪感」が生じる。「成熟」とはこの「喪失」を確認することであり、それを機に生じた不毛な空洞の底にいつまでも澱みつづける「悪」をわがものとして引き受けることである。

「母と息子、夫と妻というような親しい関係において、「正常」な側に生じるこの罪の意識はもっともはなはだしい」と『成熟と喪失』の江藤は述べる。なぜなら「それはひとつには狂気が急速に進行して相手を変えてしまうからである。だから親しい者たちは、相手の狂人から切断される心の準備がないままに拒否に直面させられ、自分がいたらなかったために相手に拒まれていると思い、そういうみじめな相手を今自分は見棄てようとしているという自己告発の叫びを内心にあげるのである」。

　こんな苛烈な断言が実体験の裏打ちなしで、小説作品の分析から導き出されるということは考えられない。ここ以外にも、慶子の不調の影響をもろに受けながら書かれたと思しい箇所を挙げればきりがない。江藤は父親から離婚の決断を迫られていたのではないかと、わたしは記述から推測する。たとえば『海辺の光景』読解で、住む〈家〉を探すのが「息子」である点が強調されるのはそのためなのではないか。だが、批評家は、右の断言に引き続いて——〈「悪」の引き受けこそ、〈家〉で男が「自由」であるための不可欠の条件である〉と推断することで、自らが生きる現実の堅い地盤さえ毀し、小説の登場人物とともに「客観的相関物」（エリオット）を欠いた「もの」の氾濫する世界に、狂気と自由が解き難く絡まり合う未知の領域へと突き抜けていく。そしてそれは彼の場合、ほとんど故意に、現実の妻の病を自らの病と混同するという錯誤を犯すことを意味した。この特異な「自由」の感覚こそ重要である。彼の批評文に他者の言葉が、「もの」のはげしいアワ立ちのように、「天使」の群舞のように殺到するのは、まさしくそのことにおいてなのだから。

『成熟と喪失』の中心というべき、小島信夫『抱擁家族』を取り上げたパートを読もう。江藤によれば主人公の俊介は、「もの」のなかに「解体」・「腐敗」することで「自由」になりかけている、「成熟」しつつあるのだという。


　彼は今、「夫」でも「子」でもなく、また「父」でも「大学講師」でもない。その前でもものたちが新鮮な重量感に充ちて各々の存在をあらわにする。雀は、水蓮は、犬は、カメの中の水は、在る。そして「在る」ものはずっしりと重く、動かしがたい。それは生の感覚であり、世界というものの重みであり、同時に俊介という完全に孤独な人間の視線がとらえたものの感触である。役割から解放されたとき、人はそこで日常生活が営まれている社会の次元から、単に存在しているものの次元にすべり落ちる。それは絶望的な体験で、一種の「死」であるが、この「死」は決して空虚ではない。そこでは「死」そのものがものに充たされてしまうからだ。

こういう俊介の「変化」にともなって、「妻」時子もまた、「妻」の役割、「母」のイメージから解放された「単にひとつのものとして存在」しはじめる。「彼女はまるで狐になった葛の葉のようだ。そういう「まぶし」く、美しい女が、彼のかたわらに、しかし無限の彼方に、いる。これは完全な解放であるが、同時に「死」でもある。そういう「まぶしい」存在を眺めながら人は生きつづけることができないから。生きつづけるためには、人は何らかの「役割」を引受けなければならないから」。

「もの」と化した人間に固有の美しさがあり、それが「狐になった葛の葉」のようであるとはいったいどういうことか、想像も出来ない。しかし心のなかで、わたしはこの破格な数行にこう付け足してみる。――もしそれでも、彼が彼女の解放を望み、その「「まぶしい」存在を眺めながら」生きようとすれば……そして「「死」そのものがものに充たされてしまう」荒唐無稽な世界でニモカカワラズ「他人」である彼女のいのちを肯定し尽くそうとするならば……彼はじきに彼女を殺してしまうだろう……と。批評家は、「彼」俊介はここで死んでもよかったのに、と思い切ったことを記している。そのために小説が成立しなくなったとしても別に構わないではないか、どれだけ登場人物を上手く表現したとしても、書いた人間が救われるわけはないのだから、と。もはやここで、「彼」というのが小説中の一人物を指すのか、江藤その人を指すのか、まったく判然としない。つぎのパッセージにいたって、そういう記述の混乱はピークに達している。

「しかし『抱擁家族』の主人公が死ななかったのは、おそらく彼がほとんど本能的に、自分の記憶の奥底から聴えて来る声を聴いたからである。／《恋しくば訪ね来てみよ和泉なるしのだの森の恨み葛の葉》／彼はかつて「母」に拒まれ、今「母」の影である妻に拒まれた。しかし彼が生きつづけようとするのであれば、俊介はもう一度「母」に捨てられた「子」という役割を引受けて、「しのだの森」の奥深くに葛の葉の行方を探らなければならない。その日常的な表現は、「家の中をたてなおさなければならない」という俊介の散文的な決意に要約される。」

破壊的な「自由」の可能性が明滅した途端に、自然的秩序としての「母」－「子」関係の幻が「声」として差し込んで来て、〈家〉という虚構に基づく「散文的」な「役割」を「子」に受け入れさせる——というテクスト内の出来事が、この一度きりではなく、反復強迫的に繰り返される。そういうふうに江藤が言葉を継ぎ合わせ、他者のテクストを（再）創造している。これが『成熟と喪失』の唯一の構成原理だと言い切っても大袈裟ではない。したがって注意しよう、『成熟と喪失』に散りばめられた近代家族をめぐる尖鋭な洞察の数々と矛盾するようだが、批評家は、〈家〉が、自由を求める個人の桎梏であるなどとは微塵も考えていない。〈家〉から解放されることでも、保護してくれる堅固な〈家〉を造ることでもなく、強制的に転々と移動させられる終りなき〈家〉探しの過程に、〈家〉／非〈家〉という二項対立を超えるアナーキックな場所の可能性を見出そうとし、しかもつねに挫折すること。本来自由を求めることは、わかりやすい希望でも絶望でもない、そのような狂気じみた反復運動を為すことだ。彼は身をもってそう感じていた。

その反復運動に従事するうち、江藤のなかで、〈なぜ帰らなければならないのか——なぜ帰ってき（てしまっ）たのだろうか〉という疑問が〈なぜ生きなければならないのか——なぜ死んでしまわなかったのだろうか〉という危険な対のかたちにいつの間にか転形している。

ならば、『抱擁家族』のヒューマーとは、絶対者になる資格のない人間が、いつの間にか絶対者の役まわりを引受けさせられてそれに失敗しつづけるおかしさである」と、端的に言い止めた彼自身がほんとうに必要としていた「ヒューマー」を推しはかることは、じつはきわめて困難なのではないか。

あるところで彼は、「自分に妻の狂気に対する無限の責任があるという傲慢」という言い方をしていた。「他人」にたいして「無限の責任」を感じることに引き裂かれる人間を、それでも生かす「ヒューマー」とはいったどのようなものだろう。それは「自分が「母」の皮をまとって主婦になり変」ろうとする俊介の滑稽な努力に宿るのだろうか。「「母」もなければ、「父」もない。ただ「家」だけがあ」るという状況のおかしさに「ヒューマー」がこもるのだろうか。あるいはそれは、「世界の崩壊」に「恐怖」し「父」であるかのように振舞う『夕べの雲』の登場人物大浦の、「きわめて意志的な生き方」——「定住」し、馬鹿馬鹿しいほどか弱い「ひげ根」をおろしてこの世界に根を張る、「治者」の努力によって見出されるべきものと、彼は考えていたのだろうか。

しかし、彼自身を生かす「ヒューマー」の可能性を『成熟と喪失』および「日本と私」に見出すことは出来ないと、わたしは考える。さらにまた、加藤典洋が『アメリカの影』の最初の論考で江藤に突きつけた結論、「彼［大浦――川口］の前には「子供」達がおり、それが彼を――孤独も糞もない――「父」にしているからである」がそれに当るとも思えない。加藤の述べる「子供」には、生きている子供だけでなく、自分たちが自然を殺すことで間接的に殺した子供が、たとえば胎内で水銀の毒を受けたために死んだ水俣の子供が含まれる。死んだ者、殺戮された者の死骸が生きのびる場所＝「落ちのびゆく先」として今ここがあり、「崩壊した自然」が今なお足元深くに息づいているということ。その事実がわたしに「弱く、深いものに導かれて自ら強くなる自助的努力のかたち」を教える云々……。

加藤の身も蓋もない断言が孕むラディカルな実践の意志、それへの驚嘆の念を隠すつもりはない。だがにもかかわらず、これは微妙に違うと感じる。「天」など無くとも、「子供」たちがわたしを「父」にし、「弱者」との関係に自己同一性の根を見出そうとする、何かおだやかな努力」に向けて立ち上らせるというのは、はたしてそうだろうか。おかしな言い方だが、どうしても加藤の真剣かつかろやかな「ヒューマー」は、人間化されすぎていると感じてしまうのだ。それでは、江藤が「他人」との関係から受け取った倫理と責任の奇妙な志向性が、人間的に均されすぎてしまうのではないか、と。「子供」ではない、「天使」の「ヒューマー」を考えることで、江藤とともに『成熟と喪失』の限界にぶつかるべきではないか。その上で、可能性としての『一族再会』を読むべきなのではないか。

ある箇所に彼は、「不自然な虚構のなかで生きる人間が堕落するのと同様に、虚構の不在のなかで生きる人間も堕落をのがれられない」と書き込んでいた。わたしは思う。よりマシな虚構によって「堕落」を避けることよりも、「虚構」をめぐる二律背反の境界に留まり、受動と能動が混線するそこで、「他人」と共に生きることの責任を引き受けて身体を引き裂かれつづけることが大切なのではないか、と。その膿み爛れた傷口から言葉を摑み出し、なおも対話を試行錯誤すること。そこに生じる無根拠で無底な、天使的混乱の磁場のただ中で、言葉のポテンシャルを爆発させること。その光で根源の歴史を照らし出すこと。

そうすることで——「遠ざかった実在を虚空のなかに奪いかえし、「他者」と共有され得る言葉をさがしあて、要するに「幻」と化しつつある世界を言葉のなかにとらえ直すような試み」という、『成熟と喪失』の最終段落に刻み付けられた荒唐無稽な数行に、真に革命的な質を与えなければならない。

3　リ・メンバー、ユー

「人が喪失した「母」の回復にのみ救済を見ようとするかぎり、回復されるのは幼年期の投射であって決して秩序でも社会でもあり得ない」——。前節で読んだ『成熟と喪失』の「虚構」をめぐるくだりの直前の一文である。「喪失した「母」」を強引に伝記的に読み替えれば、それは五歳のときに死んだ彼の母親を指している。

江藤と慶子（と犬）が〈家〉を求め、しかし〈家〉に何度も裏切られて住いを転々とする不思議なドキュメント「日本と私」では、昔、小学校から逃げ帰り、内から鍵をかけてホッとした生家の「納戸」が、「いわば私にとって唯一の「家」だった」と洩らしている。「納戸の外には祖母や義母や女中がいるが、この中は自分の領分で、タンスをあけるとまだどこかに母の匂いがする。母の着物のやわらかい紅絹裏にさわってみているうちに、これをまとってみたらそのまま自分が母に変ってしまいそうな気がして来る」「「家」というものはそれなら母の胎内のようなものなのだろうか」と……。「母胎」のイメージ、あるいは母の胸で安らぐ赤子のイメージは死ぬまで残存した。しかしそれだけでは、関係に母子一体の幻影を「投射」し、自他に「不自然な虚構」を強いることになるのではないか――そういう疑惑を鋭く撃ち返してくる「他人」がすぐそばに存在していたという事実もまた江藤にとって重要だったはずだ。

十六歳から、ちょうど批評家デビューの年に重なる二十三歳までの七年の歳月を「父」と過ごしたバラックの社宅が、記憶に深く刻まれた「場所の名前」として、あの「納戸」があった大久保百人町の家に劣らぬ比重で自分の内部に存在しはじめた。一九七一年に発表されたエッセイ「場所と私」ではそう述べている。

「子」として「父」を、「父」の弱さを認め、諦め、慰めることから語り出される物語。自立した「父」＝「治者」たろうとした、弱い孤独な人間の生と死を言祝ぐ物語。そのような「虚構」を、批評家は自覚的に択んだように見える。

象徴的なレベルでは、マッカーサーの隣に並んで写真に収まる昭和天皇裕仁の裏切りの衝撃を受け止めること――『成熟と喪失』の遠藤周作を論じた項では、明らかに天皇その人を指す「君主」の変貌が指弾されていたし、『一族再会』には「お国をこんなにして、大勢人を死なせて、陛下は明治さまになんと申訳をなさる」という、敗戦直後に祖母が放った鋭いセリフが銘記されていた――、そして個別具体的なレベルでは、天皇と同年生れの父親の存在を引き受け、和解することが、それに当るだろう。「場所と私」では、言い含めるような穏やかなトーンで、現実の父との葛藤が決着したことが報告されている。ようやく想い到った、あるいは憶い出した……戦災で家を失い打ちひしがれていた父と過ごした急造バラックの社宅での時間こそ、ひとびとが〝戦後〟に抱いたいかなる幻想からも切り離された、「いわばほんものの戦後」だったのだ、と。「（…）この戦後にはどんな〝戦後〟思想も浸透して来はしなかった。私はほとんどあらゆるものを奪われて（dispossessed）いたが、私を憑かれた（possessed）状態にする観念や思想は、ついに一度もここまではうがち入って来なかった」。江藤はこのエッセイの発表をもって、不透明な膜のように自身の幼年期から青年期を覆っていた長い戦後に終止符を打ち、以後、言論空間のタブーを暴く糾弾者として、洒脱なエッセイの書き手として、天皇主義者として、いずれにせよ自由な単独者として新しく戦後を生きる覚悟を固めた。そのように言える。

とはいえ『一族再会』の「母」の章に含まれるつぎのパッセージは、この推移が自然な物語＝「虚構」に支えられた無理のない道筋ではなかった事実を予示している。「祖母は母を亡ぼすことによって自分の不幸の代償を得ようとし、母は亡びることによって父を雪折れの状態におとしいれた。そしてそういう父を私はいつからか引きうけなければならぬものと感じ、その重さに耐えている。このようなことを書くことによって私はおそらくさらに世界の崩壊を促進させているであろう。だが、それなら書くとはいったいなんだろうか。それが私を生きつづけさせるために必要だということは、なにを意味するだろうか」。

「父」を「引きうけ」、その「重さ」に「耐え」ること。それは、自らの我慢を「虚構」＝批評文として書くことで命を永らえるのと引き換えに、「世界の崩壊を促進させ」ることだった。自死という結果からこれを裁断しても意味がない。批評は個人を生かすに足るなにかでありうるが、その事実はいつでも、メビウスの環のように、批評は個人を殺すに足るという事実に反転しうるから。彼の批評＝実存にこもる破壊の感触から眼を逸らさないでおきたい。さらにまた、生の実感を求めるほど暗い記憶が呪いのように呼び戻され、かえって稀薄になってしまう現実の生活、それが独異な方法として、また倫理として、批評文に結晶化しえた一事への驚きをあくまで大切にしたい。

『一族再会』の最後の章「もう一人の祖父」に、「母方の祖父、宮治民三郎の故郷、尾州蜂須賀村」を訪ねる旅が描かれている。またその数年前には大久保百人町の家の跡地に足を向け、現在ではその場所が「猥雑な盛り場の延長に変り果てて」いる光景に衝撃を受けたという(平山周吉は伝記で、江藤が誇大な「虚構」をそこに紛れ込ませた事実を指摘している)有名なエピソードを書き残している(「戦後と私」一九六六)。平山は、「故郷」―「胎内」再訪のその日が、慶子夫人が子宮摘出手術を受けた後か、もしくは手術の必要を医師から伝えられた後だったのではないかと推測している。

これらは〝家出〟としての旅だったのだと、わたしは思う。「喪失」を創り出す旅。「世界の崩壊を促進させ」る旅。死者の名前を、今では変わり果てた「場所の名前」を呼び、書きあらわすこと――それがそのまま破壊的な旅になるのだ。別の〈家〉を探すための〝家出〟ではない。書くことで〈家〉を粉々に破砕し、崩壊した、残骸のような世界そのものを〈家〉ならぬ〈家〉とみなし、棲みつくこと。そのような〝家出〟。すると、「ほんものの戦後」=「バラック」すら中途半端な喩、過渡的な形象にすぎなかったのだ。

一族の系譜を辿る『一族再会』は、アイデンティティの根拠地としての〈家〉を確かめることとは、じつはまったく異なる試みだった。それは妻と生きる現在のラディカルな徹底化でなければならなかった。妻を「母」から解放する、そんな観念はとっくに「崩壊」していた。しかし――。あらゆる世代に、死者たちの群れの中に、繰り返し生まれ直すこと。「母」なしで生まれ変わること。そういう「母」の否定に、否認や拒絶や崩壊とは異なる、変革の可能性が宿らないだろうか。そのようにしてわたしは、「他人」たちがただ生きているこの廃墟のなかで、通常の時間の流れから剝落した錯時法的な生命体に、不死の「私」

に、なれるのではないか。これを無意味な妄想だとは言い切れない。江藤が真面目にそう考えていたとしてもおかしくはなかった。

＊

母から、祖母、祖父、そしてもう一人の祖父へと遡及するこの本の最初の章節の題は「言葉と私」である。冒頭から五つ目の段落を噛み砕いてみる。——次第に喪われていく生のリアリティーを「言葉の世界に喚び集め」、「実在を不在でおきかえ」ながら生きること。そういう「言葉」に、「もし世界が完全なかたちで実在していたなら」実感されたはずの「親密な感触」を求めること……。本書の根本動機が死なのか生なのか、混然としていてまったく明らかではない。この一節からもそのことが伝わるが、いずれにしても明らかなのは、「もの」の氾濫に「自由」の可能性を洞察した『成熟と喪失』を経て、「言葉」への決定的な関心が批評家に生じたということである。否、「言葉」だけが残ったと言うべきかもしれない。

この箇所のしばらく後には「このことをできるかぎり厳密に考えようとするなら、やはり私は自分と言葉との出逢いから、いや「私」という個体の核をかたちづくるものと言葉の源泉をなす薄暗い場所に充満した沈黙との出逢いから、考えはじめなければならない」とある。「個体の核」と「沈黙」の遭遇は、言語習得以前、母に抱かれていた嬰児の頃に生じていたはずである。とはいえ、「ひとつの充実した沈黙」について知りたいと願う自分には、発達心理学の視座から考えることに意味があると思えない。つまり、『成熟と喪失』で小説の登場人物が聴いた（かのように江藤が創作した）「声」——「自分の記憶の奥底から聴えて来る声」を、今度は自分自身の根源的言語体験を見据えることから記述したいと言っているのだ。

しかもそのよすがとなるのは、心理学ではなく祖先の来歴、歴史である、と。ここに、かつて一人の女が病床で叫んだ（と江藤が書いた）「お母さん」という「声」が反響していることははっきりしている。

彼はつづける——自分にはしかし、「ひとつの沈黙」を「喚起する能力がない」。想い起こそうにも、他の声に、他の言葉に、かき消されてしまう。厳格な祖母の言葉に。あるいは弟妹とは母親が異なるという秘密の重さに耐えかねてしばしば癇癪を起こした、自らの叫び声に。

「祖母」の章の記述によれば、敗戦後間もない頃、江藤は祖母に向って日本刀を振り上げたことがあったそうだ。切れるものなら切ってみろと言葉を浴びせられて、切ってしまおうと本気で思った。祖母とはわかりあえないことが多すぎた。ところが、あるとき夢枕に立った祖母の「無言の言葉」は「のこらず理解できた」と彼は述べる。その言葉は「私たちの存在をみたしている暗い淵から湧いて来るもの」で、「血なまぐさいものすら澱んでい」たにもかかわらず、「そこからは激情ではなくて言葉が、つまり存在の触手がさしのばされていた」。

つづく難解なパッセージを、少し長いが読んでみたい。

私たちのなかにこの暗い淵がうがたれるのは、母の胸に抱かれた幼児の薄明の安息が喪われた瞬間からである。そのときいわば私たちの存在の核をみたす沈黙が変質する。意識は光である日常言語の世界に出逢うのに、沈黙は存在の闇のなかにしりぞいて行く。この暗い沈黙から安息が喪われているのは、それが個体の自覚をともなっているからにほかならない。それは不安であり、孤独であって、たえず触手をのばして安息を回復しようとするが、意識の光がとらえた日常言語はそのためになにごともなし得ない。もしのばされた触手が「言葉」に転位されないかぎりは。それは存在の核をみたす暗く重いもの、ある動物的なものを、「言葉」という軽ろやかな不在に変身させることである。そうでなければさしのばされた存在の触手は、叫び声になるか混沌とした情念になって奔出するかするだけだ。それらは不完全な「言葉」——「言葉」になりそこねた言葉であり、かならず自他の個体を破壊しようとする衝動をともなう。なぜなら私たちの意識には限界があり、個体の自覚にはかならず日常言語の秩序と同じような虚構性がついてまわっているからである。

言葉には「日常言語」／「叫び」＝「不完全な「言葉」」／「言葉」という三つの層がある。「個体」化されたわたしは「安息を回復」しようとして「触手をのば」すが、「日常言語」はまったく用をなさない。ただし〈もしも～かぎりは〉という言い回しから推して、「日常言語」と「言葉」はまったく無関係だとまでは言い切れないのだろう。存在の「暗い淵」からのばされた「触手」が「言葉」に転位されないで「日常言語の世界」に露出されれば、それは「叫び声」か「混沌とした情念」になって爆発し「自他の個体を破壊」してしまう。叫びは「「言葉」になりそこねた言葉」である。存在からのびる「触手」がたいてい破壊的な結果を招くのは、わたしたちは「日常言語の秩序」のなかで「意識」の限界ゆえの「虚構性」を免れえないからである。……

心理学とも哲学ともつかないこの奇妙な言語＝存在生成論（？）のなかで、批評家が日常世界の「虚構性」に触れていることには、戦後言説空間の「虚構性」が強調される後の検閲研究との関連で注目してよい。だがそれにしても、「言葉」が「存在」そのものではなく「軽やかな不在」を伝達するという事態をどのように思い描けばよいのだろうか。「日常言語」と「言葉」の関係を、たとえば漢心と大和心や、書記言語と音声言語といったような、ニセ物と本物の対立軸で理解しては間違う。「言葉」を、日常言語の網目で捕らえることは出来ない。つまり、わたしが今記しているような言葉では「言葉」について伝えられない。江藤は祖母の「無言の言葉」、としか書いていない。彼はそれによってなにを「理解」したのだろう。「存在の触手」から「不在」を受け取ることに、なんの意味があったのだろう。そのような「言葉」を聴くとは――自分がそれをたしかに聴いたと知るとは、いったいどのような経験なのか。

　ちなみに、祖母が夢枕に立ったのは彼女が亡くなる前夜で、江藤が間もなく旧制中学の三年生になる頃、場所は疎開先の鎌倉だったという。怪談じみた設定の実体験と創作の混淆の割合を問うつもりはない。何度でも強調しておきたいのは、現在の「叫び声」＝暴力なくしては右のような挿話が想起されることもなかっただろうということ――自らの「言葉」が目の前の「他人」に聞き届けられてほしい／「他人」の「言葉」を聞き届けたいと祈る切実な現在こそ、『一族再会』という、過去への旅の発端だった事実である。だからその意味で、先ほどの長めの引用箇所の後で、「言葉」と「存在」の問題から「血縁」や「近親憎悪」の問題に話題がスライドしてしまっているのを、わたしはもったいないと感じる。それでは、不熟な「言葉」という概念に賭けられた、概念以上のなにかが取りこぼされてしまう気がするのだ。『成熟と喪失』の最終段落を思い出してもらいたい。江藤は、「言葉」と「存在」の思考から切り返して、あらためて「他人」との関係における「もの」と「自由」の破壊的で極限的な可能性について吟味すべきだった。そのように思う。

　そうすれば……なにかを思い出し（remember）、巨大な廃墟の天体に散りばめられた「もの」たちを呼び集めること（re-member）――この二重の運動によって書かれる歴史＝根源史が、今ここのわたしとあなたが交わす言葉に重なり、エコーし、聴き取られる。「言葉」になる。そういうことがありえるかもしれない。彼がほんとうに考えていたのは、欲していたのは、待望していたのは、そういう出来事だったのではないか。

最終章「もう一人の祖父」の前に置かれた短い章「結婚」で、江藤は、祖父安太郎と祖母米子の結婚の経緯を述べるには「拠るべき資料が欠けている」と前置きしながら、こんな不思議なことをさらりと記している。

しかしそれでいながら私は、当時のいきさつを、あたかもその場に居合わせた者のようによく知っているような気がしないでもない。それを記憶というならまだ生れて来る前の記憶に属するものであり、言葉というなら言葉を教えられる前の言葉に属するものである。つまりそれは、私の血のなかに流れているある暗い影像の原質とでもいうべきものである。この記憶は、われわれの意識の認識能力を超えた重い硫酸のような沈黙のなかにひろがっている。あるいはそれは、個々の人間を支えている猿の集団の記憶、さらにその背後にひそむ原生動物にいたるまでの系統樹の暗い記憶かも知れない。

「私の血のなかに流れている」というクリシェに躓きそうになるが、それは民族精神や国家の起源にかかわる美的な抽象物をではなく、「猿の集団の記憶」、そのさらに深奥の「原生動物にいたるまでの系統樹の暗い記憶」という唯物的・実質的なものを指している。記憶以前の記憶。言葉以前の言葉。彼はこれをレトリックでもスピリチュアルなイメージでもなく、一つのマテリアルな事実として記述している。一方では、「意識の認識能力を超えた」「沈黙のなか」に広がっていると言わざるをえないのだが、にもかかわらず他方では、その連続の上に祖父母の結婚をめぐる具体的な「いきさつ」があり、それが当時生れてもいなかった自分に届いている、良く知っている気がする、と述べているのだ。人間の言語の認識範囲を超過した全生命の流れそのものであるような記憶が、祖父母の時代の個別的な出来事の記憶とつながっていて、しかもまだ生れていなかった自分がそれを「知っている」ということが起り得る。どういうことだろう。

江藤自身は論理化して説明しているわけではなく、それに夢の中の出来事として描写しているだけなのだが、しかし、こんなふうに考えてみる。……「「言葉」という軽やかな不在」という媒体の使命とは、不可能な記憶を、ある特異な方法によって想像も出来ないほど遠い未来に伝え届けることである、と。「言葉」は、世界を、「もの」たちのあいだを移動し、絶えず生成・変容しながら、その過程で「叫び」をまき散らし、暴力的な破滅を引き起こしつつ、過去から未来に伸びる直線的な時間におびただしい歪みとねじれを加えていく。そしてこの生成の運動と「記憶」は分かち難く結びついている。

「記憶」とは——なにかを憶えている、なにかを想い出すことが出来るとは、このわたしに偶然送り届けられた「言葉」の力によって、根源的な時間性の脱臼を経験させられることとなのではないか。その意味で、「言葉」だけでなく「記憶」もまた「不在」の経験である。今ここでわたしが「他人」と交わしている対話に不意に「言葉」が到来し、時間が歪み、ねじれる。この出来事に心底から驚いて「他人」と共に言葉を失ったその瞬間、その無言、その沈黙こそ、「言葉」の経験であり、「記憶」の経験である。「言葉」

をほんとうに聴く、あるいは「言葉」がほんとうに聴かれるとは、驚きに包まれながら、その沈黙のなかで「他人」と向き合っているというまさにそのことなのだ。そして、だとすれば、ほんとうに想い出すとは、今ここの、不思議な時間の歪みとねじれの感覚のなかで、ある根源的な「自由」の可能性に――「もの」がただ「もの」であるようにわたしがわたしであり、あなたがあなたである、そのような可能性に想いを馳せることだ。それこそがよみがえりであり、生まれ変わりであり、命の革まりであると、知ることだ。知らされることだ。これが、歴史のなかに在るということである。「血のなかに流れているある暗い影像の原質」や「重い硫酸のような沈黙」といった表現にそれほどこだわる必要はない。それが、具体的な宗教のかたちでは信仰をもたない人間が、「ある種の超越性への感覚」（柄谷）を言い表そうとして発した不器用な表象であることを確認すれば十分だろう。

話が逸れてしまった。脱線ついでの回り道をさらに重ねて、このノートはお仕舞にしよう。

*

すでに一度名前を出したが、『一族再会』を読みながら、脳裏にはずっとベンヤミンのことが、とりわけ彼が学生時代に書いた論考「言語一般および人間の言語について」のことがあった。たとえばつぎのようなイデーが。「生命を吹き込まれた自然においてであれ、生命を吹き込まれていない自然においてであれ、何らかの仕方で言語に関わっていないような出来事や事物は存在しない」（以下、訳文は細見和之『ベンヤミン「言語一般および人間の言語について」を読む』による）。あらゆる事物が「言語」によって自らの「精神的内容」を伝えている。この「言語」は比喩ではないと、ベンヤミンは述べている。花であろうが、石ころであろうが、事物が在るということはそのまま、それが固有の「言語」によって自らを伝えているということなのである。「その表現に際して自らの精神的本質を伝達しないようなものを私たちは何ひとつ思い浮かべることができない（…）」。

人間の言語は「名づける言語」である点で、右のような事物の言語と決定的に位相を異にしている。「名前」（Name）によって認識する人間の言語が「語」（Wort）によって創造する神の言語の高さに到達することはありえない。しかしそれでも神が人間を自らに似せて造ったことはたしかであり、神は自らにおいて創造の媒質であったものを認識の媒質として人間に預け、休息したのだ（「固有名」は「神の語のもっとも深い模像」である）。

「楽園の言語」は、「完全な認識を果たすものだった」。しかしそこに堕罪が生じる。蛇が誘惑する善悪の知識こそ、楽園における「唯一の悪」であった。善悪を基準とした道徳的知識による認識は外在的な名づけであり、「名前は自分自身の外に歩み出」た。「名前」は無傷ではいられず、「名称言語」に内在する「固有の魔術から抜け出し」、「外側から魔術的となった」。以来、人間は、言葉とは自分自身ではないなにかを伝達するものだと信じるようになる。これこそ「言語精神の堕罪」、「アダムの言語精神の失墜」である……。

この先に続く、堕罪によって「裁く語」が呼び起こされ、その「判決」の「いっそう厳格な純粋さが生じた」という論述の意味を正確に理解することはわたしには困難である。この第十九段落にかんしては、翻訳や法をめぐる他のテクストと突き合わせて考える必要があるだろう。ここではさしあたり、細見和之が付した注釈を読みたい。ベンヤミンは、堕罪は、「言語精神のひとつの能力としての抽象化」の起源であり、「抽象的な言語要素」は「裁く語、判決に根ざしている」と推測している――。

しかし、言語の「抽象的要素」である個々の概念に積極的な意味合いがあるとすれば、それらの抽象的な概念は同時に、それがまさしく抽象的であることによって、具体的な事物・対象を名指す「名前」の決定的な挫折ないし不十分さを、なお自らのうちにいわば瘢痕として担っている、ということにもとめることができるのではないか。本来の具体的な名前が失われた場所で、抽象的な概念がその「名前」の記憶を、自らの決定的な抽象性のうちにかえって逆説的にも保持している、ということである。(…)

このように理解するならば、言語の「抽象的要素」と「判決」は確かにある系譜関係に置くことが可能かもしれない。このような理解に立って、ベンヤミンがさきの引用の最初のほうで述べている「言語精神のひとつの能力としての抽象化」を、真なる具体性を回復するために、偽りの具体性を解体ないし回避する、ひとつの迂回路を構築しうる否定性の力、と呼ぶこともできるだろう。つけくわえると、のちの『ドイツ悲劇の根源』にいたると、この「言語の抽象的要素」、またそれをもたらした堕罪こそは、アレゴリー的なものの故郷とされるのである。

傷、挫折の痕跡としてわたしたちの言語に残存する、「名前」の記憶。大事なのは、正しいほんとうの名前を求めることではないのだろう。狂ったように誤った名を呼び続け、叫び続け、錯誤の強度を絶対的に高め切ること、そこにおいて翻訳(でしかありえないわたしの言葉)の無惨さも不可避性も可能性もすべて深いところで受けとめ、その上でアレゴリー的思考による迂回を徹底すること、それが必要なのだ。

それは、人間の言語によって記述され執行される、文としての「法」や「判決」を翻訳によって狂わせ、それらが装う絶対性を「正義」の痕跡の方へアレゴリカルに転倒させ、高めることでもあるだろう。

これからわたしは、そのような実践をのみ、批評と呼ぶことにしよう。そして「ヒューマー」とは、その批評を思考のみならず人生そのもの、生き方そのものにおいて実践するよう要求する或る論理的かつ絶対的な力にほかならない。

ベンヤミンによれば――「植物だけがザワザワと音を立てているところにおいてさえ、つねにひとつの嘆きがともに鳴り響いている」。人間の堕罪によって、自然の嘆きは、さらに深い沈黙へと沈潜する。自然には言葉がなく、自らは沈黙せざるをえないがゆえに悲しむ。何百もの人間の不完全な言語によって命名されることを悲しむ。だがそれだけではない。「自然の悲しみが自然を沈黙させているのだ」。この命題はわたしたちをさらに深く「自然の本質」に導くと前置きし、彼は言う。「悲しみのうちにあるものは、認識しえないものによってそれほどまでに徹頭徹尾認識されている、と感じているのだ」と。

「他人」もまた、あなたもまた、そうなのではないか。そうだったのではないか。あなたもまた、そのとき、悲しみと沈黙のなかで、認識しえないものによって徹頭徹尾認識されていることを深く理解していたのではないか。そうして、ベンヤミンが付け加えて言っていることが正確であるとすれば、じつは、わたしが発した間違った言葉、わたしがあなたを呼んだその名前は、散り散りに砕け、断片化し、すでに涸れ凋んでいたにもかかわらず、それでも「神の決定にしたがって事物を認識」していたのではないか。

江藤は「もう一人の祖父」の章で、いったい自分はなにを求めてこんなところまで来たのだろう、と自問している。「自分の言葉の源泉を求めて、と考えたこともあった」。だがおそらく、と批評家はすぐに言い直す——もっと単純に、わたしは健全で簡素な場所に還りたいのだ。生と死の循環が動かしがたいかたちで繰り返される場所、そのような場所の土に触れたい。その土に身を打ちつけて、自分の不毛さを詫びたい。

彼は地元の人間に案内されて自転車を走らせ、葛の葉稲荷を訪れる。「秋の陽光に隠された、眼に見えない昏い死者の道。この道をいろどるのは、稲の穂でも野の草でもなくて、旧い記憶を秘めた地名のかずかずである」と考えながら。彼は耳を澄ませて、小さな藪の無数のささやきを、葉の落ちかけた木々をわたる微風の音を、そしてそこに混じる、愛するものを置き去りにして他界に戻った女たちの嘆きの声を聴いた。こんな貧相な小藪が自分の「信太の森」なのか。そんな想いが、胸の底にわだかまる悲哀と混ざり合い、身内を充たしたが、「故郷の土地のささやき」はたしかに聴こえつづけているのだから、それでいいと思えた。頭上でばさっと音がし、鳥が短く啼いた。

彼が「自然の悲しみ」を、「自然の沈黙」を聴いていたことは間違いない。だからほんとうは「他界に戻った女たちの嘆きの声」のような、物語的な想像を掻き立てる文は余計だった。江藤のもとを去り、やはりわたしは、「他人」であるあなたの沈黙、あなたの悲しみの場所にかえる。そして、間違った、堕落した、萎え凋んだ、断片化した言葉を——あなたの名をその廃墟で呼び続ける。批評を書き続ける。文を猛り狂わせる。過去と現在と未来が交錯し交雑する星座的な布置、未完と復元がせめぎ合う根源の時間。それがそこに開くはずだと、わたしは信じているから。わたしがたんにわたしであり、あなたがたんにあなたであるということを、そこで心底から理解したい。

後記

江藤淳についてのノートを長い〝あとがき〟を記すような心づもりで書いたので、ここでは簡単な事実確認のみにとどめたい。

本書には、商業誌デビューから現在までに書いた文章のほとんどが、おおよそ時系列で並べられている。一読してくれた方は〈こいつは七年という短くない期間、同じようなことばかり飽きもせず考えてきたのだな〉という感想をお持ちになるだろう。まったく同感で、自分自身呆れている。

もし評論集を出すことになったら、山城むつみの『文学のプログラム』や大澤信亮の『神的批評』のようなすっきりした構成の本にしようかな、とぼんやり思ってはいた。だがどうも本腰を入れて取り組む気になれなかった。本なんか出ても出なくても、これからも批評を書いていくことにかわりはないのだから……というのが正直なところだった。どの文章にもその都度必死に取り組んできたことはたしかだが、それらを単著としてまとめるために乗り越えなければならない物理的・心理的ハードルに立ち向かう野心がまったく湧かなかった。

気が変わったのは雑誌『対抗言論』の第三号に編集委員としてかかわってからである。ざっくり言うと、現在の自分の本領はいわゆる評論集のシンプルさではなく、むしろ雑誌的な雑多さにおいて――言い換えれば、超時間的な堂々とした面構えの本ではなく、不安定で流動的な時事的、時局的要素が混在するような本で、よりよく発揮されるのではないかと感じた。そういう本であれば作ってもいいとようやく思えたのである。この心変わりの象徴的な痕跡として、第三部「差別への問い（I）」から「（II）」への自己批判的な跳躍があったのだと、今になって思う。この本のさいごに江藤淳論が必要であるということもそのときはっきりしたのだった。

これを雑誌的と表現すべきかよくわからないのだが、本書は書き手のライフヒストリーとしても読むことができる。いわば、批評当事者（?）による記録文書（ドキュメント）である。第一部には北海道の上富良野町と斜里町で書いた論考とエッセイを収めている。第三部のテクストはすべて静岡県の川根本町で書いたものだ。いずれの土地も、自分の出生とは無縁の、偶然流れ着いた辺境的な場所である。そして両者のあいだ、第二部には、学生時代に文学を教えてくれた作家・室井光広氏の死が契機になって書かれた文章が置かれている。氏の死去と、北海道から静岡への引っ越しのタイミングが重なった。それは、批評家としての、人間としての、極私的な変化の時期でもあった。くどくどと言い募っても仕方ないが、一人の人間の死は、どんな死であれ、生き延びてしまった人間、生き延びようとする人間へのギフトになりうるのだ。

さてつぎはわかりやすく雑誌的だが、第三部には、商業文芸誌上に発表された他人のテクストを論じた時評と、そこから派生した書評と論争文を収録した。このような構成のアイデアが浮上したのは、雑誌作りに携り、目の前の出来事に批判的・論争的に介入することの難しさと必要さを痛感する過程においてだった。批判なんて、適当な言いっぱなし言われっぱなしでかまわない。どうせみんな一週間もすれば何事もなかったかのように忘れ、別の話題に飛び移ってしまうのだから。……こういう時間の流れを堰き止めるのはもはや不可能かもしれないが、しかし抗うべきだろう。すくなくとも批評にかかわる者は、自らの言葉を簡単には抹消出来ないものとして残すことで、言葉への責任を負いつづけるべきだ。そして当たり前だが論争は相手がいなければ成り立たない。時評に応答してくれた住本麻子氏にあらためて感謝する。また本書には収録しなかったが、今年は小峰ひずみ氏とのあいだでも論争があった。そちらもなんらかのかたちで残したいと考えている。真面目な議論は大事なので、これからも続けていく。

本書はまた日本文芸批評についての本でもある。意図していたわけではないが、事実としてそうなっている。文芸批評の系譜を、その魂的な問いの根底を、いささかでも感じ取ってもらえたら嬉しい。〈自分以外、同世代に文芸批評を書く奇特な人間はいないだろうし、たぶん今後も現われないだろう〉という予感に包まれながら日々生きている者として、この本を書いたことを素直に誇りに思う。だが、批判的な緊張関係を保ちながら文芸批評の蓄積を引き受け、それを最低の鞍部で越えようとするのではなく、その最高度のポテンシャルを身をもって窮め尽くし、生き切る、生かし切る——そのミッションにけして終わりはないだろう。

感謝すべき人は多いが、ここでは杉田俊介氏、室井陽子氏の名前のみ記し、特別な感謝を捧げたい。お二人の存在がなければこの本はなかった。

二〇二三年一一月

川口好美

初出一覧

1 不幸と共存

「不幸と共存――シモーヌ・ヴェイユ試論」(『群像』二〇一六年一二月　第六〇回群像新人評論賞優秀作)
「暴力と生存――小林秀雄試論」(未発表　二〇二〇年四月)
「マニウケル」(『てんでんこ No. 9』二〇一八年)
「僕の文学のふるさと」(『てんでんこ No. 10』二〇一八年)
「切実な「対決点」」(『てんでんこ No. 11』二〇一九年)
「批評の牙」(『すばる』二〇一九年八月)
「ボーヨー、ボーヨー」(『てんでんこ No. 12』二〇一九年)

2 〈てんでんこ〉な協働へ――室井光広讃

「室井光広、まぼろしのシショチョー」(『Odd Zine vol. 4』二〇二〇年五月)
「室井光広の喉仏」(『しししし vol. 3』二〇二〇年四月)
「「世界劇場」で正しく「不安」を学ぶ」(『週刊読書人』二〇二〇年五月)
「多和田葉子のための〝愛苦しさ〟あふれるノート」(『三田文学』二〇二〇年夏)
「ジェイムズ・ジョイスと『エセ物語』」(『てんでんこ　室井光広追悼号』二〇二〇年一〇月)
「『エセ物語』解説」(『対抗言論 vol. 3』二〇二三年一月)
「『おどるでく　猫又伝奇集』解説」(二〇二三年六月)

3 対抗言論

「差別への問い(I)――在日の「私」/秋山駿の〈私〉」(『対抗言論 vol. 2』二〇二一年二月)
「差別への問い(II)――中野重治試論」(『対抗言論 vol. 3』二〇二三年一月)
「文芸時評二〇二一年二月/四月/七月/九月/二〇二一年文芸回顧」(『週刊読書人』)
「「ぼく達」のゆくえ――住本麻子氏の「反論」に答える」(「ウェブ版文学+」二〇二一年八月)
「沈黙とノイズの音楽」(『すばる』二〇二一年一〇月)
「〝この二人〟の小説」(『すばる』二〇二三年九月)
「未知の臓器が脈打つリズム」(『すばる』二〇二一年五月)
「物語と秘密」(『週刊読書人』二〇二三年四月)
「美しい生活」の論理」(『週刊読書人』二〇二一年八月)
「われわれ男たちの呆れかえった共同事業」(『週刊読書人』二〇二一年一一月)
「「批評」=「運動」としての革命へ」(『すばる』二〇二一年七月)
補遺　「江藤淳ノート」(書き下ろし　二〇二三年八月)

◉著 者

川口好美（かわぐち よしみ）

1987年，大阪生れ。東海大学文学部文芸創作学科卒。2021年から，静岡県川根本町の小集落・沢間で「本とおもちゃ　てんでんこ」を家族で営む。文芸批評家。

不幸と共存

魂的文芸批評　〈対抗言論叢書 4〉

2023年12月25日　初版第1刷発行

著者　川口好美

発行所　一般財団法人 法政大学出版局

〒102-0071 東京都千代田区富士見 2-17-1
電話 03 (5214) 5540　振替 00160-6-95814
組版：HUP　印刷：日経印刷　製本：誠製本

ISBN978-4-588-46024-1　Printed in Japan